OPENBARE
BIBLIOTHEEK

D0294850

Anna Hope

Wake voor een onbekende

Uitgegeven door Xander Uitgevers BV

Hamerstraat 3, 1021 JT Amsterdam

www.xanderuitgevers.nl

Oorspronkelijke titel: *Wake*
Oorspronkelijke uitgever: Doubleday
Vertaling: Carla Hazewindus en Anne Jongeling
Omslagontwerp: Studio Marlies Visser
Omslagbeeld: Getty Images
Kaart: John Taylor
Auteursfoto: Jonathan Greet
Zetwerk: ZetSpiegel, Best

Eerste druk 2015

ISBN 978 94 0160 250 1 | NUR 302

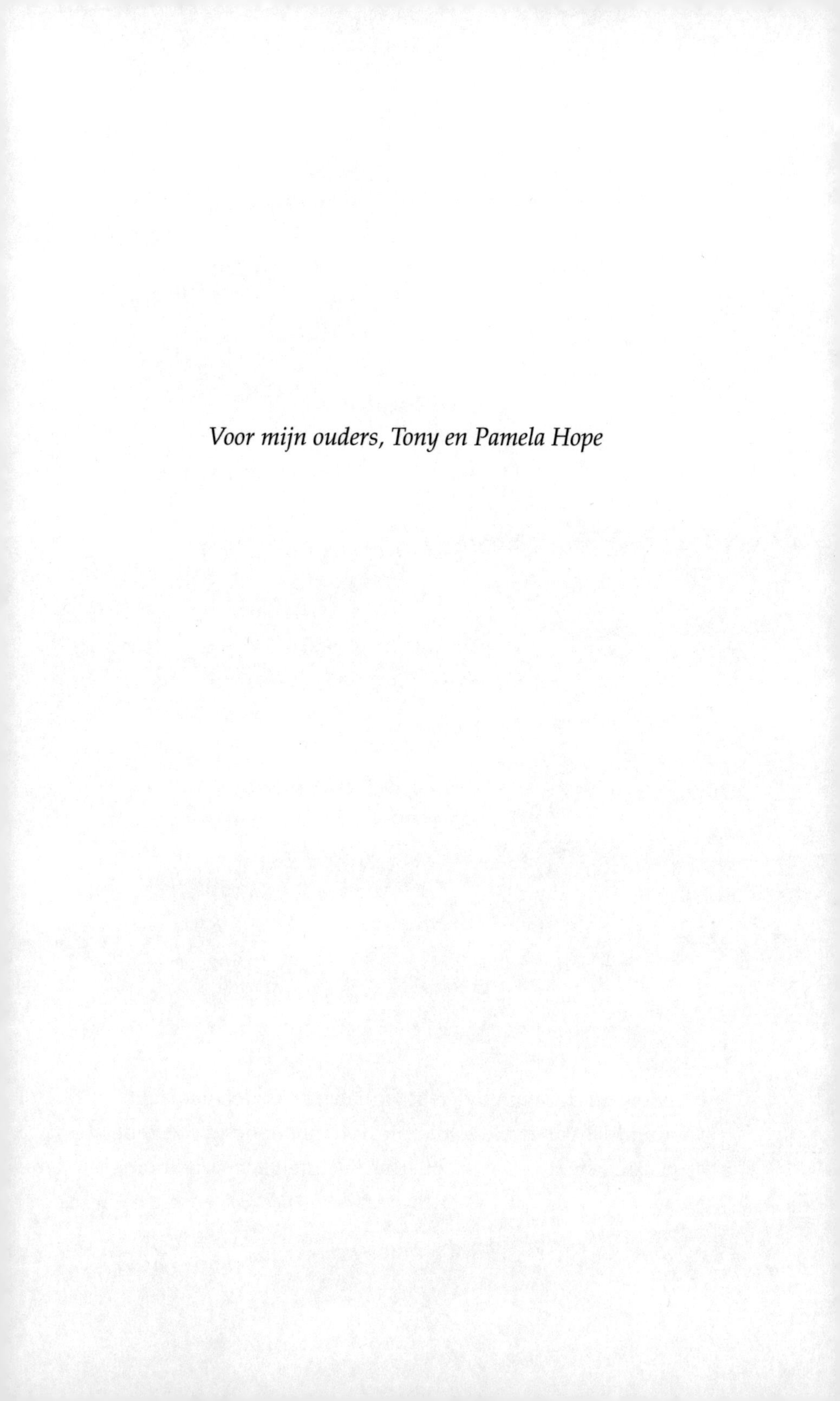

Voor mijn ouders, Tony en Pamela Hope

wa•ke (z.nw.) (de; v(m); meervoud: waken, wakes)
1 het wachthouden;
2 het wakker zijn;
3 volgstroom;
4 wacht

LONDEN
Westminster Abbey
Sittingbourne
Victoria Station
Dover
HET
KANAAL
De reis
van de
Onbekende Soldaat
7–11 november 1920
Dieppe
FRA
Le Havre

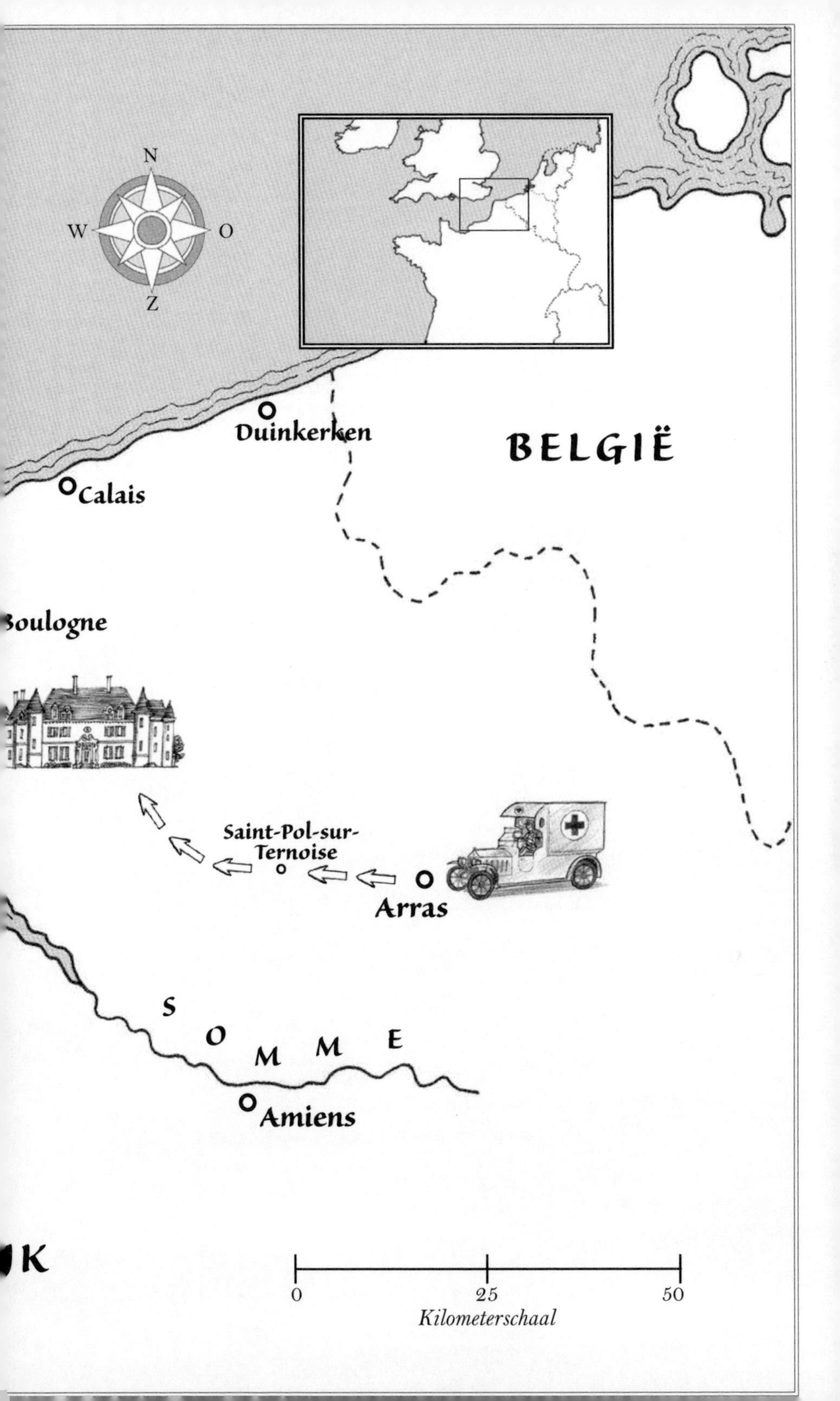
N
W
O
Z
Duinkerken
BELGIË
Calais
Boulogne
Saint-Pol-sur-Ternoise
Arras
S O M M E
Amiens
K
0
25
50
Kilometerschaal

Dag een

Zondag, 7 november 1920

In Arras, in het noorden van Frankrijk, lopen drie militairen de kazerne uit. Een kolonel, een sergeant en een soldaat. Het is omstreeks middernacht en buiten is het bitter koud. Ze begeven zich naar de legerambulance die vlak bij de uitgang geparkeerd staat. De kolonel gaat met de sergeant voorin zitten, de soldaat klimt op de achterbank. De sergeant start de motor, een slaperige schildwacht wuift ze door de poort.

De weg zit vol kuilen, en de jonge soldaat moet zich in het bonkende voertuig stevig vasthouden aan een lus aan het dak. Zijn toch al zo beverige gevoel wordt er met dit gestuiter niet beter op. Deze ruwe nacht ervaart hij als een straf die wordt voltrokken; nog maar luttele minuten geleden werd hij gewekt en gesommeerd zich onmiddellijk aan te kleden en naar buiten te gaan. Voor zover hij weet heeft hij niets op zijn kerfstok, maar je weet maar nooit in het leger. In het afgelopen half jaar, sinds hij in Frankrijk is gestationeerd, heeft hij kennelijk de nodige overtredingen begaan waarbij hem pas achteraf werd verteld hoe en waarom.

Hij knijpt zijn ogen dicht en klemt zich in de rammelende wagen steviger aan de lus vast.

Hij had gehoopt hier dingen te kunnen meemaken. Dingen die hij had moeten missen omdat hij indertijd nog te jong was voor het strijdfront. Dingen waar zijn oudere broer over schreef in zijn brieven naar huis. Zijn broer de held, die sneuvelde toen hij een Duitse loopgraaf probeerde te overmeesteren en wiens lichaam nooit meer is gevonden.

Maar in werkelijkheid heeft hij amper iets beleefd. Hij zit vast in de puinhopen van Arras, waar hij week in week uit met stenen sjouwt waar ze de huizen en de kerken mee op willen bouwen.

De sergeant zit voorovergebogen achter het stuur en concentreert zich op de weg. Hij kent de omgeving goed, maar vanwege de verraderlijke kraters in het wegdek rijdt hij liever overdag. Hij wil geen klapband, zeker niet deze nacht. Ook hij heeft geen idee waarom hij hier moet zijn, in het holst van de nacht zonder enige aankondiging vooraf, maar hij weet wel beter dan de grimmig zwijgende kolonel naast hem om opheldering te vragen.

Dus ondergaan de militairen deze rit met de ronkende motor onder hun voeten. Ze rijden door een open veld en zien geen hand voor ogen, behalve wat in het schijnsel van de koplampen wordt gevangen, zoals een nachtdier dat geschrokken wegvlucht in de duistere nacht.

Na ongeveer een half uur blaft de kolonel met schorre stem een bevel. 'Hier. Hier stoppen.' Hij geeft een klap op het dashboard. De sergeant zoekt een geschikte plek in de berm waar hij de legerambulance kan neerzetten. De motor sputtert en is dan stil. Zwijgend stappen de mannen uit.

De kolonel knipt zijn zaklantaarn aan en rommelt in de achterbak van de wagen. Hij haalt twee spades en een grote jute zak tevoorschijn. De spades overhandigt hij aan beide mannen, de zak draagt hij zelf. Hij klimt over een lage muur. De twee anderen volgen zijn voorbeeld, en met behoedzame bewegingen concentreren ze zich op het zwaaiende licht van de zaklantaarns.

De grond is bevroren. Dat betekent dat de modder hard is en makkelijk te belopen, niettemin is de soldaat op zijn hoede; de grond is bezaaid met verwrongen stukken metaal en zit vol met, vaak diepe, kuilen. En hij weet dat er overal blindgangers liggen. Zij zijn de oorzaak van de vele begrafenissen onder de Chinese arbeiders, die speciaal zijn overgebracht om de lijken te ruimen. Alleen al in de afgelopen week zijn er onder hen vijf doden gevallen; ze eindigden in de graven die ze juist voor anderen hadden gedolven.

Ondanks de kou en zijn onbestendige gevoel begint hij het naar zijn zin te krijgen. Hij vindt het spannend om hier te lopen, in het donker, te midden van de ravage van ontwortelde bomen, waar overal het gevaar lonkt. Net alsof hij hier op een andere missie is, denkt hij. Een heldhaftige missie, een waarover hij naar huis kan schrijven. Wat hem ook te wachten staat, alles is beter dan het eentonige opbouwen van kerken en scholen.

Na een poosje lijkt de grond zich voor hen te openen, als ze de overblijfselen van een loopgraaf bereiken. De kolonel daalt de ladder af en doet een paar stappen naar voren, de twee anderen volgen zijn voorbeeld. In ganzenpas lopen ze door de zigzaggende geul.

De soldaat probeert in te schatten hoe diep de loopgraaf is. Hij is zelf niet lang en de rand is niet erg hoog. Ze passeren een schuilholte, met een krankzinnig verbogen deur die nog net aan een laatste scharnier hangt, de andere hengsels zijn al lang verteerd. Na een korte aarzeling licht hij de ruimte met zijn lantaarn bij, maar er is binnen niet veel anders te zien dan een oude tafel die tegen de wand is geschoven, met een roestig, geopend blik erop. Vlug wendt hij zijn lantaarn weer van de muffe ruimte af en haalt de anderen in.

Vlak voor hem ziet hij de kolonel een kort recht stuk in de loopgraaf betreden, waar hij aan het eind rechts afslaat en in een andere loopgraaf terechtkomt, die net als de eerste in een zigzagconstructie is gebouwd.

'Frontlinie,' mompelt de sergeant.

Na een paar meter valt de lichtbundel van de lantaarn van de kolonel op een verroeste ladder die tegen de wand van de loopgraaf staat. Hij gaat ervoor staan, plaatst een voet op de onderste lat en stampt er een paar keer met zijn voet op om te voelen hoe stevig hij is.

'Mag ik iets vragen?' vraagt de sergeant hem.

'Wat is er?' De kolonel kijkt hem over zijn schouder aan.

De sergeant schraapt zijn keel. 'Moeten we hier naar boven?'

De soldaat ziet dat de kolonel slikt, zijn adamsappel gaat langzaam op en neer. 'Had jij een beter idee dan?'

De sergeant heeft daar geen antwoord op.

De kolonel draait zich om en klautert met een paar snelle bewegingen langs de ladder naar boven.

'Goddomme,' prevelt de sergeant. Hij heeft zich nog niet verroerd.

De soldaat achter hem popelt om de kolonel te volgen. Ergens weet hij dat hij daarboven nog meer verwoest landschap zal aantreffen, maar toch hoopt hij op iets anders, iets wat in de richting komt van wat hij beoogde, waar hij dat vage, dappere, prachtige gevoel over heeft dat hij niet uit durft te spreken, niet eens in gedachten. Maar hij mag pas in actie komen na de sergeant, en de sergeant staat daar als een zoutpilaar.

Boven hun hoofd verschijnen de laarzen van de kolonel, die met zijn zaklamp in hun gezicht schijnt. 'Wat staan jullie te treuzelen? Kom naar boven. Meteen.' Hij spuwt zijn woorden uit, alsof hij kogels afvuurt.

'Ja, natuurlijk.' De sergeant sluit zijn ogen, even lijkt het alsof hij een schietgebedje wil opzeggen, dan vermant hij zich en gaat de ladder op. De soldaat volgt hem, terwijl hij het bloed in zijn oren voelt kloppen. Eenmaal boven blijven ze even staan om op adem te komen. De lichtbundels van hun lantaarns tasten het omliggende terrein af; ze kijken naar een roestige, spiraalvormige prikkeldraadversperring, als het op hol geslagen geraamte van een oude slang, van meters doorsnee die zich uitstrekt in beide richtingen voor zover het oog reikt.

'Godverju,' laat de sergeant zich ontvallen. En dan, iets luider: 'Hoe komen we ooit door dat kreng heen?'

De kolonel haalt een draadschaar tevoorschijn. 'Alsjeblieft.'

De sergeant neemt het gereedschap aan en weegt het in zijn hand. Hij kent het klappen van de zweep, hij heeft al vaker prikkeldraad doorgeknipt. Afrasteringen. En hij heeft zelf ook vaak genoeg prikkeldraad gespannen. Als ze de tijd hadden om het goed te doen, lieten ze her en der openingen die de vijand nooit zou opmerken. Maar hier zitten geen gaten in. De versperring is overal in de verdrukking gekomen en tot een onontwarbare kluwen verworden. Volkomen geruïneerd. Net als alles in dit vervloekte oord. 'Goed.' Hij overhandigt zijn spade aan de soldaat. 'Licht me bij, oké?' Hij buigt zich naar voren en begint te knippen.

De soldaat kijkt toe terwijl hij de lichtbundel zo stabiel mogelijk probeert te houden. Er zit van alles verstrikt in het prikkeldraad, en zo te zien al een hele tijd. Rafelige lappen textiel, stijf bevroren; in het schijnsel van zijn lamp lichten beenderen wit op, al is het onmogelijk te zien of het menselijke of dierlijke resten zijn. Het ruikt raar op deze plek, naar metaal in plaats van naar aarde; hij kan het op zijn tong proeven.

Als de sergeant klaar is, draait hij zich om en wenkt de andere twee hem te volgen. Hij heeft vakwerk verricht; ze kunnen met gemak door de smalle opening die hij heeft gemaakt.

'Deze kant op.' De kolonel haast zich over het bultige veld, waar overal kleine kruisjes uit de grond steken. Ze zijn van blank hout gemaakt of geïmproviseerd van bijeengebonden spaanders. Er zijn ook flessen ondersteboven in de aarde gestoken, hier en daar zitten er stukjes papier in. De kolonel knielt af en toe neer om met zijn zaklantaarn een inscriptie bij te lichten, maar loopt telkens door.

De soldaat probeert zijn gelaatsuitdrukking te peilen. Naar wie zou hij op zoek zijn?

De kolonel bukt zich bij een van de houten kruisjes die een stukje verder op staan. 'Hier.' Hij gebaart dat ze dichterbij moeten komen. 'Jullie moeten hier graven.' Iemand heeft met een bibberig handschrift in zwarte pen een datum op het kruis gezet, maar geen naam.

De soldaat gehoorzaamt. Hij tilt de spade op en steekt hem in de grond. De sergeant doet hetzelfde, maar na een paar scheppen aarde houdt hij op.

'Ik heb een vraag.'

'Zeg het maar.'

'Wat is de bedoeling hiervan?'

'We zoeken naar een lijk,' zegt de kolonel. 'Schiet op, man. We hebben niet de hele dag.'

De twee staren elkaar aan. De sergeant slaat als eerste zijn ogen neer, spuugt op de grond en gaat verder met graven.

Onder de bevroren modderlaag is de grond rul. Lang hoeven ze niet meer door te gaan, want weldra schraapt metaal langs metaal. De sergeant legt zijn spade op de grond en knielt neer om de modder van een metalen helm te vegen. 'Volgens mij hebben we iets gevonden, kolonel.'

De kolonel schijnt met zijn zaklantaarn in de kuil. 'Ga door,' zegt hij met verstikte stem.

Nu zitten beide mannen op hun hurken en vegen met hun handschoenen zo goed en zo kwaad als het kan de aarde van het lichaam. Maar dit is niet echt een lichaam. Het is een hoopje beenderen in een vergaan uniform. Er is niets meer over van het menselijk weefsel, afgezien van een paar zwartbruine flarden aan de zijkant van de schedel.

'Maak hem zo schoon mogelijk,' zegt de kolonel, 'en zoek naar emblemen.'

De dode man ligt scheef in de aarde, zijn rechterarm onder zijn romp gebogen. Ze buigen zich naar voren, tillen hem op en draaien hem om. De sergeant pakt zijn zakmes en schraapt ermee over de plek waar ooit de schouder zat. Het regimentsembleem komt tevoorschijn, maar het is onleesbaar geworden, de kleuren zijn vervaagd en in de grond gesijpeld; het is onmogelijk de herkomst vast te stellen.

'Het is niet meer te lezen, kolonel. Het spijt me.' Het gezicht van de sergeant is rood in het lantaarnlicht, bezweet door de inspanning.

'Kijk of er iets rondom het lichaam te vinden is. Wroet de aarde om, ik wil alles wat hem mogelijk kan identificeren.'

De mannen doen zoals hen is opgedragen, maar ze kunnen niets vinden.

Na een poosje komen ze langzaam overeind. De soldaat wrijft over zijn onderrug terwijl hij de stoffelijke resten bekijkt van de man die ze hebben opgegraven, en die daar nu half op zijn zij ligt. Er schiet een gedachte door zijn hoofd: zijn eigen broer is hier gestorven. Op een soortgelijk veld in Frankrijk. Zijn lichaam is nooit teruggevonden. Stel dat hij het is?

Het is onmogelijk te achterhalen.

Hij kijkt op naar de kolonel. Het is ook onmogelijk na te gaan of dit het lichaam was dat de officier zocht. Zinloos. Hij wacht op een reactie van de kolonel en zet zich schrap voor een eventuele woede-uitbarsting.

Maar de man knikt slechts kort.

'Goed,' zegt hij en hij drukt zijn peuk in de grond uit. 'Til hem op en stop hem in de zak.'

Hettie wrijft met haar mouw over het beslagen raam van de taxi en tuurt naar buiten. Ze kan bijna niets zien, in elk geval niets wat op een nachtclub lijkt – alleen maar donkere, uitgestorven straten. Je zou niet zeggen dat ze vlak bij Leicester Square zaten.

'Hier is het,' zegt Di tegen de taxichauffeur.

'Eén pond alsjeblieft.' Hij doet de binnenverlichting aan en laat de motor draaien.

Hettie geeft hem haar deel. Tien shilling. Een derde van haar gage. Haar maag krimpt als het geld naar de voorbank verdwijnt. Maar deze taxi is geen luxe-uitgave, niet dit keer; de bussen rijden niet meer en de metro is dicht.

'Het is echt de moeite waard,' fluistert Di als ze de auto uitstappen. 'Beloofd. Op mijn erewoord.'

De taxi rijdt weg en hun handen vinden elkaar, in de onverlichte zijstraat, waar de kiezels en glasscherven onder hun dansschoentjes knarsen. Het koude zweet staat Hettie op de rug. Het moet al na enen zijn, zo laat is ze nog nooit op straat gebleven. Ze denkt aan haar moeder en haar broer in Hammersmith, die nu op één oor liggen. Over niet al te lange tijd staan ze op om naar de kerk te gaan.

'Hier moet het zijn.' Di blijft stilstaan voor een oud gebouw van drie verdiepingen. Er brandt geen licht achter de gesloten luiken en de enige verlichting bij de deur is een miniem blauw peertje.

'Weet je het zeker?' Hetties adem maakt vrieswolkjes in de kille nachtlucht.

'Kijk maar.' Di wijst naar een kleine plaque op de muur, op het oog een doorsnee rechthoek die net zo goed van een dokter of tandarts had kunnen zijn. Maar er staat een naam in het brons gegraveerd: DALTON'S NO. 62.

Dalton's.

Legendarische nachtclub.

Zo legendarisch dat mensen diens bestaan ontkennen.

'Ben je er klaar voor?' Met een spookachtig blauwe glimlach klopt Di op de deur. Er wordt een paneeltje opzij geschoven. Twee fletse ogen in een vakje van licht. 'Ja?'

'Ik kom voor Humphrey,' zegt Di. Met een kakstem. Achter haar weet Hettie amper haar lachen in te houden. De deur gaat open. Ze moeten zich naar binnen wringen, want de entree is zo krap als een servieskast. Achter een houten balie staat een jonge man. Zijn blik valt kort op Hettie, met haar baret en haar bruine jas, en blijft hangen bij Di met haar donkere ogen, en de boblijn van haar kapsel die net onder haar hoedje uitkomt. Di kan op een bepaalde manier kijken, eerst met haar hoofd schuin naar beneden en dan weer omhoog. Dan staren de mannen naar haar. Ze doet het nu ook. De portier heeft ogen op steeltjes, ziet Hettie.

'Je moet je inschrijven,' kan hij ten slotte uitbrengen en wijst naar het registerboek dat voor hem op de balie ligt opengeslagen.

'Tuurlijk.' Di trekt een handschoen uit, buigt zich naar voren en zet met een ervaren pennenstreek haar naam neer. 'Nu jij.' Ze reikt Hettie de pen aan.

Ergens beneden klinkt het gedempte geluid van muziek: een montere trompet. Een vrouw schreeuwt. Hettie kan haar hartslag voelen: *bonk-bonk-bonk*. De inkt van Di's handtekening, die over de lijntjes is gegaan, glanst nog. Hettie doet eveneens haar handschoenen uit en krabbelt haar naam neer: Henrietta Burns.

'Ga maar naar binnen.' De man trekt het boek naar zich toe en gebaart naar de onverlichte trap achter hem.

Di gaat voorop. De trap is oud en de treden kraken, en als Hettie steun zoekt bij de muur stuiten haar vingers op klamme schilfers. Zo had ze het zich niet voorgesteld; dit lijkt in de verste verten niet op de Palais, waar alle glamour in de entree zit. Zo'n krakkemikkige, bedompte trap is toch een prelude van niks? Wel kan ze de muziek inmiddels goed horen, geroezemoes van mensen, het geluid van voeten op de dansvloer. Als ze bijna de trap zijn afgedaald voelt ze een dreigende paniekaanval. 'Je laat me toch niet in de steek hier, hè?' Ze reikt naar Di's arm.

'Natuurlijk niet.' Di steekt haar hand uit, geeft haar een bemoedigend kneepje en duwt de deur open.

De geur van de dicht opeengepakte dansende mensenmassa is overrompelend. De club kan niet groter zijn dan de benedenverdieping in het huis van Hetties moeder, en het is er stampvol, met dicht tegen elkaar aan geschoven tafeltjes en de dansvloer een woelige ruimte die voor iedereen vrij toegankelijk is. De meeste aanwezigen zijn uitgedost in avondkleding – de heren in smoking, de dames in kleurige galajurken – maar er zit ook alledaagse kleding tussen. De band die de zaal op zijn kop zet met een ragtime, heeft een negerzanger – dat verbaast Hettie nog het meest. Ze heeft nog nooit een negerzanger gezien. Het is een duizelingwekkende plek, alsof alle kleuren aan de bovengrondse stad zijn onttrokken en naar deze ondergrondse ruimte zijn gesmokkeld.

'Machtig!' grijnst Di.

'Zeg dat wel,' beaamt Hettie en ze haalt diep adem.

'Daar is Humphrey!' Di zwaait naar een blonde man die zich een weg door de menigte baant. Hettie herkent hem van die ene avond in de Palais, nu twee weken geleden, toen hij Di inhuurde voor een dansje, en toen nog een, en nog een, tot sluitingstijd. (Het is hun werk: danspartner in de Hammersmith Palais. Te huur voor sixpence per dans, zes avonden per week.)

'Jottem!' zegt Humphrey die Di een kus op de wang geeft. 'Je hebt het gevonden. En jij bent zeker...'

'Henrietta.' Ze geeft hem een hand.

Humphrey kan niet veel ouder zijn dan zij of Di. Hij heeft een soepele handdruk en een prettig gezicht met sproeten. Knap om te zien, dat zeker. Di heeft wel met andere types aangepapt. Na een jaar in de Palais heeft Hettie een kompas voor mannen ontwikkeld. Aan twee minuten heeft ze genoeg om ze te doorgronden. Dan weet ze of ze getrouwd zijn en ertussenuit zijn gepiept voor een avondje in hun eentje met het schuldzweet op hun voorhoofd. Ze herkent de glazige blik als ze zich haar in gedachten zonder kleren voorstellen. Of als ze oprecht aardig zijn, zoals Humphrey. 'Kom mee,' zegt hij met een glimlach, 'we zitten daar.'

Ze wurmen zich achter hem aan tussen de volle tafeltjes door. Hettie raakt achterop omdat ze telkens blijft staan om naar de band te kijken, naar de zanger met de verbijsterend donkere huid, en naar de meute op de dansvloer die in het rond wervelt op een manier waar geen levende ziel in de Palais zich aan zou wagen. Ten slotte bereiken ze een tafeltje in de hoek, niet ver van het podium. Een kleine man in een pandjesjas staat op.

'Diana, Henrietta, dit is Gus,' zegt Humphrey.

Hetties gezelschap voor deze avond is gezet, pafferig en nauwelijks groter dan zij. Door zijn dunnende haar kan ze zijn hoofdhuid in de drukkende warmte zien glimmen. Ontmoedigd kan ze een glimlachje opbrengen.

'Mag ik je jas aannemen?' vraagt hij gedienstig. Met tegenzin laat ze hem begaan. Haar bruine jas is al geen pronkstuk, maar de jurk die ze aanheeft is de enige die ze heeft, en na een dubbele dienst in de Palais is die verre van fris.

Aan de overkant van hun tafel laat Di haar jas onbekommerd van haar schouders glijden en onthult de jurk die ze vorige week met Humphreys geld heeft gekocht. Hettie krimpt in elkaar. De jurk van Di. Wat zou ze ook graag zo'n soort jurk willen hebben, haar verlangen is zo sterk dat het bijna pijn doet. De jurk oogt zwart, maar er zitten zo veel kraaltjes op, zo veel snoezig kleine, iriserende steentjes, dat de precieze kleur niet is vast te stellen. Hettie was erbij toen Di hem bij Selfridges kocht. Hij kostte zes pond – Humphreys geld – en Hettie moest haar afgunst wegslikken en vrolijk meelachen toen ze voor de lol met de lift op en neer bleven gaan.

De mannen staren haar allebei aan totdat Gus zich herinnert wat omgangsvormen zijn. Vlug gaat hij naast Hettie zitten en wijst op de schaal broodjes op tafel. 'Ze smaken niet echt lekker,' zegt hij met een lachje, 'maar ze zijn bij elk drankje inbegrepen. Geen vergunning, vandaar. We stapelen ze gewoon op en schuiven ze opzij. Zo.' Hettie ziet de broodjes uit haar blikveld verdwijnen. Ze zou een moord plegen voor een hap. Sinds de hampastei in de pauze om zes uur heeft ze niets meer gegeten.

'Je bent heel goed in je werk, hè?' Gus schenkt een glas voor haar in uit de fles op tafel. 'Humph heeft verteld dat jullie danspartners zijn in de Palais. Klopt dat?'

'Ach...' Hettie nipt van haar glas, waar een zoetig bruisend goedje in zit. Ze weet het niet zeker, maar ze denkt dat het champagne is. 'We kunnen ermee door, denk ik.'

Ze doet haarzelf noch Di recht. Samen studeren ze al jaren op hun danspassen in huiskamers waar ze de tapijten hebben opgerold, ze zingen liedjes die ze inmiddels uit hun hoofd kennen en oefenen eindeloos met behulp van de foto's in *Modern Dancing*, waarbij ze om de beurt leiden. Ze zijn op afstand de beste twee danseressen in de Palais. En dat is geen opschepperij. Het is eenvoudigweg de waarheid.

'Ik kan niet dansen, echt niet,' zegt Gus met een kinderlijke pruillip.

Hettie glimlacht naar hem. Hij mag dan geen knappe man zijn, hij is geen kwaaie kerel. 'Dat zal toch wel meevallen?'

'Nee hoor.' Hij wijst met een grimas naar beneden. 'Twee linkervoeten. Ben ik mee geboren.'

Op de dansvloer gaat een onstuimig gejuich op, en als ze

zich omdraait ziet ze hoe begeesterd de zanger zijn muzikanten opzweept. Het moeten Amerikanen zijn, dat kan niet anders. Ze kent geen enkele Engelse band die zo bevlogen zou spelen; niet sinds de houseband van de Palais vertrokken is, niet sinds de Original Dixies, met hun koeienbellen en fluitjes en toeters, waren teruggegaan naar New York. Het publiek heeft het niet meer; ze laten zich op een uitzinnige manier gaan en hebben lak aan de buitenwacht. Dat zou haar moeder eens moeten zien. 'Fatsoenlijk' is haar lijfwoord. Als ze zou zien hoe deze mensen zich vermaken, kreeg ze een appelflauwte.

Ze wendt zich tot Gus. 'Het is een kwestie van oefenen, dat is alles,' zegt ze. Ze neemt nog een slokje terwijl ze haar lichaam voelt gonzen door het ritme van de muziek.

'Nee hoor,' houdt hij vol. 'Ik bak er echt niets van. Kreeg nooit de slag te pakken.' Hij draait zijn glas een paar bruuske slagen. 'Ben je klaar voor een uitdaging als je de dansvloer op wilt?' vraagt hij.

'Reken maar.' Hettie werpt een vlugge blik op Di, die met haar donkere hoofd heel dicht bij Humphrey zit, innig verzonken in een fluistergesprek dat ze niet kan verstaan.

De gierende akkoorden van de ragtime vloeien over in een rustiger tempo, de band speelt een nummer in een langzame vierkwartsmaat. Ze wurmen zich naar de dansvloer en vinden een beschikbaar plekje aan de rand. Gus neemt haar hand in de zijne en kijkt naar het plafond, alsof alle mysteriën van de dansbewegingen daar staan uitgetekend. Hij maakt een sprongetje, telt af en daar gaan ze.

Hij heeft gelijk, hij slaat een modderfiguur op de dansvloer. Geen greintje muzikaal gevoel, minstens twee maten te snel – hij trapt eerder tegen de muziek dan dat hij zich door de klanken laat leiden.

'Luister dan!' wil Hettie het liefst tegen hem zeggen. 'Laat je meeslepen. Hoor je niet hoe machtig ze spelen?'

Maar het zal niets uitrichten, dus ze probeert zich aan zijn harkerige stijl aan te passen. (Vuistregel in de Palais: wees nooit beter dan je danspartner. Je wordt ingehuurd om ze een fijn gevoel te bezorgen, en als dat lukt vragen ze je opnieuw. Zoals Di het graag omschrijft: 'Als puntje bij paaltje komt, is het een puur economische kwestie.')

Na een poosje wordt Gus' greep iets losser en kijkt hij verrukt omhoog. 'Ik zal barsten, het gaat me nog lukken ook!' Ze zwieren over de dansvloer, Hettie zet haar stijl dik aan om de zijne te flatteren en tegen het eind van het nummer maakt hij een overwinningspirouette. 'Humph had gelijk!' Stralend komt hij tot stilstand. 'Jullie kunnen er wat van. Maar ik heb nu wel dorst.' Hij is buiten adem en wist met een zakdoek het zweet van zijn gezicht. 'Wacht, ik haal iets te drinken voor ons.'

Hij verdwijnt in de dansmolen en Hettie vindt een plekje tegen de vochtige muur, blij om even alleen te zijn en het schouwspel rustig te kunnen overzien. Een jong stelletje loopt voorbij, giechelend houden ze elkaar overeind. Het meisje is jong en elegant, haar lichaam gehuld in blauwe zijde en om haar lange hals glanst een parelsnoer. Maar haar mooie gezichtje staat wazig en ze struikelt om de haverklap. Hettie beseft dat ze te veel heeft gedronken. Ze staart hen na, in de veronderstelling dat een zaalwachter zal komen om hen te verwijderen. Maar niemand trekt zich iets van hun aan. Het is duidelijk dat de zaken hier heel anders zijn geregeld dan in de Palais.

Op dat moment botst iemand met een ferme dreun tegen haar rug. Ze valt bijna, maar kan zich nog net in evenwicht houden.

'Sorry, lieve help, het spijt me echt.'

Hettie ziet een lange man achter haar staan. Hij heeft een verstrooide blik in zijn ogen, maar de glimlach om zijn lippen is verontschuldigend. 'Sorry, echt.' Met zijn ene hand woelt hij door zijn haar, met zijn andere houdt hij een glas met een amberkleurig drankje vast. 'Heb ik je pijn gedaan? Ik heb je vol geraakt.'

'Nee hoor, het gaat wel...' Ze lacht vlug, een tikje beschaamd, zonder te weten of dat door haarzelf komt of door hem.

De man kijkt haar nu recht aan, met vorsende blik, en Hettie voelt dat ze bloost. Hij is knap, echt heel knap.

'Mijn hemel,' zegt hij ten slotte. Zijn lach verdwijnt en er komt een andere, wat verloren blik voor in de plaats.

Haar wangen gloeien. Wat is er aan de hand? Waarom kijkt hij haar zo aan? Ze zwijgt terwijl de man haar blijft aanstaren, alsof ze een soort verschrikking is waarvan hij zijn blik niet kan losmaken.

'Sorry,' zegt hij opnieuw. Hij schudt zijn hoofd alsof hij het wil leegmaken. De echo van zijn lach is terug. 'Ik dacht dat je...' Hij houdt zijn glas omhoog. 'Wil je wat drinken? Laat me iets voor je halen. Om het goed te maken.'

Ze schudt haar hoofd. 'Nee, dank je. Er staat al iemand bij de bar om een drankje voor me te halen.'

Ze doet een stap opzij zodat hij erlangs kan, zodat ze ergens een spiegel kan zoeken, zodat ze haar gezicht kan inspecteren of er iets raars mee is, maar de man pakt haar arm vast. 'Waar kom je vandaan?'

'Pardon?' zegt ze. Zijn greep is stevig.

'Ik bedoel alleen maar of je Engelse bent of niet.'

'Jawel.'

Met een knikje laat hij haar los. Staat er nu teleurstelling op zijn gezicht te lezen?

'Pardon.' Ze duikt onder zijn arm door en loopt de menigte in. Het is zo mogelijk nog drukker geworden. Ze zoekt naar de toiletruimte, die achter een lage boogvormige opening zit waarvoor ze moet bukken. Het is er benauwd en het ruikt er bedompt, met een donkere waaier aan schimmelplekken op de muren.

Hijgend kijkt ze in de spiegel. Ze ziet er niet anders uit dan normaal, afgezien van de rode schaamtevlekjes in haar hals. En er zijn twee haarspelden losgeraakt, waardoor haar kapsel dreigt te verzakken. Ze duwt de dwarse lokken op hun plek. Haar weerbarstige haar heeft echt een heel speldenkussen aan pinnen nodig om in toom te worden gehouden. Dat stomme lange haar dat ze van haar moeder niet mag afknippen.

'Waag het niet om thuis te komen met net zo'n kapsel als die vriendin van jou, die flierefluitende losbol.'

Hoe komt haar moeder erbij? Di heeft het mooiste kapsel van alle meisjes in de Palais. Ze proberen steeds achter het adres van haar kapper te komen.

Hettie zoekt steun bij de koude rand van de wastafel. Het is laat en ze is al uren op de been. De belofte die deze nacht in petto leek te hebben, is zijn glans aan het verliezen, en ze wordt voor de zoveelste keer bevangen door gevoelens van twijfel. Ze is een meisje uit Hammersmith. Ze is te lang. Haar jurk is een oudje en ze kan zich geen nieuwe veroorloven omdat ze elke week de helft van haar inkomen moet afstaan aan haar moeder en aan haar broer, die niksnut. De keren dat ze de oksels met terpentine en geurwater heeft geschrobd zijn niet meer te tellen. Toch is de lucht er niet meer uit te krijgen en ze zal van haar levensdagen nooit zo'n jurk als Di bezitten. Ze kan maar beter aardig zijn tegen Gus. En het ergste is dat haar borsten altijd zo uitsteken, wat ze ook probeert om ze in te binden.

Het komt door die man van net, bedenkt ze terwijl ze haar ogen in de spiegel zoekt. Zoals hij naar haar keek en de vragen die hij stelde. 'Waar kom je vandaan?' Alsof hij doorhad dat ze hier niet thuishoorde, in deze club vol mensen die vrije losbandigheid in de alcohol vonden en in het wilde weg dansten alsof ze hoe dan ook door hun positie in het leven overeind werden gehouden.

Ze vermande zich en spetterde koud water op haar gezicht, keek snel of haar petticoat niet was afgezakt en stak de laatste opstandige haarpin vast. De rode vlekken in haar nek waren gelukkig een beetje weggetrokken.

Terug in de danszaal kijkt ze om zich heen, en tot haar opluchting kan ze de lange man nergens meer ontdekken. Pas na een tijdje ziet ze Gus' glimmende, bijna kale hoofd, die nog steeds in de rij voor de bar staat. Elders zitten Di en Humphrey aan hun tafeltje, in dezelfde houding als daarstraks. Misschien nog ietsje dichter bij elkaar. Di lacht om iets wat Humphrey zegt. Het ziet er niet naar uit dat ze een vijfde wiel aan hun wagen willen. Even dreigt haar herwonnen zelfvertrouwen haar in de steek te laten, maar dan gebeurt er iets op de dansvloer. Mensen blijven staan, het tempo van de muziek vertraagt, een voor een houden de instrumenten op met spelen, alleen de drummer blijft doorgaan, een langgerekte roffel totdat ook dat geluid wegsterft en hij zijn hand op de koperen deksels legt om die tot zwijgen te brengen. Er daalt een stilte over de zaal neer. Di en Humphrey kijken op van hun tafeltje.

Hettie houdt haar adem in en doet een stap naar achteren.

Voor een elektrisch geladen moment is het alsof er van alles kan gebeuren. Dan stapt de trompettist naar voren en tilt zijn instrument op. Het fonkelt in het licht. De ruimte wordt gevuld door een klank van het zuiverste water. Hettie sluit haar ogen en laat de muziek in haar binnenste toe, ze laat zich erdoor uithollen, en als de man echt begint te spelen, glijden de tonen als vloeibaar goud die zojuist ontstane holte in. En op dat moment, zoals ze daar geheel vervuld van de muziek staat, dringt het plotseling tot haar door dat het allemaal niet uitmaakt. Het is niet erg. Ze is immers jong, ze kan dansen, de tien shilling zijn het dubbel en dwars waard om deze danszaal te kunnen zien, om de muzikanten te horen spelen, om de meisjes maandag in de Palais te kunnen vertellen dat het wel degelijk waar is: er zit echt een club op West End, een ondergrondse club, met de beste jazzband sinds de Dixies naar New York zijn vertrokken.

'Wat sta je te gluren?'

Ze doet haar ogen open. De man is terug. Hij staat een meter bij haar vandaan tegen de muur geleund, en rookt een sigaret.

'Hoe bedoel je?'

'Je staat te gluren.'

'Niet waar.' Ze voelt haar hart angstig fladderen in haar borst.

'Wel waar. Ik hou je al twee volle minuten in de gaten. Twee minuten staat gelijk aan gluren.'

Ze voelt die vreselijke blos weer in haar hals opkomen. 'Niet waar, ik… Ik keek naar de band.' Ze slaat haar armen over elkaar, wendt haar blik af en probeert zich te concentreren op de vingerbewegingen van de trompettist, die haar zojuist dat magnifieke gevoel had weten te bezorgen.

Vanuit haar ooghoek ziet ze hoe hij zich losmaakt van de muur. 'Je bent toch niet een van die anarchisten, hè?' vraagt hij.

Ze kijkt hem perplex aan.

Zijn grijze ogen staan onbewogen. Dit keer lacht hij niet. 'Ik heb over jullie gelezen. Jullie zoeken dit soort publieke ruimtes op.' Hij maakt een armzwaai naar de zaal. 'Honderden onschuldige mensen. Bom onder je jas. Laat je achter in de wc. Nog even gluren, en dan… kaboem.' Hij mimet een explosie. Als hij zijn handen uit elkaar doet, komt de askegel los van zijn sigaret en verstuift in de lucht. Er landt wat as op haar jurk.

Even is ze met stomheid geslagen. Dan vermant ze zich. 'Daar hangt mijn jas,' zegt ze en ze wijst naar haar tafeltje in de hoek. 'Er zit geen bom in. Trouwens, als ik ergens de boel ging opblazen, zou ik zeker niet blijven staan om te gluren. Ik zou de benen nemen.'

'Aha,' zei hij. 'Enfin, dan heb ik je verkeerd ingeschat.'

'Zeg dat wel.'

Ze blijven elkaar aankijken. Ze probeert zijn blik te trotseren en deze man te doorgronden, maar haar kompas is op hol geslagen en ze tast volkomen in het duister.

Zijn gezicht breekt open in een glimlach. 'Sorry.' Hij schudt zijn hoofd. 'Ik heb een vreselijk gevoel voor humor.'

Haar hart slaat een slag over. Zijn glimlach brengt haar van haar stuk; die is er zo plotseling dat het net is alsof er een totaal ander mens tevoorschijn is gekomen. Zijn witte overhemd en jacquet zien er verzorgd uit, maar ze lijken niet bij hem te passen. Ze kan er niet de vinger op leggen waarom zijn kleding zo met zijn uiterlijk detoneert. Is het zijn nonchalance? Zijn haar is niet achterovergekamd met vet en hij heeft donkere schaduwen onder zijn ogen.

Hij haalt een platte flacon uit zijn zak en houdt haar die voor. 'Hier, neem alvast een slokje terwijl je op je drankje wacht.'

'Nee hoor, dank je wel.'

Ze keert zich half van hem af. Wat klonk dat afschuwelijk. 'Nee hoor, dank je wel.' Op en top Hammersmith, het meisje dat allang op haar bedje had moeten liggen. In een roze nachtpon.

'Toe, neem nou. Goed spul, dit. Single malt.'

Zijn ogen lachen deze keer. Lacht hij haar soms uit? Hij is het type dat onbevangen met iedereen een gesprek kan voeren. Waarom blijft hij bij haar plakken? Hij neemt haar vast in de maling.

Ze moest Gus maar eens gaan zoeken, die zal inmiddels haar drankje wel hebben.

Ze moet naar hem toe.

Maar ze blijft staan.

Ze pakt de flacon van de man aan en neemt een slok.

Omdat vanavond haar enige avond in deze club zal zijn, omdat haar afspraakje een saaie pier is die bovendien ergens anders staat, en omdat haar vriendin het druk heeft met iemand anders.

Ze heeft niets te verliezen.

Daarom is ze niet voorbereid op de scherpte van de drank. Ze verslikt zich en begint te hoesten.

'Geen whiskymeisje, hè?'

Van de weeromstuit neemt ze een grotere slok. Dit keer kan ze de drank gewoon doorslikken. 'Dank je,' zegt ze, en een tikje zelfgenoegzaam geeft ze hem de flacon terug.

Hij kijkt naar de dansvloer. 'Ben je hier om te dansen?' vraagt hij. 'Of kom je alleen maar gluren?'

'Ik ben hier om te dansen,' zegt ze, terwijl de whisky in haar bloed begint te gloeien.

'Mooi zo.' Hij drukt zijn sigarettenpeuk in de dichtstbijzijnde asbak uit en draait zich naar haar om. 'Zin om met mij te dansen?'

'Ja hoor.'

Het is nu wat rustiger op de dansvloer en ze kunnen makkelijk doorlopen. Als ze in het midden staan, steekt hij zijn handen omhoog. Een merkwaardig gebaar, eerder het gebaar van een man die laat zien dat hij ongewapend is dan iemand die op het punt staat te gaan dansen. Hettie legt haar ene hand in de zijne en de andere op zijn jacquet, dat strak langs zijn rug valt. De vouw van zijn kraag strijkt langs haar oor. Zijn hand is koel en droog. Hij ruikt naar citroen en sigaretten. Ze wordt een beetje duizelig. Misschien komt dat door de whisky.

De band is op de bezielde, schitterende trompetsolo ingesprongen en zet de ragtime weer in, een *one step*.

Een-twee, een-twee.

De dansvloer raakt vol, overal drukken de mensen tegen hen aan, juichend en klappend stampen ze de muziek weer tot leven.

Een-twee, een-twee.

Hij zet een stap naar haar toe.

Hettie doet een pas achteruit.

En opeens is daar die flits van herkenning: ze ziet hem amper de eerste sierlijke beweging maken of prompt valt alles op zijn plek. Hoera! Deze man kan echt dansen, en dat is een zeldzaamheid. Als de muzikanten alle registers opentrekken, wervelen ze samen over de vloer.

'Goede band vanavond.' Zijn stem komt net boven de muziek uit. 'Amerikaans. Ik mag ze graag, die Amerikanen.'

'Ik ook.'

'O ja?' Hij trekt een wenkbrauw op. 'Welke optredens heb je gezien?'

'The Original Dixies.'

'De Dixies? Godsamme.' Hij lijkt onder de indruk te zijn. 'De beste in hun vak.' Hij zet zijn been tussen de hare voor een draaiing. 'Waar heb je ze zien optreden?'

'De Palais. Hammersmith.' Ze keert zich om om hem aan te kijken.

'De Palais? Daar ben ik een keer geweest, ik heb ze daar ook gezien.' Zijn blik wordt gretig, als van een klein jongetje.

Hettie vraagt zich af of ze die avond misschien vlak bij elkaar op de dansvloer hebben gestaan. Ze hebben niet samen gedanst, dat weet ze zeker. Een danser van dit kaliber had ze beslist onthouden.

'Wat was jouw lievelingsnummer?'

Ze lacht. Dat is een makkelijke. '"Tiger Rag"'.

'"Tiger Rag",' grijnst hij. 'Tjonge, dat is een linke, met een verdraaid hoog tempo.'

Het is het snelste nummer, zelfs zij raakt erbij buiten adem.

'Hoe heet die man ook alweer?' Er verschijnen denkrimpels boven zijn neus. 'Die trompettist, Nick nogwat.'

'LaRocca.'

Nick LaRocca… de beroemdste trompettist van New York. Meisjes vielen bij hem in katzwijm. Hij had een keer naar haar gelachen toen ze backstage in de gang stond: 'Hé, meissie,' had hij gezegd en naar haar geknipoogd terwijl hij zijn dasje strikte. Sindsdien hing zijn poster boven haar bed.

'LaRocca! Juist.' Zijn gezicht licht verheugd op. 'Gekke kerel, speelde als een waanzinnige.'

Ze bevinden zich inmiddels aan de rand van de dansvloer, waar de muziek minder luid is. 'Vertel eens,' zegt hij, 'hoe ontwikkelt een anarchist liefde voor Amerikaanse jazz?'

'Ik ben geen…' Ze vangt zijn blik op en op dat moment gebeurt er iets tussen hen beiden. Het wordt een blik van verstandhouding. *Het is allemaal maar een spelletje.*

'Wat is je dekmantel?' zegt hij en hij buigt zich dicht naar haar toe, ze kan de whisky in zijn adem ruiken.

'Dekmantel?'

'Wat doe je voor werk?'

'O, ik ben danspartner bij de Palais. Ik geef dansles.'

'Puike dekmantel.' Hij glimlacht, maar dan komen de rimpels weer terug, alsof hem iets te binnen schiet. 'Je zit toch niet in dat metalen rotding, hè?'

Het bekende schaamtegevoel overvalt haar. 'Ik ben bang van wel.'

'Arme meid.'

De Box. *Dat metalen rotding*. Daar zit ze met Di en nog tien andere meisjes uitgestald als prooi totdat iemand ze inhuurt – een van de partnerloze mannen die loerend om hen heen cirkelen, wikkend en wegend wie hun sixpence waard is voor een dansje.

Hij leunt een stukje naar achteren om haar beter te kunnen bekijken. 'Je ziet er niet uit als een meisje dat te huur is.'

Houdt hij haar soms opnieuw voor de gek? Het klinkt als een compliment, maar ze twijfelt eraan.

'Trouwens, ik heet Ed,' zegt hij. 'Waar zijn mijn manieren? Ik had me wel eerder aan je kunnen voorstellen.'

Ze aarzelt.

'Goed hoor,' grijnst hij. 'Je hoeft pas te zeggen hoe je heet als ik de duimschroeven tevoorschijn haal.'

Ze schiet in de lach. Het nummer is bijna afgelopen. Over zijn schouder heen ziet ze Gus staan, die hen beteuterd aanstaart met twee glazen in zijn handen, en als het muziektempo vertraagt voelt ze zich slecht op haar gemak, ze beseft hoe dicht ze met haar lichaam en ledematen bij Ed is. Ze laat haar armen zakken en doet een pas terug.

'Wacht.' Hij grijpt haar bij haar pols. 'Ga nou niet weg,' pleit hij. 'Vertel me op zijn minst hoe je heet.' Zijn gelaatsuitdrukking is wederom veranderd. De lach is weg.

'Hettie. Ik heet Hettie.' Ze geeft hem haar naam want het spel dat ze speelden is duidelijk over en ze is, op de keper beschouwd, niet het soort meisje dat liegt.

'Hettie,' herhaalt hij en hij verstevigt zijn greep. Hij brengt zijn lippen dicht bij haar oor. 'Maak je geen zorgen,' zegt hij, 'ik zal je niet verraden. Ik erken het belang van dit soort dingen. Zelf zou ik de boel tot ontploffing willen brengen.'

Dan laat hij haar los, draait zich om en loopt weg, zonder te stoppen, zonder om te kijken, dwars door de mensenmenigte heen steekt hij de dansvloer over en neemt de trap naar de uitgang.

De zaal draait als een beverige caleidoscoop om haar heen.

Daar is Gus. Hij komt recht op haar af gelopen, maar minder vrolijk dan voorheen, zijn juichstemming is omgeslagen. 'Wie was dat? Ken je die man soms?'

Ze schudt haar hoofd. Maar ze kan zijn aanraking nog steeds voelen; de handen van deze Ed, deze onbekende man, gloeien na op haar huid.

'Het leek wel zo.' Er klinkt ergernis in Gus' stem door.

Opeens is Hettie woedend. Woedend op die arme kale Gus. Met zijn lompe dansstijl en de halfhartige gekwelde blik in zijn ogen. Zodra ze doorheeft dat hij haar boosheid opmerkt, voelt ze medelijden in zich opwellen. 'Hij kwam me bekend voor,' zegt ze zacht. 'Misschien heb ik hem ooit ergens ontmoet.'

Haar woorden schijnen hem gerust te stellen. Als ze er verder niets aan toevoegt, knikt hij even. 'Ranja?' Hij houdt een glas omhoog.

❖

'Evelyn.'

Ze wordt geroepen.

'Evelyn, zet die wekker uit, verdorie. Dat kreng staat al een hele tijd te tetteren.'

Evelyn doet in het donker haar ogen open.

Ze steekt een hand boven de dekens uit en grabbelt naar de wekker op het nachtkastje. De plotselinge stilte komt als een schok en ze hoort Doreen 'dank je' mompelen aan de andere kant van de deur.

Evelyn rolt zich op haar zij, trekt haar benen op en stopt haar hand in haar mond. Ze bijt op haar knokkels tot ze Doreen op pantoffelvoeten weg hoort sloffen.

Ze had die ene droom weer.

Heel even blijft ze zo liggen, dan gaat ze rechtop zitten en schuift de gordijnen opzij. Dof licht valt op de wijzerplaat van de wekker. De onveranderlijke realiteit van de ochtend doet zich gelden. Het is zondagochtend acht uur, haar moeder is vandaag jarig en rond het middaguur moet ze in Oxfordshire zijn.

Verdorie nog aan toe.

De leidingen in de badkamer knarsen en kletteren. Ze zwaait haar benen uit bed, de vloer is ijskoud onder haar blote voeten, en terwijl Doreen in de badkamer neuriënd met water spettert, kleedt ze zich in het halfdonker aan. Ze kiest haar minst opzichtige blouseje en de langste wollen rok die ze heeft, schiet snel in haar maillot en schoenen en trekt haar vest stevig dicht.

Het is al iets lichter buiten als ze klaar is met aankleden, maar toch vermijdt ze het om naar zichzelf te kijken in de wandspiegel.

De latrine bevindt zich op het armetierige lapje grond dat voor tuin moet doorgaan. Ze duwt de deur open, hurkt neer, doet rillend van de kou haar ochtendplas, trekt aan de ketting van de spoelbak en loopt weer vlug naar buiten. Er zit een verfrommeld pakje sigaretten in haar vestzakje. Hoestend steekt ze er een op. Ze kijkt omhoog naar de bomen, die met hun zwarte natte wintertakken een grillig patroon tegen de klarende ochtendlucht vormen. Ze blijft een poosje staan. Een moegestreden boomblaadje geeft zich gewonnen en dwarrelt op het tuinpad. Na een paar trekjes gooit ze haar sigaret ernaast op de grond en duwt beide met haar voet diep in de aarde.

In de keuken kookt ze water voor haar koffie, dat ze direct op de gemalen bonen giet. Ze neemt haar beker mee naar de tafel en steekt een nieuwe sigaret op.

'Goedemorgen.' Doreens glimlachende hoofd verschijnt om het hoekje van de deur.

'Idem.' Ze doet twee scheppen suiker in haar koffie en begint te roeren.

'Lekker geslapen?' vraagt Doreen.

'De slaap der kinderen.' Evelyn staat op en salueert. 'Als een blok.'

'Ontbijt?' Doreen duikt in de proviandkast.

'Bewaar me.' Ze gaat zitten.

'Moet je naar de provincie?'

'Paddington. Tien uur.'

Doreen komt tevoorschijn met brood en boter. 'Dan mag je wel opschieten.'

Hoe zeer Evelyn ook op haar is gesteld, want hun gedeelde huishouden is het meest ongedwongen en ontspannen samenlevingsverband dat ze zich kan indenken, op deze ochtend heeft ze geen enkele behoefte aan een gesprek. Ze wil hier gewoon in haar eentje aan tafel zitten, zodat ze zich door de laatste flarden van haar droom kan laten omhullen als een stola tegen de grijze ochtendkilte.

Doreen pakt een stoel en begint neuriënd het brood te snijden. Ze is gekleed op een dagje uit. Ze heeft een mooie jurk aangetrokken en haar wangen zijn schoongeboend en gepoederd, haar haren opgestoken. Evelyn meent zelfs een vleugje rouge te ontdekken, maar in het schemerlicht is het niet goed te zien.

'Waar ga je naartoe?' vraagt ze. 'Het is zondag. Had je geen zin om uit te slapen?'

Doreen kijkt op van de broodplank. 'Ik heb vandaag ook een vrije dag. Ik heb je vorige week over die ene man verteld, weet je nog? Hij wil me meenemen naar een plekje ver buiten Londen. Volgens hem zit ik hier in de smog te verkommeren.'

'Aha.'

'Ja, ik weet het. Hij sleept me vast mee naar een of andere duffe heuvel waar ik van het uitzicht moet genieten. Niettemin...' Doreen glimlacht verontschuldigend en bloost licht.

Evelyn drukt haar sigaret uit in de asbak. 'Je hebt helemaal gelijk. Zeg, ik moet voortmaken.' Ze trekt haar jas aan. 'Je ziet er schattig uit. Je bént ook een schat. Ik hoop dat je een leuke dag hebt. Doe hem de groeten van me.' Bij de deur draait ze zich om. 'Wens me succes.'

'Succes,' grinnikt Doreen, zwaaiend met het botermesje. 'En laat je niet op je kop zitten door die tang, afgesproken?'

Evelyn staat onder de stationsklok, ongeduldig op de grond tikkend met haar voet terwijl ze naarstig alle gezichten van de reizigers afspeurt naar dat van haar broer. Tevergeefs. Ze werpt een laatste blik op het paneel met de vertrektijden en loopt dan de stationshal in, waar ze spitsroeden moet lopen tussen de strepen ochtendlicht door. Wat irritant. Ze ergert zich dat hij te laat is.

De locomotief stoot al dikke aswolken uit als ze bij het perron is en ze kan op het nippertje in de achterste wagon springen. Ze loopt door de slingerende trein helemaal naar voren en kijkt in elke wagon of ze de rijzige gestalte en de hartelijke lach van haar broer kan ontwaren. Ze ziet hem nergens en alle plaatsen zijn bezet, pas voorin vindt ze een rustige wagon voor zichzelf.

Waar hangt die knul uit? Ze hebben deze afspraak weken geleden gemaakt. Het kortstondige gevoel van onrust zet ze snel van zich af. Ze wil zich niet te veel met de handel en wandel van haar broer bezighouden, en bovendien loopt hij niet in zeven sloten tegelijk. Ze denkt liever terug aan haar droom van vannacht, die elke keer hetzelfde is.

Hij gaat als volgt: ze zit in de salon van haar ouderlijk huis te lezen. Iemand belt aan; ze stopt een boekenlegger tussen de bladzijden, staat op van haar stoel en loopt over het kamertapijt naar de deur. Het enige wat ze hoeft te doen, is haar hand op de klink te leggen en de hal in te gaan, want daar zal ze Fraser vinden, die haar aan de andere kant opwacht. Ze houdt de klink al vast, ze kan het koele koper praktisch in haar handpalm voelen; ze drukt hem omlaag, de deur zwaait open en...

Op dat punt houdt haar droom op. Telkens weer.

Sommige dingen kan ze zich nog herinneren: een zomerse ochtend; Fraser naast haar op het bed; de veranderende lijnen in zijn gezicht.

De trein dendert door een tunnel. Als ze weer in het troosteloze ochtendlicht uitkomt, vangt Evelyn de reflectie van zichzelf op in de spiegel boven de stoel tegenover haar. Door de schuine invalshoek kan ze de scheiding in haar kapsel haarscherp zien. Het is een poosje geleden dat ze zichzelf bij daglicht heeft bekeken, en het valt haar op dat haar donkere haar inmiddels is doorschoten met grijze haren, meer dan ze kan tellen.

En hier is de waarheid, denkt ze bij zichzelf. Zelfs als de

droom werkelijkheid zou worden, als zijn uiteengereten lichaam weer tot één geheel gevoegd zou kunnen worden, als ze die deur kan openen en hem in levenden lijve zou aantreffen, dan zou hij alsnog verschrikt terugdeinzen. Volgende maand wordt ze dertig. Door ouder te worden heeft ze hem verraden.

De trein rijdt door de buitenwijken van Londen. Ze denkt aan al die mensen in al die woningen, die wakker worden in de grijsheid van deze ochtend, met hun grijze haar en hun grijze levens.

Wij zijn allen kameraden in grijsheid, concludeert ze.

Dat is het enige wat overblijft.

Als ze wakker wordt, ziet ze een gezette vrouw tegenover zich met een klein jongetje op haar knie. Ze staren haar allebei aan. Het kind heeft een bos rossige krullen en een rond, bleek gezichtje. De vrouw wendt direct haar blik af, alsof ze is betrapt, maar het jongetje blijft haar met open mond aangapen. Er siepelt een zilverig slakkenspoor van zijn neus naar zijn kin. Ze ziet dat meer mensen in de wagon hebben plaatsgenomen: bij het gangpad zitten een man en twee oudere vrouwen. Evelyn werpt een blik uit het raam. Ze rijden net een station uit: Reading. Ze is halverwege.

'Die mevrouw mist een vinger.'

'Sst,' sist de vrouw met het kind. 'Hou je mond, Charles.'

Evelyn trekt een wenkbrauw op.

'Kijk uit het raam, Charlie,' zegt de vrouw met schrille, hoge stem. 'Zie je de schaapjes in de wei?'

'Nee.' Charlie probeert zich verwoed van haar schoot te wurmen. 'Kijk es,' zegt hij tegen de man naast hem. 'Die mevrouw mist een vinger.' Hij buigt zich voorover, het snotdraadje uit zijn neus komt gevaarlijk dicht bij zijn moeders jurk.

Evelyn bekijkt haar hand. Het kind heeft gelijk. Ze mist een vinger. Een halve, om precies te zijn. Haar linker wijsvinger eindigt in een rond stompje boven de knokkel.

'Kijk eens aan, Charlie,' zegt Evelyn terwijl ze hem strak aankijkt. 'Weet je wat? Je hebt helemaal gelijk.' Ze wiebelt met het stompje in zijn richting. 'Heb je soms mijn vinger stiekem afgebeten terwijl ik lag te slapen?'

Charlie deinst terug. De overige aanwezigen in de wagon houden hoorbaar hun adem in, alsof iemand dat met een vingerknip heeft opgedragen, en kijken stug voor zich uit.

'Je mag het wel aanraken, hoor,' zegt Evelyn en ze steekt haar hand naar hem uit.

'Echt?' fluistert het jongetje en hij maakt al aanstalten.

'Nee, zeg!' De moeder is inmiddels paars aangelopen en grijpt in. 'Geen sprake van!'

'Best.' Evelyn trekt haar schouders op. 'Laat maar weten als je van gedachten verandert.'

Charlie drukt zich tegen zijn moeder aan. Zijn ogen dartelen van Evelyns stompje naar haar gezicht en terug.

'Waar gaat je reis naartoe, Charlie?' vraagt Evelyn.

'Oxford,' zegt Charlie, compleet uit het lood geslagen.

'Perfect. Ik ook. Maak me maar wakker als we er zijn.'

In Oxford zwaait Evelyn het jongetje gedag en stapt over in het boemeltje dat naar haar dorp rijdt. Daar aangekomen verwacht ze half dat haar broer opeens met een slaperig hoofd uit dezelfde trein zal stappen, maar nee, zij is de enige passagier op het kleine perron. De luiken voor het loket zijn gesloten en een paar verpieterde geraniums hangen zieltogend in hun mandjes, met de staketsels van plukjes vingerhoedskruid als enige gezelschap. Ze loopt naar de tweesprong, waar de gevels van de bakker en het postkantoor naast de vijf rijtjeshuizen met zondagse onverschilligheid tegenover elkaar staan. Vanaf daar wordt het landschap groener.

Vroeger kende ze een jongetje dat hier woonde, Thomas Lightfoot. Zijn ouders waren bij haar thuis in dienst, en soms kwam Thomas bij haar broertje spelen. Ze had zijn naam altijd zo mooi gevonden. Hij was de eerste uit haar naaste omgeving die gesneuveld is. Haar broer vertelde in Londen het nieuws van zijn overlijden op een zonnige lentedag in 1915. Thomas liet een vrouw en een kind achter; op zijn drieëntwintigste was zijn leven al voorbij. Ze kijkt in het voorbijgaan naar Thomas' huis en ziet door het raam een jonge vrouw met haar rug naar haar toe staan, die iets in de gootsteen aan het boenen is. Evelyn vervolgt haar weg. Haar voetstappen vormen het enige geluid in de omgeving, tot ze op het akkerland komt, waar de kraaien tussen de stoppels van de geoogste gewassen scharrelen. De zon is doorgebroken. Ze sluit haar ogen tegen het felle licht en laat de oranje stralen op haar oogleden dansen. Ze ademt een paar keer diep de zuivere lucht in en is, ondanks alles, toch blij dat ze even Londen uit is. In de verte ziet ze de lage stenen muur die de landerijen van haar ouders markeert, en daarachter de torenhoge sparrenbomen; tegen de heldere hemel staan hun takken donker afgetekend. Ze neemt het pad dat naar de zijkant van het huis leidt, zodat niemand binnen in huis haar kan zien aankomen, en ze duwt de poort naar de tuin open. Ze kijkt op naar het huis, dat is opgetrokken uit oeroude gele Cotswold-stenen, zodat het in dit zonlicht met een diep gouden glans oplicht. Terwijl ze daar staat, ziet ze een in het zwart gekleed dienstmeisje uit de achterdeur glippen en snel achter een dikke boomstam schieten. Even later stijgt er een wolk van sigarettenrook op. Goed zo, meisje, glimlacht Evelyn in zichzelf. Geniet van het moment.

Ze neemt het pad dat bij de achterdeur uitkomt. Voor november staat het gras verbazingwekkend hoog, en tegen de tijd dat ze bij de trappen is beland, zijn haar schoenen doorweekt. Met haar heup duwt ze de deur open en vloekt binnensmonds als ze tegelijk probeert te bukken om haar schoenen uit te doen. Ze zijn van suède, met dunne bandjes, en het is haar enige paar damesachtige schoenen die ze in een zeldzame bui van toegeeflijkheid speciaal voor haar moeder had aangetrokken. Nu zijn ze nat geworden. Ze schopt ze uit en neemt ze mee naar de kast bij de achterdeur, waar ze wordt begroet door een bekend tafereel: spinrag, rubberen overschoenen voor de wintermaanden en een bedompte lucht. Ze smijt haar schoeisel tussen de paraplubak en een oude tennisracketstandaard en overweegt heel even om voor de lunch gewoon die overschoenen aan te trekken. Maar ze laat de gedachte varen en loopt op haar vochtige sokken over de kille gangtegels. Ze werpt een tersluikse blik in de keuken, waar een heel peloton aan dienstbodes een en al bedrijvigheid tentoonspreidt.

Aan het eind van de gang blijft ze even staan en legt haar hand tegen de muur. Om de hoek bevindt zich immers de centrale hal, met een glazen deur aan het eind en in haar droom staat Fraser daar altijd. Ze beseft terdege dat haar hoop ijdel is, maar toch...

Ze sluit haar ogen, laat het gevoel dat hij dicht bij haar is heel even toe, het vult haar borstkas, haar armen, de lucht voor haar gezicht, tot...

'Evelyn!'

Geschrokken opent ze haar ogen.

'Wat spook je daar uit?' Haar moeder staat voor haar, in een crèmekleurig gewaad met goudbestikt keurslijfje. 'Waarom heb je geen schoenen aan?'

'Ik...' Evelyn kijkt naar haar kousenvoeten met de doorweekte teenstukken. 'Ik ben via de achterdeur gekomen. Mijn schoenen staan in de kast. De kast onder de trap,' verduidelijkt ze.

Haar moeder laat haar afkeuring blijken met het overbekende, klokkende geluidje achter in haar keel.

'Dit kan echt niet, hoor. En die blouse! Je lijkt wel een verkoopster. Is dit soms je nieuwste maskerade?'

'Ik...'

'Je nichtje is er al.' Ze buigt zich naar voren. 'Je eigen jurken hangen boven in de kast,' sist ze Evelyn toe. 'Ga je boven omkleden. Onmiddellijk.' Ze doet een stap terug en knijpt haar ogen tot spleetjes. 'Waar is je broer?'

'Ik... heb geen idee. We hadden afgesproken om samen te reizen, maar...'

'Maar wat?'

'Ik zag hem niet.'

'Je zag hem niet? Waar is hij dan?'

Evelyn haalt verslagen haar schouders op. 'Het spijt me, ma, ik weet het echt niet.'

Haar moeder richt zich in haar volle lengte op, steekt haar edwardiaanse boezem naar voren – ze is beslist een verschijning, zelfs Evelyn moet dat toegeven – en schrijdt de gang uit.

Evelyn knarsetandt. Heel af en toe kan ze de kracht opbrengen haar moeder te trotseren. 'Wacht.'

Haar moeder draait zich om.

'Hartelijk gefeliciteerd met uw verjaardag.'

Haar moeder knikt even, alsof ze moet toegeven aan een pijnlijk maar noodzakelijk kwaad, zoals het trekken van een kies, en verdwijnt in de keuken. Als de deur achter haar in zijn hengsels dicht zwaait, verstomt het geroezemoes direct. Ze geeft met luide stem een bevel, iets over de visschotel.

Evelyn draait zich om en sluit opnieuw haar ogen. Tevergeefs. Het moment is voorbij. Ze loopt de hoek om. Daar is de voordeur, drie brede meters onverbiddelijk hard hout en daarachter zit… niemand. Aan de andere kant staat niemand op haar te wachten. Er is slechts het felle daglicht en de dansende patronen van de zonnestralen door het bobbelige geblazen glas.

❖

Jack schuift zijn ontbijtbord van zich af en staat op. 'Deze ben ik gisteren vergeten.' Hij haalt een pompoen uit zijn rugtas tevoorschijn. 'Fraai exemplaar, vind je ook niet?' Hij legt hem midden op tafel en schuift zijn nu lege tas over zijn schouder. 'Nou, tot vanavond dan.' Hij talmt, alsof hij er nog iets aan wil toevoegen.

Vijfentwintig jaar.

Ada blijft zitten. Haar uitzicht wordt volledig gevuld door zijn brede torso. Hij heeft zijn oude zondagse kloffie aan, dat inmiddels helemaal zacht en afgedragen is. Ze kan de jongeman van vroeger nog in zijn silhouet onderscheiden. Net aan.

'Goed,' zegt ze, 'tot vanavond.'

Hij knikt even en trekt de deur achter zich dicht. Zijn voetstappen sterven weg op het tuinpad.

Morgen is het vijfentwintig jaar. Een kwart eeuw geleden gaven ze elkaar in de ronde kapel het jawoord, op een dag dat het zo warm was dat het wel lente leek. Over het ongelijke tuinpad was ze naar de poort gelopen. De koele duisternis binnen deed haar even naar adem happen, alsof ze in koud water was gesprongen, en haar lijfje zat zo strak dat het ademhalen haar al moeilijk afging. Even had ze het gevoel dat ze moederziel alleen was, totdat ze zijn silhouet ontwaarde; hij stond aan het eind van het gangpad naast de predikant. Toen haar ogen aan het duister waren gewend, zag ze ook de andere genodigden links en rechts in de kerkbanken zitten. Ze liep op Jack af en probeerde in een rechte lijn te lopen.

'Goed dan.' Hij had haar hand in de zijne genomen en geknipoogd. 'Laten we de sprong wagen.'

Het ochtendlicht in de keuken is schemerig, maar de pompoen die hij op tafel heeft achtergelaten is fel oranjegeel, de schil lijkt te pulseren door de herinnering aan de zon. Het zal een van de laatste geoogste vruchten worden voordat de winter de gewassen met vorst belegert. Het is alsof de pompoen gonst van leven.

Ze ruimt de tafel af en zet de ontbijtbordjes in de gootsteen. Bij de buitenpomp kan ze de ketel vullen om water te koken.

Vanuit het raam aan de achterkant van het huis kan ze de met heggen omzoomde tuinen van haar zeven buren zien. Ze kent de naam van elke moeder in deze straat en ook in de volgende, en die van hun kinderen, en die van de echtgenoten, zowel de levende als de gesneuvelde. Ze woont al vijfentwintig jaar in dit huis. Jack heeft haar indertijd over de drempel gedragen, de hele buurt was toegestroomd en klapte uitbundig bij deze onverwachte voorstelling.

De ketel fluit. Ze giet de helft van het water in het afwasteiltje en de rest in de theepot. Eerst boent ze de gestolde ontbijtresten van de borden. De pompoen staat voor morgen op het menu. Het wordt een feestelijk diner. Stoofpot met knoedels. Ze zal een mooi stuk suddervlees kopen. Een goed plan, het stemt haar tevreden.

Nadat ze de vaat heeft afgedroogd en opgeborgen, wil ze de pompoen van tafel tillen om hem zo lang in de bijkeuken te leggen. Dan hoort ze een geluid bij de voordeur; het is alsof er een of ander beest aan de deur staat te krabben. In eerste instantie denkt ze dat Jack is teruggekomen, omdat hij iets is vergeten. Maar hij komt altijd achterom. Een van de buren dan? Ivy misschien? Nee. Ook Ivy zou nooit de voordeur nemen, niet op zondag, noch op een andere dag van de week.

Als er op de deur wordt geklopt, schrikt ze. Snel doet ze haar schort af, strijkt haar rok glad en loopt naar voren om open te doen.

'Kan ik u helpen?'

Er staat een jongeman op de stoep. Hij heeft dunnend, lichtbruin haar, fletse ogen, en er woekert een poging tot snor op zijn bovenlip. De huid is rood waar de ochtendlucht vat heeft gekregen op zijn pas geschoren wangen. Hij kijkt verbaasd op, alsof ze hem stoort in een vredige routine in plaats van andersom. Hij zet zijn hoed af en houdt die tegen zijn borst. 'Goedemorgen, mevrouw.'

'Goedemorgen.'

Zijn blik tast snel haar gezicht af en schiet over haar schouder naar de gang achter haar. 'Woont u hier, mevrouw?'

'Ja.'

'Z-zou ik u even mogen storen?' Het uitspreken van de zin lijkt hem op te luchten. Wat zou hij willen vragen? Op hetzelfde moment ziet ze de zware tas bij zijn voeten. Dit soort jongens zijn schering en inslag tegenwoordig; op elke straathoek proberen ze hun koopwaar aan de man te brengen, van lucifers tot veters. Soms zijn het bedelaars. Ze kloppen aan en vragen om afgedankte jassen of schoenen.

'We hebben niets nodig.'

De jongen staart haar aan. 'Eh... mevrouw...'

'We hoeven niets.' Ze maakt aanstalten om de deur dicht te doen.

Hij zet een stap naar haar toe, kennelijk is hij in paniek. 'Mag ik niet even binnenkomen? Heel even maar. Alstublieft,' fleemt hij. Met een kleine beweging komt zijn linkerarm onder zijn jas vandaan. Ze ziet de vergeelde rand van een mitella. Ze blijft staan, met de deur op een kier, de jongen verplaatst zijn gewicht van zijn ene voet naar zijn andere. Iets in haar smelt en ze doet een stap naar achteren, zodat hij langs haar heen naar binnen kan.

Ze staan tegenover elkaar in de kleine hal. Ondanks de frisse, sterke buitenlucht kan ze zijn zure lichaamsgeur ruiken. Hij heeft roos op de schouders van zijn jasje. Even valt er een ongemakkelijk stilte. Ze laat hem liever niet in de kamer, maar ze kunnen hier moeilijk blijven staan.

'Loop maar mee.'

Hij volgt haar naar de keuken. Ze leunt tegen het aanrecht, slaat haar armen over elkaar en kijkt hem aan. De jongen aarzelt op de drempel, alsof hij haar toestemming afwacht, en als ze hem een knikje geeft, loopt hij met ongemakkelijke, stramme passen de keuken in. Bij de tafel zoekt hij steun bij de rugleuning van een stoel.

'Wat woont u hier mooi.' Hij klinkt buiten adem, alsof die kleine inspanning al het uiterste van hem heeft gevergd. 'Mooi en rustig.' Verwachtingsvol kijkt hij haar aan, alsof zij het voortouw moet nemen.

'Laat maar zien wat je zoal hebt,' zegt ze ten slotte.

'Pardon?'

'In die tas van je.'

'O, natuurlijk.' Door de manier waarop hij zich bukt en de bruine pakjes op de tafel uitstalt, elke beweging met dezelfde nadrukkelijke zorgvuldigheid, lijkt het alsof hij zijn lichaam niet vertrouwt om de kleine opdrachten die hij geeft naar behoren uit te voeren. Hij doet haar denken aan haar zoon toen die klein was, en zijn ledematen een nog onvoorspelbare motoriek hadden.

Shellshock.

Hij was een van hun.

Ze werpt een blik op de beduimelde pakjes in zijn groezelige handen, waarvan ze weet dat er niets anders dan goedkope rommel in zal zitten. 'Het spijt me,' zegt ze. 'Bij nader inzien hebben we toch niets nodig.'

Hij kijkt naar haar op. Zijn bleke gezicht staat strak, en hij knikt kort, alsof hij ook de zinloosheid van deze situatie inziet.

Ze verwacht dat hij zijn spullen weer inpakt, maar hij gaat gewoon door, en zijn stem klinkt een wanhopige octaaf hoger. 'Dweiltjes?' Hij maakt een van de pakketjes open en onthult een stapeltje dunne, geweven doeken. 'Altijd handig.'

'Nee, dank je, ik heb er al genoeg van.'

'Wat dacht u van een theedoek.' Hij reikt naar zijn tas.

De tas is groot. Als hij zo doorgaat, is ze straks haar hele ochtend kwijt. 'Hoe duur zijn de dweilen?'

Hij kijkt met een ruk op. 'Dweilen?' Er staat verbazing in zijn ogen te lezen. 'Die zijn... een duppie. Voor vijf.'

'Goed dan, ik koop er vijf van je. Meer niet. Ik pak mijn portemonnee.' Op dat moment beseft ze dat ze in een lastig parket zit, want als ze haar beurs pakt weet hij waar ze die bewaart.

'Mag ik een sigaret opsteken?' Weer die flemende toon. 'Eentje, heel snel?' En met een vlugge beweging, nog voor ze kan protesteren, heeft hij met zijn gezonde arm zijn sigaretten gepakt en er eentje tussen zijn lippen gestoken. Hij zoekt in zijn broekzak naar een vuurtje. 'U een?' Hij houdt haar het pakje voor.

'Nee, dank je.'

Hij legt het pakje op tafel. 'Mag ik gaan zitten?'

Er ontstaat een spanningsveld in de keuken, mede door

zijn opdringerigheid. Ada voelt een lichte wrevel opkomen. Maar ze knikt langzaam, en hij pakt een stoel.

'Dank u.' De lucifer wordt afgestreken, de vlam licht op in de ruimte.

Eerst loopt ze naar het fornuis om het vuur op te stoken, dan steekt ze achter hem langs om de portemonnee te pakken die in de muurkast ligt. Hij zit met zijn rug naar haar toe en rookt zijn sigaret met vinnige, snelle gebaren. Ze trekt zo zacht mogelijk de la open en pakt haar portemonnee eruit. Als ze erin kijkt voor kleingeld, hoort ze opeens een geluid, als een verstikte snik. Ze draait zich naar hem om en ziet hem met gekromde rug voorovergebogen zitten, zijn hele lichaam gespitst op iets wat zij niet kan zien.

'Michael?' zegt hij. Hij maakt snelle rukbewegingen met zijn hoofd, alsof hij een paar keer onder stroom wordt gezet, en zit dan stil.

Ada laat de portemonnee in de la vallen. 'Wat zei je daar?' Ze loopt om de tafel om hem recht aan te kunnen kijken.

'Niets.' De jongen schudt knipperend met zijn ogen zijn hoofd. 'Helemaal niets. Ik zei niets.'

'Wel waar.' Ze klinkt beheerst, maar haar hart gaat als een razende tekeer. 'Ik heb je gehoord.'

'Niet waar.' Hij staat op. Drukt zijn sigaret uit. Beweegt zich als een krab bij haar vandaan.

'Je zei "Michael".'

De jongen maakt ongecontroleerde bewegingen, ze trekken door zijn hele lichaam tot hij een aanval krijgt, vreselijke spasmen die afschuwelijk zijn om te zien. Ze moet hem te hulp schieten, maar hij is angstaanjagend en ze kan het niet, ze blijft als versteend staan tot de aanval voorbij is en hij weer rustig kan zitten.

Het duurt even voor ze haar stem heeft hervonden.

'Waarom zei je "Michael"?' Ze probeert ontspannen te klinken, inschikkelijk. Ze wil hem niet op stang jagen.

'Dat heb ik niet gezegd.' De jongen grist zijn spullen van tafel. 'Nooit. Ik heb alleen op de deur geklopt. Ik ben maar een verkoper, weet u wel?' Hij houdt zijn armetierige pakjes naar haar op voor hij ze in zijn tas propt.

'"Michael", zei je. Je hebt hem gekend.'

'Nee, niet waar.' Hij schudt verwoed met zijn hoofd. 'Ik ken geen Michael. Ik heb geen idee.'

'Hou op,' zegt ze. 'Hou op! Je kent hem wel. Je kent mijn zoon.'

Maar hij schudt steeds heviger zijn hoofd, sneller en sneller, tot hij in een paar stappen bij haar staat, een van haar handen beetpakt en die op zijn hoofd legt. 'Het spijt me zo,' zegt hij en hij drukt haar hand steviger tegen zijn hoofdhuid. 'Het spijt me zo, mevrouw.' En dan strompelt hij naar de deur.

Ze blijft even staan, ze kan de gloeiende, gejaagde aanraking van hem nog steeds voelen. Ze rent door de hal naar buiten, en op straat roept ze luidkeels dat hij niet weg moet lopen.

Maar er is niemand te zien in deze zondagse straat. De jongen is in geen velden of wegen te bekennen.

Het is alsof hij er nooit is geweest.

Net buiten het stadje Saint-Pol-sur-Ternoise, nabij Agincourt, op de weg die naar de kust leidt, ziet een jonge verpleegkundige vanuit haar barak van het Britse leger een militaire ambulance naderen.

Vreemd: dit is al de vierde vandaag.

De verpleegkundige snuit haar neus. Ze is verkouden en overstuur vanwege een brief. Ze heeft hem gelezen toen ze zo dicht mo-

gelijk tegen het kleine kacheltje aan was gekropen. De brief is afkomstig van haar verloofde. Het is een volmaakt plezierige brief, waarin hij allemaal lieve dingen heeft gezet. Hij is echt een lieve man.

Maar toch.

Vorige week heeft ze haar ontslagpapieren gekregen. Ze was een van de laatsten. Niet dat ze haast heeft om te gaan. Binnen afzienbare tijd moet ze hem onder ogen komen. Die kleine, onbeduidende man die in 1918 gewond was geraakt. Ze had hem verpleegd, medelijden met hem opgevat en toegestemd in een huwelijk als alles voorbij zou zijn.

Daarna werd ze verliefd op een ander. Op een Franse kapitein. Ze heeft hem op een bijeenkomst ontmoet. Hij noemt haar ma chérie, *wat in haar oren klinkt als 'mijn vruchtje'.*

Ze wist dat de Franse kapitein getrouwd was. Daar was hij van meet af aan eerlijk over geweest. Hij had wel beloofd dat hij zijn vrouw voor haar zou verlaten. Vorige week, toen ze op haar vrije dag boodschappen ging doen in Saint-Pol, dat onaanzienlijke, gehavende stadje, heeft ze hen gezien – het hele gezin. Twee kindjes met donker haar, de Fransman en zijn knappe jonge echtgenote. Ze liepen lachend hand in hand, rebbelend in een taal waar ze geen woord van verstond. Perplex hield ze zich schuil in een portiek tot ze uit het zicht waren verdwenen.

De verpleegkundige legt de brief neer, loopt naar het raam en trekt haar vestje dicht. Het is koud. Buiten tillen vier manschappen een doodskist uit de wagen. In de andere ambulances van vandaag lagen ook doodskisten. Ze ziet hoe ze de kist naar het kapelletje dragen dat daar sinds een week staat. Ook dat was merkwaardig, omdat niemand haar liet weten waarom ze daar opeens een nissenhut wilden neerzetten waar ze een kruis boven de deur spijkerden. Tot dusver hadden ze het prima zonder kapel gered.

Ze vraagt zich af wie er in de kist ligt.

Het komt tegenwoordig sporadisch voor. In tegenstelling tot voor-

heen, toen ze werden gelost en geladen als broden. Ze neemt zich voor om na te vragen waarom ze vandaag vier lichamen hiernaartoe hebben gebracht.

De legerambulance rijdt weg. Ze gaat bij de kachel zitten en pakt de brief op. Legt hem weer neer. Ze zal hem later op de avond terugschrijven. Op dit moment weet ze niet wat ze moet antwoorden.

❖

In haar oude kamer, op de bovenste verdieping, zit Evelyn op de rand van haar bed een sigaret te roken. Misnoegd staart ze naar de geopende garderobekast met het rek met jurken en tipt de askegel af in haar handpalm. Ze doet het raam open om de sigaret en de as naar buiten te gooien.

In de verte ziet ze het blauwgrijze oppervlak van het meer. Het is niet echt een meer; ze noemde het vroeger altijd zo, maar eerlijk gezegd lijkt het vanaf haar kamer meer op een uit de kluiten gewassen vijver. Ze ziet nog net het rode dak van het kleine zomerhuis op het eilandje met de rietkragen, in het midden van het water. In een van de twee kamers zit een open haard. Soms stal ze stiekem beneden in de keuken wat haardblokken en peddelde dan met de kleine roeiboot naar het huisje, om de rest van de dag bij een knappend haardvuurtje te lezen. Het zou niet voor het eerst zijn als ze zich op die manier aan een familiebijeenkomst onttrekt.

Ze had er alles voor over om onder de verplichte verjaarslunch van haar moeder uit te komen, met haar nichtje Lottie die pietepeuterige muizenhapjes in haar keurige, pietepeuterige mondje zou steken en tussendoor pietepeuterige zinnetjes debiteerde.

Zonder haar broer erbij was het nog tien keer erger.

Er wordt op de deur geklopt en ze keert zich van het raam

af. Er komt een jonge vrouw in uniform binnen. Evelyn herkent haar niet. Ze is vast nieuw. Haar moeder verslijt dienstbodes als zakdoeken.

'Wat is er?'

'Ik moest vragen of u hulp nodig had.'

'Waarmee?'

Het meisje bloost. 'Met omkleden, mejuffrouw.'

'Op die manier. Nee hoor, dank je.' Ze maakt een afwerend gebaar. 'Zeg maar tegen mijn moeder dat ik prima in staat ben zelf een jurk uit te kiezen.'

Zichtbaar opgelucht maakt het meisje zich uit de voeten. Ergens in het huis slaat iemand op de gong – een diep, dwingend geluid. Evelyn gaat voor haar garderobekast staan en strijkt met haar hand over de rij kleren. Ze wiegen en deinen mee aan hun hangertjes, snoezig, gedwee als poppen. Ze kiest de minst opvallende die ze kan vinden, een groene zijden jurk voor overdag, en trekt hem over haar hoofd. Het is jaren geleden dat ze deze jurk heeft gedragen. Hij ruikt muf, naar mottenballen, en hij staat haar niet; de kleur doet haar toch al zo witte huid nog bleker lijken.

Opgewekt gekwetter in de ontvangstkamer tintelt door de hal als ze de brede hoofdtrap naar beneden neemt. Ze blijft staan om te luisteren, maar als ze de stem van haar broer er niet tussen hoort, loopt ze direct door naar de eetzaal. Het gezelschap zal zich daar weldra vervoegen.

Twee jonge jongens, het zijn nog bijna kinderen, leggen de laatste hand aan de gedekte tafel. Zij moeten ook nieuw zijn, want hun gezichten komen haar niet bekend voor. Ze maken een hoofdbuiging en verlaten het vertrek.

Ze loopt naar het raam, dat uitkijkt op het gazon dat naar het meer afloopt. Daar ligt het bootje, vastgemaakt aan de steiger, en even is het alsof ze het vochtige hout en het vernis kan ruiken, ze voelt de weerstand van de roeiriemen tegen haar handpalmen.

'Dáár is ze.'

Ze draait zich om en ziet tante Mary, Lotties moeder, wier mollige, met juwelen behangen gestalte voor de troepen uitstormt. Evelyn laat zich op de wang kussen en van een armlengte afstand bestuderen.

'Je ziet er moe uit. Wérk je nog steeds?'

'Hm-mm...' Evelyn knikt.

Haar tante trekt een gezicht. 'En woon je nog altijd in dat afschuwelijk krappe optrekje?'

Ondanks alles moet Evelyn glimlachen. 'Ja, tante Mary,' geeft ze toe en ze probeert zich voorzichtig uit haar greep te bevrijden. 'Ik vrees van wel.'

En dan volgt de rest: oom Alec, nicht Lottie, Anthony – 'Lord' Anthony, welteverstaan, die met Lottie is getrouwd. Blakende, zelfgenoegzame, glimlachende gezichten. Haar broer is nergens te bekennen. Voor ze zich kan afvragen of er iets met hem is gebeurd, wordt ze door haar familie overspoeld. Ze recht haar rug, zet het vereiste gezicht op en uit de gepaste woorden als ze de vlug opgetrommelde coterie voor haar moeders verjaardagslunch begroet. Haar vader knikt haar toe, zijn kin in de lucht en zijn ogen zoals gewoonlijk op een vast punt naast haar hoofd gericht. Aan zijn zijde staat haar moeder, en die monstert haar wel degelijk van top tot teen, gevolgd door de onvermijdelijke, diep teleurgestelde oogopslag. 'Beter,' zegt die blik, 'maar verre van afdoende.'

De familieleden nemen plaats aan tafel. De twee jonge bedienden rijden de trolley met de soepterrine naar binnen en bewegen zich geruisloos door het vertrek. Anthony gaat tegenover Evelyn zitten. De stoel naast hem is onbezet.

'Welaan,' zegt Lottie, aan Evelyns linkerzijde.

'Welaan,' echoot Evelyn. Ze wendt zich tot haar nicht, die er in haar japon van gele kant betoverend uitziet.

'Hoe gaat het met Londen?' vraagt Lottie met haar hoofd een beetje schuin, alsof Londen een oude bekende is die ze na een hechte vriendschap uit het oog is verloren. Toen Lottie twee jaar geleden in het huwelijk trad, verhuisde ze van een gedeeld flatje in Chelsea naar Anthony's domicilie, een monsterlijk huis met kantelen in victoriaanse stijl. Sindsdien is ze een lady. Lady Charlotte. Lady Lottie. Evelyn kan slechts gissen naar de razernij die dat bij haar eigen moeder moet hebben ontketend.

'Het gaat goed met Londen.' Evelyn nipt van haar wijn. 'Hij houdt stand. Moet ik de groeten overbrengen?'

Lottie schenkt haar een toegeeflijk glimlachje. 'Woon je nog steeds samen met Doreen?'

Vroeger gingen ze naar dezelfde school, Lottie, Evelyn en Doreen. De vriendschap tussen Evelyn en Doreen, die drie klassen hoger zaten, werd bezegeld door hun gemeenschappelijke afkeer van alles waar de school voor stond. Toen Evelyn op haar eenentwintigste een bescheiden som van haar grootmoeder erfde, kocht ze een flat in Primrose Hill en vroeg Doreen of ze bij haar wilde intrekken. Evelyns familie voelde zich net zo te schande gezet als wanneer de twee samen een bordeel hadden geopend.

'Ja, met Doreen,' beaamt Evelyn.

'Is zij ook nog steeds...' Lottie last een decente pauze in '... ongebonden?'

Evelyn beantwoordt haar omfloerste blik. 'Klopt,' liegt ze. 'Ze is nog ongebonden.'

Commotie op de gang. Ze hoort de stem van haar broer. Eindelijk. Ze ziet dat een van de twee jonge bedienden zijn mantel aanneemt.

'Edward!'

'Sorry dat ik zo laat ben, ik werd opgehouden en heb de trein gemist. Je ziet er goddelijk uit, ma.'

Als hij zijn armen om zijn moeder heen slaat, kleurt zij licht roze van genoegen. Hij ziet er niet bijster florissant uit. Zijn blazer is gekreukeld en het is alsof hij zojuist in de keuken zijn haar heeft natgemaakt. Het doet geen afbreuk aan zijn flair. Als de kracht van zijn aanwezigheid over het glimlachende gezelschap golft, treft zijn charme haar opnieuw als een zweepslag, zijn schijnbaar onuitputtelijke vermogen om iedereen voor zich in te nemen. Als zij het in haar hoofd zou halen om te laat te komen voor een familiebijeenkomst, zou ze worden onterfd.

Hij begroet haar als laatste. Ze ruikt de alcohol als hij zich over haar heen buigt voor een kus. Verschaalde alcohol, alsof hij al een hele tijd aan het drinken is.

'Ik dacht dat we samen zouden reizen?' sist ze in zijn oor.

'Sorry, Eves.'

'Waar heb je gezeten? Je ziet er niet uit.'

'Ik was op stap,' zegt hij schouderophalend.

Ze rolt met haar ogen als hij schuin tegenover haar gaat zitten. Haar moeder weet wel beter dan haar twee spruiten naast elkaar te plaatsen. De bedienden gaan door met het serveren van de soep.

'En hoe is het met jou?' vraagt ze aan Lottie. 'Bevalt het leven op het platteland?'

Lottie pakt haar lepel op. 'Ja, hoor. Bij wijze van spreken dan. Ik was een tijdje onwel.'

'Momentje.' Evelyn probeert haar broers blik te vangen, maar die is druk in gesprek met Anthony. Ze leunt naar voren om een sigaret uit het doosje bij zijn bord te pakken.

'Ik ben in verwachting.' Lotties iele stem gaat aan het

eind van de zin omhoog, alsof ze zelf niet zeker is van haar toestand.

Evelyn steekt de sigaret op.

'Ik ben in verwachting,' zegt Lottie opnieuw, met enige stemverheffing.

'Ik hoorde je wel.' Evelyn blaast een rookpluim uit. 'Lieve help.'

Ze hoeft niet eens te kijken om haar moeders borende blikken vanaf het hoofd van de tafel te voelen. Ze draait zich naar Lottie om, zodat ze haar moeder de rug toekeert. 'Wat geweldig,' zegt ze veel te luid. 'Van harte gefeliciteerd. Wat gaat het worden, denk je?'

'Pardon?'

'Wat gaat het worden? Kanonnenvoer? Of dat andere soort, hoe zullen we het noemen... Salonvoer? Slaapverwekkend voer?'

Lottie legt haar lepel neer. 'Ik kan je niet helemaal volgen.'

'Wordt het een jongen of een meisje?' Evelyn spreekt de woorden nadrukkelijk langzaam uit.

Het is alsof er aan de andere kant van de tafel een ridderlijk instinct tot leven wordt gewekt. Anthony onderbreekt zijn gesprek met Edward, schraapt zijn keel en buigt zich naar voren. 'Hoe staat het ermee, Evelyn?'

Hij is nog meer aangekomen, denkt Evelyn, terwijl Lottie juist magerder lijkt dan ooit. Misschien vergissen ze zich en eet hij voor twee in plaats van zijn zwangere vrouw. Er schiet een vreselijk beeld door haar hoofd: Lottie en Anthony die druk bezig zijn in bed.

Hij glimlacht verwachtingsvol. 'Ga je donderdag met ons mee?'

'Wat is er dan?'

'De begrafenis in de Westminster Abbey. Een vriend van

mij woont aan Whitehall,' zegt Anthony. 'Vol uitzicht op de Cenotaph. Drankje erbij. Je bent van harte welkom.'

De ceremonie. Drankje erbij. Hij bracht het als een show op West End.

'Ik weet het nog niet,' zegt ze. 'Ik ben niet echt tuk op dat soort ceremonies.'

Anthony kijkt haar aan alsof hij haar antwoord op waarheid probeert te toetsen.

'Strijd je nog altijd voor de goede zaak?' zegt hij ten slotte. 'Wat deed je ook alweer – werklozen aan een baan helpen?'

Hij weet precies wat voor werk ze doet. Het onderwerp is vaker ter sprake gekomen.

'Ik regel pensioenen,' zegt ze. Hij schudt zijn hoofd. De huid onder zijn kin begint te verslappen. Binnen afzienbare tijd heeft hij daar van die kalkoenlellen hangen.

'Ik weet niet hoe je het volhoudt,' piept Lottie. Ze is dapperder nu de versterkingstroepen zijn gearriveerd. 'Ik zou het nooit kunnen.'

'Ik weet heel goed waarom ze het doet,' zegt Anthony, die nu half over de tafel hangt.

'Nou, zeg het eens?'

'Om de mannen.' Anthony lacht kakelend en zakt terug in zijn stoel. Hij slaat zich op de knieën en zwaait dan met zijn arm. 'Al die mannen. Geknipt voor iemand als jij. De meesten zijn kreupel en kunnen niet wegrennen. Daar heb jij ze voor het oprapen.' Hij doet alsof hij een geweer optilt. 'Net als kleiduiven schieten, toch?'

Lottie gniffelt.

Evelyn voelt haar wangen gloeien. 'Ik dacht het niet,' zegt ze. Eindelijk weet ze haar broers blik te vangen. Hij glimlacht, maar het is een slap aftreksel van de grijns die ze van hem gewend is: de grijns van geamuseerd ontzag die haar altijd uitdaagde de handschoen op te nemen. Hij oogt vermoeid, kennelijk heeft hij de energie niet voor het schouwspel dat in de lucht hangt. Haar bloed begint te koken. Edward maakt haar kwader dan de rest van haar tafelgenoten bij elkaar. 'Ik dacht het niet,' herhaalt ze, een stuk feller nu.

'O nee?' zegt Anthony.

'Volgens mij weten jullie allemaal waar ik sta.'

'En waar mag dat dan wel zijn, waar "sta" je?' valt haar moeder vanaf het hoofd van de tafel bij.

Evelyn wendt zich tot haar. 'Erbuiten, natuurlijk.'

'Erbuiten?' vraagt Lottie.

'Ja. Buiten. Je weet wel. Waar het waait.' Ze laat haar blik over het gezelschap gaan. Niemand kijkt haar echt aan, niemand kijkt echt weg. 'Het is er niet slecht toeven, kan ik jullie zeggen. Frisse lucht, altijd uitzicht. Al zal niemand van jullie dat begrijpen.' Ze pakt haar vismes op. 'Jullie zitten liever binnen. Wat is er binnen? Vraag het aan Lottie, want die zit straks aan huis gekluisterd, in haar gouden kooi.' Ze zwaait met haar vismesje in de richting van haar nicht, die scherp haar adem inhoudt. 'Is ze niet snoezig, die Lottie? Een echt juweel voor een gouden kooitje.'

'Evelyn,' zegt haar moeder nadrukkelijk.

Ze draait zich om. 'Wat is er, ma?'

'Wil je misschien een asbak?'

Ze kijkt naar de sigaret in haar andere hand. De lange askegel dreigt in haar soep te vallen. Een van de jonge bedienden schuift discreet een asbak onder haar arm door.

'Evelyn?' herhaalt haar moeder.

'Ja?'

'Je leert het ook nooit, hè?'

'Wat?'

'Dat verbittering niet aantrekkelijk is.'

Evelyn doet haar mond open om iets zeggen, maar ze bedenkt zich.

Vroeger beeldde ze zich altijd in dat haar moeder een wilde indiaan was met een blaaspijp, waar ze giftige pijltjes mee kon spuwen. En ze miste nooit. Wilde je haar ontwijken, dan moest je daar keihard op oefenen.

Ze legt haar mes neer, keurig naast haar bord.

Verbitterd?

Ze is niet verbitterd.

Allesbehalve.

Ada ziet Jack aan de andere kant van de straat lopen, met licht gekromde rug, zijn schouders opgetrokken tegen de kou. Ze is langer in het park gebleven dan ze zich had voorgenomen, maar ze moest tot rust zien te komen, de frisse middaglucht opsnuiven, rondjes lopen over de lappendeken van gras, van de ene kant naar de andere en weer terug, tussen de bergen opgehoopte bladeren door. Ze gaat naar hem toe; als ze snel genoeg is, kan ze hem inhalen.

Jack hoort haar aankomen. 'Hé, Ada.' Hij kijkt verrast op. 'Was je zomaar buiten in het park?'

'Ik...' Ze probeert te glimlachen, maar haar wangen zijn verkleumd. 'Frisse neus halen.'

'Je had ook naar mij kunnen komen.' Hij verplaatst zijn rugzak. 'Er was vandaag heel wat werk te verzetten in de volkstuin.'

Klonk daar een verwijt in door? Ze weet het niet zeker, maar als ze naast elkaar door het park naar huis lopen vallen hun stappen synchroon. In de verte hangt de zon laag in het tinkleurige zwerk. De gevoelsmatige kloof tussen hen beiden is een constante, een milde vorm van afstandelijkheid die ze noch benoemen noch doorbreken kunnen. Ze haalt diep adem. 'Jack?'

Hij werpt haar een zijdelingse blik toe. 'Wat is er?'

Ze blijft staan, in haar jaszakken balt ze haar handen tot vuisten.

'Wat is er, Ada?' Zijn ogen tasten haar gezicht af. 'Is er iets gebeurd?'

'Vanmorgen... vlak nadat jij was weggegaan, kwam er een jongeman aan de deur. Zo een die spullen probeert te verkopen, je weet wel, overwegend rommel. Maar ik... ik heb hem binnengelaten.'

'Echt waar?'

'Hij was gewond,' zegt ze.

Hij knikt begrijpend. 'Maar wat was er dan? Heeft hij je iets aangedaan?'

'Nee, niet in die zin, nee.'

'Zeg het dan.'

Ze snuift de geur van de gevallen herfstbladeren op, de zoetige geur van de eerste aanzet tot bederf. 'Er was iets mis met hem,' zegt ze. 'Goed mis zelfs. Ik had gezegd dat ik een paar vaatdoeken van hem zou kopen, gewoon, om van hem af te zijn, snap je? Maar toen ik mijn portemonnee ging pakken en in de hoek van de keuken stond, toen... zei hij iets.'

'Wat?'

Hij is op zijn hoede voor het naderende onheil.

Hun huwelijk is een web van struikeldraad.

Je kunt nog terug.

'"Michael",' zegt ze.

De lont is ontstoken. Ze kan hem in de ruimte tussen hun beiden voelen knetteren.

Jack verroert geen vin. 'Zei hij "Michael"?'

'Ja.'

'Michael Hart?'

'Alleen Michael.'

Hij deinst terug. 'Wie was die jongen? Heeft hij zich voorgesteld?'

'Nee, en ik heb zijn naam niet gevraagd.'

'Hoe zag hij eruit?'

Er loopt een jong stelletje langs, hun hoofden dicht tegen elkaar. Ada wacht even tot ze buiten gehoorsafstand zijn, en zegt het dan op zachte, maar gejaagde toon. 'Hij was klein van stuk. Gewond. Een mitella om zijn linkerarm. Ik had mijn portemonnee in mijn handen en toen zei hij "Michael", en toen ik me omdraaide keek hij glazig voor zich uit. Alsof hij iets zag.'

De wind raast door de bomen. Een regen van dode bladeren dwarrelt voor hun voeten op de grond.

'Hij zat in jouw stoel.'

'En toen?'

'En toen niets.'

'Hoezo "niets"?'

'Ik vroeg waarom hij dat zei. Hij zei dat ik het me had ingebeeld. Hij zei dat ik hem niet goed had verstaan. Maar ik weet zeker dat ik het goed heb gehoord.' Ze voelt haar hart steeds sneller kloppen. 'Hij sprak zijn naam uit, ik weet het zeker,' houdt ze vol. 'Glashelder. Michael. Dat zei hij.'

Jack houdt haar blik een moment vast, zijn ogen onderzoeken haar, zijn gezicht is gelijnd en lijkt rood in het strijklicht. Hij wendt zijn blik af.

'Wat is er?' zegt Ada. 'Zeg iets, Jack.'

'Het is koud buiten.' Zijn stem is effen, beheerst. 'Ik ga naar binnen. Kom je mee?'

Ze zwijgt, trillend van woede.

'Nou, goed dan.' Hij doet een paar stappen bij haar vandaan.

'Jack, hij zei hardop zijn naam!'

Jack geeft geen antwoord, maar loopt hoofdschuddend weg.

Ada haalt een paar keer diep adem. Ze kijkt nog eenmaal om naar de bloedende horizon, waar een van de meest glorieuze zonsondergangen de hemel kleurt. Ze buigt haar hoofd en volgt haar echtgenoot naar binnen.

❖

Om onbekende redenen doet het licht in hun wagon het niet. Na een aantal pogingen geeft Evelyn het op en loopt de gang in. Ook daar is het donker. De conducteur is nergens te zien, maar in de wagon naast haar doet de verlichting het naar behoren. Een man van middelbare leeftijd kijkt op van zijn kruiswoordpuzzel en glimlacht haar toe. Fronsend gaat ze weer terug naar haar eigen plek en gaat in het donker zitten.

Ze heeft niet eens een fatsoenlijk gesprek met Ed kunnen voeren, want zodra de trein station Oxford verliet, viel hij in een diepe slaap, met zijn mond open en zijn gezicht verzakt. Bij de lunch was het duidelijk aan hem te zien – en te ruiken – dat hij flink de bloemetjes had buitengezet. Ze steekt haar handen in haar jaszakken. Het is ijskoud in de coupé; de verwarming loopt waarschijnlijk ook op elektriciteit. Buiten wordt het akkerland ondergedompeld in een blauwgrijs schemerlicht. Vroeger vond ze dit altijd een fijn jaargetij. Winter. Voorbode van de kerstdagen. Nu wordt ze er onrustig van. Niets anders dan duisternis tot aan het voorjaar.

Ed schrikt wakker als de trein schokt. Hij wrijft over zijn gezicht, schenkt haar een slaperig, flauw glimlachje en werpt een blik uit het raam. 'Waar zijn we?'

Ze tuurt naar buiten. Ze zijn al een poosje geen station gepasseerd. 'Geen idee.' Haar adem begint vrieswolkjes te maken. 'Lekker geslapen?'

'Heerlijk, dank je.'

Ze kan zich niet inhouden. 'Dat had je slim uitgedokterd.'

'Wat?' Zijn ogen zoeken de hare.

'Om zo laat te komen opdagen.'

Hij grinnikt. 'Zo laat was ik niet. En uiteindelijk toch nog op tijd.'

'Waar was je vanmorgen?'

'Hoe bedoel je?'

'We hadden om tien uur afgesproken, weet je nog? Op Paddington Station, onder de klok.'

Hij gaapt. 'Sorry, Eves. Het is een latertje geworden.'

'Waar was je?'

'Gewoon, de hort op.'

Ze dacht aan de manier waarop zij haar avond had doorgebracht. Ze kwam thuis in een lege flat, las een boek tot het vuur doofde en ging toen naar bed. Hij vraagt nooit of ze mee de stad in wil. Wat hij op zijn kroegentochten uitspookt weet ze niet, ze kan er slechts naar raden. Ze bestudeert zijn silhouet in de vallende duisternis. Wat zat hij er ontspannen bij. Vroeger waren ze zo aan elkaar verknocht, tegenwoordig spraken ze elkaar nog maar zelden. Wat zou er in zijn hoofd omgaan? Zelfs de oorlog schijnt nauwelijks littekens bij hem te hebben achtergelaten; zijn gezicht en lichaam zijn onbeschadigd gebleven en zijn charme was zo mogelijk nog toegenomen.

Hij vangt haar blik op en met een vluchtige glimlach houdt hij haar zijn sigarettenkoker voor. 'Grappig,' zegt hij.

'Gisteravond?'

'Nee. Alhoewel...' Hij rommelt in zijn zak naar een vuurtje.

'Gisteravond in zekere zin ook, maar ik bedoelde de lunch vandaag.'

'Wat was er zo grappig aan?' Ze kan zich niets geestigs herinneren, verre van dat zelfs.

'Ik was even naar buiten gelopen om een sigaret te roken in de tuin.'

'En toen?'

In het licht van het vlammetje is het alsof zijn wangen zijn ingevallen. Ze buigt zich naar voren om haar sigaret aan te steken.

'Dat zomerhuis, op het eiland. Je hebt je daar een keer verstopt, weet je dat nog?'

'Twee nachten zelfs.'

'O ja, dat is ook zo,' grinnikte hij. 'Ze hadden het niet meer, onze ouders.'

'Ik was elf. Ik had niet veel andere mogelijkheden dan het zomerhuisje, of wel?'

'Ik wist dat je daar zat.'

'Echt waar?'

'Reken maar.'

'Waarom kwam je niet eerder naar me toe?'

'Ik dacht dat je liever alleen zou zijn.'

Ze trekt haar jas dichter om zich heen. 'Daar heb je waarschijnlijk gelijk in.'

Ze vond het indertijd nooit erg om alleen te zijn. Ze haalde altijd van die fratsen uit.

'Eves?'

'Hm?'

Hij rekt zich uit. 'Gaat het wel goed met je, meis?'

'Ja hoor. Hoezo?'

'Gewoon, je lijkt een beetje...'

'Wat?'

'Ach, ik weet het niet. Tijdens de lunch leek je met je gedachten elders te zitten.'

'Ik? Dat moet jij vooral zeggen. Jij zat erbij als een opgewarmd lijk.'

'Goed, goed.' Hij maakt een afwerend gebaar. Er valt een stilte. 'Toe, Eves,' zegt hij dan, 'hoe lang houd je deze houding nog vol?'

'Wat bedoel je met "deze houding"?'

Er loopt iemand door de gang.

Ben ik verbitterd? Heeft ze gelijk?

Zeg het tegen me, Ed, toe. Naar jou luister ik wel.

Ed buigt zich naar haar toe, en in het laatste licht kan ze nog net zijn ogen onderscheiden, met de blauwe halo van rook om zijn hoofd. 'Het is... Het is geen misdaad om gelukkig te zijn, weet je?'

Ze fluit. 'Is het heus? Wat een obligate opmerking, zeg.'

'Neem me niet kwalijk.' Hij leunt terug in zijn stoel. 'Misschien is het wel obligaat, Eves.'

Ze kijkt naar buiten, waar de duistere avond valt.

Je hebt makkelijk praten, jij.

Bij jou gaat altijd alles van een leien dakje.

❖

'Di?'

'Hm?'

'Ben je al wakker?'

'Hm.'

De haard in Di's kleine kamer is niet aan, en Hettie heeft een koude neus.

'Hoe laat is het?' Di's stem klinkt dik van de slaap.

'Dat weet ik niet, maar het wordt al donker.'

Di rolt zich op haar rug en Hettie moet verliggen. Haar rechterhand slaapt. Ze laat haar arm langs het bed bungelen en voelt het bloed met tintelprikjes en lichte pijnscheuten terugkeren. 'Ik moet gaan,' zegt ze. 'Ma vermoordt me als ik te laat kom.'

Hun adem maakt zachte vrieswolkjes.

'Blijf toch gewoon hier.'

Hettie stopt haar arm vlug onder de dekens. Het is een aanlokkelijk voorstel, als het aan haar lag zou ze graag hier in Di's kamer boven de meubelzaak blijven, zonder moeders die naar je gluren en je van top tot teen besnuffelen om de sporen van de afgelopen nacht te traceren.

'Helaas. Ik had beloofd dat ik op tijd terug zou zijn voor het avondeten.'

Maar ze staat nog niet op. Nog niet. Het is zo behaaglijk onder de dekens, in het holletje van hun lichaamswarmte.

'Wat een machtige avond.' Di rekt zich uit, Hettie kan haar vergenoegde lachje horen.

Ze zijn uren gebleven. Pas tegen het krieken van de dag gingen ze naar huis, met duiven die verschrikt opkeken en schoonmakers in overalls die de straten aanveegden. Humphrey had Di geld gegeven voor een taxi, die hen door een vrijwel lege stad had gereden waar net een roze zonnetje aan het opkomen was.

Na een poosje verbreekt Di de stilte. 'Humphrey wil dat ik met hem meega.'

'Hè?' Hettie draait zich om zodat ze elkaar aankijken. 'Wanneer?'

'Volgend weekend. Naar een hotel.'

Het is nog te donker om Di's gelaatsuitdrukking goed te kunnen zien, maar Hettie voelt iets kils door haar binnenste sijpelen. 'Ga je het doen?' fluistert ze.

'Ja, ik denk het wel.'

Hetties hartslag dreunt door de ruimte tussen hen in. Ze hebben dit onderwerp uitentreuren besproken. Hoe het zou zijn om ten langen leste met een man te slapen? En dan bedoelen ze niet de jongens met wie ze waren opgegroeid of de mannen die naar de Palais kwamen, die de meisjes altijd naar buiten probeerden te lokken voor een sigaret of iets anders. Niet de mannen in hun afgedragen kleren die zich altijd te dicht tegen je aandrukten. Ze bedoelen een echte man. Een tot wie ze zich aangetrokken voelen. Twee meisjes die ze kennen waren al zo ver gegaan; de ene met een soldaat van het front, later had ze haar baby moeten afstaan, en de andere, Lucy, die ook in de Palais werkte en het voor vijf pond met een man uit Ealing had gedaan, de aanbetaling voor een jas van zeehondenbont.

Nu is ook voor Di de toekomst aangebroken.

'Maar... als je... als je betrapt wordt, wat doe je dan?'

'Maak je niet druk,' zegt Di luchtig. 'Dat zal mij niet gebeuren.'

Hettie sluit haar ogen. Ze ziet een donkere hotelkamer met een bed. Een jonge vrouw en een man. Maar het zijn niet Di en Humphrey die ze in gedachten op dat bed ziet.

Ik hou je al twee volle minuten in de gaten.

Ze voelt een vreemde kramp, met een kracht die haar angst aanjaagt.

'En jij?' vraagt Di. 'Vind je Gus leuk?'

Hettie opent haar ogen in het donker en zucht. Ze heeft uren met Gus gedanst, maar nu kan ze zich zijn gezicht amper voor de geest halen; hij is vrijwel onzichtbaar geworden, een schim. 'Hij was...' Ze zoekt naar de juiste woorden. 'Aardig. Hij was aardig.'

'Hij vond jou echt leuk, dat kon ik aan hem zien.'

'Hm.'

Na een korte stilte stapt Hettie met tegenzin uit bed. 'Ik kan maar beter voortmaken.'

Ze heeft in haar jurk geslapen – het was ijskoud toen ze thuiskwamen – dus ze hoeft alleen maar haar schoenen en haar jas aan te trekken en een muts op te zetten. 'Tot morgen.'

Ze omhelzen elkaar. Di's warme, lome lichaam is alweer aan het terugglijden in dromenland.

Op weg naar de deur ziet ze dat Di haar jurk achteloos over de rugleuning van een stoel heeft gegooid. Ze betast heel even het zwarte, ragfijne stofje en geniet van de gelukzalige aanraking van de delicaat tikkende kraaltjes tegen haar vingertoppen. Achter haar draait Di zich in bed om.

Hettie trekt snel haar hand terug. 'Oké, dagdag,' zegt ze.

Op straat wikkelt ze stevig haar sjaal om haar hals. Ze loopt langs de meubelzaak, waar de verlichting van de etalage somber oplicht in de schemering. De bedden, kastjes en stoelen dicht op elkaar gegroepeerd, alsof ze menselijke pottenkijkers ver buiten hun schimmige zaakjes willen houden. Op de hoek neemt ze Goldhawk Road, waar het ondanks de gesloten stalletjes nog steeds naar vis ruikt, en waar de metalige lucht van vlees zich vermengt met de mild zoetige geur van gefermenteerde groenten. Ze haast zich door de straatjes die Shepherd's Bush met Hammersmith verbinden. Binnen in de lage rijtjeshuizen gaan de mensen aan tafel; in fel verlichte huiskamers worden de gordijnen dichtgetrokken om de vallende avond buiten te sluiten. Overal is het even proper en keurig aan kant, geheel in lijn met de Hammersmith-norm. Op de momenten dat haar duistere zijde opspeelt, verwenst ze de Zeppelins dat ze niet hier maar op het centrum van Londen hun bommen hebben gedropt.

Ze hoort hier niet thuis, dat is de reden. Zo lang ze zich kan heugen, hunkert ze naar iets anders, naar meer. Ooit verkeerde ze in de veronderstelling dat een betrekking bij Woolworths dat gevoel zou kunnen vervullen, maar daarin werd ze teleurgesteld, ondanks het aardige salaris en het mooie personeelsuniform dat ze altijd moest dragen. Later dacht ze het te vinden in de Palais. Maar tegenwoordig lijkt het wel alsof ze steeds tegen dezelfde muur aan loopt. Di heeft hetzelfde verlangen, daar kent Hettie haar goed genoeg voor. Maar Di heeft haar verlangen omgezet in een schuin gehouden hoofdje met kokette oogopslag, wat haar mannen en geld en ontsnappingsmogelijkheden bij de vleet oplevert. Hettie heeft dat raffinement niet, vleien en flirten zijn haar vreemd. Ze weet niet eens of ze het zou willen, dus de honger, rauw en stekelig, raast onverminderd in haar binnenste door.

De kookdampen van de schaapstoofpot slaan haar in het gezicht als ze de voordeur opent. Ze werpt een snelle blik op de spiegel in de vestibule en zendt een schietgebedje naar de hemel dat de avonturen van gisteravond geen sporen op haar gezicht hebben achtergelaten.

'Hettie? Ben je daar eindelijk?' De geagiteerde stem van haar moeder klinkt vanuit de keuken.

'Ik kom eraan.' Ze zet haar hoed af en loopt door de nauwe gang naar de keuken. Haar moeder staat bij het fornuis. Haar broer Fred zit in hemdsmouwen met zijn ellebogen op tafel. De ramen zijn beslagen door het koken, en de lucht is door de hitte en de vettige geur van de stoofpot om te snijden. Fred kijkt op met zijn gebruikelijke, glazige, lege blik.

'Dag mam, hoi Fred.'

Haar moeder neemt haar van top tot teen op. Fred mompelt een groet.

'Je bent te laat.'

'O ja?'

'We vroegen ons al af waar je bleef.'

'Ik was bij Di.' Ze schuurt even met haar ene voet langs haar kuit. 'Dat had ik toch gezegd?'

'Je had geen haast om thuis te komen, zo veel is me wel duidelijk. We dachten dat je een ongeluk had gekregen. Toch, Fred?'

Hettie werpt een tersluikse blik op haar broer. Hij wekt niet de indruk dat hij zich überhaupt iets afvraagt.

'Waarom ben je zo laat? Ik vind het niks als je zo laat nog door de marktstraat moet.'

Ze besluit dat het beter is om geen antwoord te geven.

'Doe je jas uit, en ga de tafel dekken.'

Gehoorzaam bergt ze haar mantel op en zet een bord voor haar broer neer.

'Dank je,' fluistert Fred.

Dank je, dat kan hij nog opbrengen. *Dank je* en *alsjeblieft* en soms, als je hem op een gelukkig moment een directe vraag stelt, komt er een *ja* of een *nee* uit. Voor de rest is het een opgave. Hij is zo sinds hij uit Frankrijk terugkwam. 's Nachts praat hij trouwens wel. In zijn slaap huilt hij en schreeuwt de namen van zijn gesneuvelde kameraden. Ze kan hem door de muren heen horen.

Haar moeder gaat aan tafel zitten. 'Zo. We zullen eerst bidden.'

Hettie laat haar kin op haar gevouwen handen steunen.

Haar vader zei het vroeger altijd. 'We zullen eerst bidden.'

Hij was Iers, goedhartig, en soms kon hij verbouwereerd opkijken, alsof hij van het ene moment op het andere bij een Engelse vrouw en twee Engelse kinderen was gestrand, in een leven met onbekenden die zich als zijn bloedverwanten hadden vermomd.

Hettie sluit haar ogen. In gedachten is ze terug in de dansclub, die op haar netvlies geprojecteerd is: de negerzanger, de wervelende band, de argeloze, onbezonnen manier waarop iedereen danste.

'Here, zegen deze spijs...'

Ben je hier om te dansen?

'... amen,' mompelen Hettie en haar broer.

Ze opent haar ogen. Op haar bord ligt een stuk schapenvlees naast een klont gemarmerde puree in een plas vettige jus. Elke zondagavond verzamelt haar moeder de botten van de etensresten om uit te koken voor de jus. De zondag erop lijkt het na een week sudderen het meest op het voornaamste bestanddeel: lijm.

Haar moeder pakt haar vork en mes op en een stilte daalt over de tafel neer: een geladen, zondagse stilte die alleen wordt onderbroken door het kletteren van het bestek op de borden.

'Ik heb Alice in de kerk gezien, je voormalige collega bij Woolworths.'

Hettie schuift haar eten heen en weer.

Ik hou je al twee volle minuten in de gaten.

'Hettie?'

'Wat?' Ze schrikt op. Haar moeder staart haar aan.

'Alice, weet je wel? Haar zus ging tegelijk met pa dood aan de griep.'

Hettie ziet in gedachten het beeld van haar vader op zijn sterfbed. Van de ene op de andere dag was hij dood, zijn huid was helemaal paars en glimmend geworden. Hij verkleurde enorm snel, net zo snel als de purperen heliotroop in de achtertuin. Ze mist hem. Hij compenseerde haar moeder ruimschoots. 'Ik weet het nog,' zegt ze zachtjes.

'Ze is getrouwd. En in verwachting.'

'O ja?' Ze weet al wat haar moeder gaat zeggen.

'Haar positie komt vrij, zei ze.'

Haar moeder heeft het haar nooit vergeven dat ze haar werk op de huishoudelijke afdeling van Woolworths, waar ze sinds haar veertiende had gewerkt, heeft opgezegd voor de Palais. Alsof ze een kaartje voor de trein naar de hel had gekocht. Rechtstreeks, zonder overstap. Haar moeder was niet blij en ook niet trots en het interesseerde haar geen snars hoe veel er op de advertentie waren afgekomen. Binnen één dag hadden vijfhonderd meisjes zich voor de tachtig beschikbare posities aangemeld. Haar moeder had er geen goed woord voor over. *Geen enkel zichzelf respecterend meisje zou dood gevonden willen worden op zo'n soort plek.*

'Ik heb al een baan, bedankt.'

Haar moeder gromt.

Hettie prikt met haar vork in haar eten.

'Hoe gaat het met Di?'

'Prima,' zucht Hettie. 'Met Di gaat alles goed.'

Ze kan het komende gesprek onderhand wel dromen.

Waarom woont ze op zichzelf?

Ze woont niet alleen, mam. Haar hospita woont pal naast haar.

Toch is het niet goed. Het klopt niet. Er kan van alles gebeuren.

Het had geen zin haar uit te leggen dat dat nou net het punt was. Hettie zou ook het liefst op zichzelf wonen.

Ze kijkt om zich heen. Naar haar moeder met haar dunnende haar in een knotje, gekleed in het jasschort waar Hettie zo'n hekel aan heeft omdat die haar zo typeert als de werkster die voor dag en dauw opstaat om bij andere mensen schoon te maken. Ze kijkt naar het keurige keukentje. En naar Fred, die werktuiglijk op zijn eten kauwt, blik op oneindig, zo bleek dat je bijna door hem heen kunt kijken.

Voor dit moet ze de helft van haar inkomen afstaan. Vijftien shilling per week, voor dit. Elke maandagavond legt ze het geld op tafel. Elke week, sinds haar broer terugkwam als een wrak en haar vader stierf en hen aan hun lot overliet. Ze zou goedkoper uit zijn als ze bij Di introk. Dan zou ze zelfs nog geld overhouden voor nieuwe kleren.

Je hoort toch niet bij die bende anarchisten, hè?

Ze zijn niet echt, zegt ze in zichzelf. Geen van beiden. Haar broer niet, haar moeder ook niet. Deze keuken is ook niet echt. Niets hier is echt.

Ik wil ook de boel laten ontploffen.

Hettie ziet een explosie voor zich, een enorme dreun die het huis tegen de vlakte slaat, die de straat verandert in een vuurzee, en onder de weidse sterrenhemel loopt ze over de vlakte terwijl de smeulende sintels om haar hoofd dwarrelen.

'Wat is er?' zegt haar moeder.

'Hm?'

'Je lachte.'

'O ja?'

Haar moeders gezicht staat op onweer. 'Wat is er zo grappig?'

'Niets hoor,' zegt ze hoofdschuddend.

Ze kijkt naar haar bord met eten, prikt een stuk schapenvlees aan haar vork en brengt die naar haar mond.

Dag twee

Maandag, 8 november 1920

Het is iets na middernacht in Saint-Pol-Sur-Ternoise als brigadegeneraal Wyatt uit zijn legervoertuig stapt. Wyatt staat aan het hoofd van de Imperial War Graves Commission, die de begrafenissen van de gesneuvelde Britse soldaten coördineert. Zijn adjudant, kolonel Gell, staat naast hem. Ze lopen samen naar de twee soldaten die op wacht staan voor een geïmproviseerd diensthokje. De oudste van de twee soldaten doet een stap naar voren en salueert. 'Ze zijn gereed,' zegt hij.

'Is het selectiecomité al vertrokken?'

'Ja, ze zijn al weg.'

'Verliep hun aankomst gefaseerd, zoals ik had bevolen?'

'Alles is volgens plan gegaan.'

'Uitstekend.' Wyatt laat hem staan en loopt door naar de poort van ijzeren golfplaten. In het zwakke schijnsel van de paraffinelamp zijn de vier stretchers amper te onderscheiden. Hij blijft even staan om naar de wind te luisteren, die met een fluitend geluid door de kieren van de keet blaast. Links van hem staat een eenvoudige houten doodskist, de deksel ligt ernaast op de grond. Op de stretchers ziet hij de omtrek van stoffelijke resten die met een Britse vlag zijn toegedekt.

Het zijn eerder bulten. Dit kunnen geen lichamen zijn. Het zijn overblijfselen die het meest weg hebben van een bergje lompen.

Ze bezorgen hem een onheilspellend gevoel. Hij schudt het van zich af. Natuurlijk zijn dit geen lichamen. Daarvoor hebben ze veel te lang onder de grond gelegen.

Hij denkt na over het verloop van de gebeurtenissen in de afgelopen weken, nadat het kabinet had besloten om door te gaan: de regen aan telegrammen, de korte, gejaagde besprekingen van het in allerijl opgerichte selectiecomité, de vele inspanningen om een onwillige monarch te overtuigen dat hun plan zin heeft.

Hij hoopt dat het een terechte beslissing was. Hij hoopt van harte dat zij het volk juist hebben ingeschat en dat het over vier dagen allemaal de moeite waard blijkt te zijn.

Buiten moet een van de twee soldaten hoesten.

Wyatt werpt een laatste doordringende blik op de doodskisten, alsof hij ze in zijn geheugen wil griffen. Met gesloten ogen beroert hij licht een van de stretchers en klopt dan op de wand van de keet. De kolonel komt op het signaal naar binnen. Zonder iets te zeggen wijst de brigadegeneraal naar de stretcher die hij heeft aangeraakt. Ze tillen samen de bundel op, die is verpakt in een zak die met een koord is dichtgetrokken, en laten hem in de kist zakken. Ze spijkeren de deksel dicht, dekken het geheel met de versleten vlag toe en verlaten de keet. Buiten stappen ze in het legervoertuig, dat met een paar knallen van de uitlaatpijp verdwijnt in de nacht.

Heel vroeg in de ochtend, als het nog steeds donker is, begeven twee andere mannen zich naar de keet. Ze salueren en de schildwachten doen een stap opzij.

De mannen zien de gesloten doodskist met de vlag, blijven even staan, en lopen dan naar de drie andere stretchers die niet waren gekozen. Ze tillen de eerste op en dragen die naar de ambulance. Ze komen terug voor de tweede. Dan voor de derde.

Een inderhaast gewekte kapelaan, met een legerjas over zijn habijt geslagen, gaat voorin bij de mannen in de ambulance zitten. Ze rijden in zuidelijke richting, waar het dorpje Albert ligt. Na een minuut of twintig zetten ze de wagen stil bij het stukje berm waar een enorme krater in zit. Ze waren hier al eerder langs gereden en hadden een markering bij de kuil gezet.

Ze steken een stormlamp aan en zetten die op de grond, waar de vlam een kuil belicht van een paar meter doorsnee. Er staat een snijdende wind. Ze willen zo snel mogelijk terug naar hun bed. Ze laten de eerste zak vrijwel geruisloos in de kuil glijden. Als ze alle zakken erin hebben gelegd, stapt de kapelaan uit het voertuig en gaat met zijn bijbel met de leren omslag naast de kuil staan. De omtrekken van de zakken op de bodem zijn nog net zichtbaar. Aan de rand van de kuil zegt hij enkele gebeden op terwijl de woeste wind met zijn haar stoeit. Als hij klaar is, pakken de militairen snel hun spades op en bedekken de stoffelijke resten met aarde. Ze stappen in de ambulance en rijden weg.

Ada staat op en kleedt zich snel aan. Ze trekt de gordijnen open. Beneden op straat is het rustig en de zon komt al op. Het is nog vroeg, Jack is een poos geleden vertrokken terwijl beneden op straat veel mannen zich pas net op weg naar hun werk begeven. De kamer vult zich met het ochtendlicht, het vindt de bekende voorwerpen om zich overheen te vleien en verjaagt de schaduwen van de nacht.

Ze heeft amper een oog dichtgedaan. Zij en Jack hebben de hele avond om elkaar heen gelopen alsof hun jongen er nog steeds was, in die ruimte tussen hen in, waar de echo van zijn naam in weerklonk, van hun zoon Michael, omdat die voor het eerst in drie jaar hardop was uitgesproken.

Het ochtendlicht op deze alledaagse dag brengt haar op andere gedachten.

Misschien had ze de jongen inderdaad verkeerd verstaan.

Misschien hoorde ze alleen maar wat ze wilde horen. Het zou niet de eerste keer zijn.

Hoe het ook zij, gezien de wijze waarop de jongeman zich uit de voeten maakte, zou hij waarschijnlijk nooit meer terugkomen.

Haar blik valt op een oude foto van haar en Jack op het dressoir, die vijfentwintig jaar geleden is gemaakt. Ze lachen naar de camera. Ze pakt de foto op en bekijkt hem van dichtbij. Het initiatief was van haar gekomen. Giechelig had ze Jack meteen na de huwelijksplechtigheid meegesleept naar de studio aan High Road, waar een bedrijvige jongeman het ene na het andere voorwerp omhoog hield: een teddybeer, een plumeau, een claxon. Toen hij met de claxon toeterde, schoten ze allebei in de lach en op dat moment flitste de camera met een wolk van wit licht.

Wat zagen ze er nog jong uit. Ze veegt het blad van het dressoir schoon met haar mouw en zet de foto terug. Ze weet nog goed hoe ze zich op die dag voelde, toen ze voor het eerst door deze straat naar hun huis liep: de toekomst lag voor hen uitgerold, klaar om door hun betreden te worden, zonovergoten en weids.

Een huwelijk van vijfentwintig jaar. Van leren met iemand samen te leven. Van leren lief te hebben. Van leren dingen te begraven die ondraaglijk zijn.

Het is maandag, en zoals elke maandag haalt ze de bedden af. Maar vandaag wordt ze, voor ze de lakens vastpakt, bevangen door een herinnering en ze blijft even stilstaan. In dit bed brachten ze hele zondagochtenden door terwijl ze eigenlijk in de kerk hadden moeten zitten, zijn vingers in haar lange haar, hun benen verstrengeld, koortsachtig fluisterend. Ze is in dit bed bevallen, bijgestaan door een verloskundige uit de straat. De schok. Die verbijsterende, paars aangelopen, blèrende verrukking die haar zoon was.

Ze draait zich om naar de spiegel. Met het licht van opzij is het spiegelbeeld haar niet mild gezind. Wat denkt haar echtgenoot als hij nu naar haar kijkt? Ze legt haar vingers op haar gezicht, trekt even haar kaken glad en laat dan de huid weer los.

Wat mankeert haar toch vandaag? Het komt vast door haar trouwdag. Die brengt allerlei herinneringen naar boven en houdt haar van haar bezigheden af. Kordaat verzamelt ze het wasgoed en brengt het naar beneden, waar ze een paar emmers water vult aan de pomp op de binnenplaats en de lakens in de kokende koperen ketel gooit. Met koud en daarna heet water maakt ze het stijfsel. Ze roert het door de ketel met wasgoed, dat ze vervolgens door de wringer haalt. Het is hard werken, en als ze aan de hendel draait, komt er een andere herinnering naar boven: haar zoon als kleine jongen, die naast haar staat om haar te helpen. Hij probeert de was zo recht mogelijk te houden terwijl zij de doorweekte lakens tussen de rollers duwt.

Michael.

De herinnering aan hem maakt haar overstuur.

Ze dwingt zich om diep adem te halen en de gedachte aan hem te verdringen.

De rij is erg lang vandaag. Evelyn ziet ze al staan als ze het metrostation uitloopt, helemaal voorbij de hoek tot halverwege de volgende straat. Ze moet er dwars doorheen om bij de deur van het kantoor te komen, dus ze trekt haar muts diep over haar ogen en zet haar kraag op. 'Pardon, mag ik er even langs?'

Een blonde man maakt plaats zodat ze erdoor kan en met gebogen schouders loopt ze voor hem langs. Opgelucht opent ze de deur naar het kantoor; het zou ongunstig kunnen uitpakken als de vaste cliënten haar op straat herkennen. Ze hangt haar jas en muts aan de kapstok in de hal en loopt door naar het kleine keukentje. Ondanks de kilte buiten doet ze het smoezelige raam open dat op de binnenplaats uitkijkt. Ze is in de veronderstelling dat ze als eerste op kantoor is, maar dan gaat er een deur open en ziet ze Robin door de gang verschijnen. Hij komt naar haar toe.

'Goedemorgen.' Robins brede schouders, gehuld in een tweed jasje, nemen de hele deuropening in beslag. Hij glimlacht alsof deze dag iets plezierigs voor hem in petto heeft.

Ze heeft direct haar oordeel klaar. Irritante man.

'Goedemorgen.' Ze begroet hem zo oppervlakkig mogelijk, de rest is toch maar verspilde energie. Hij werkt er sinds kort, hooguit een week. Er zijn hem vele Robins voorgegaan. Ze blijven meestal niet langer dan een of twee maanden. Als ze een dikke huid hebben, willen ze het nog wel eens zes maanden uithouden, maar de meesten geven er, al hun glimlachende gezichten en goede voornemens ten spijt, na hooguit twee maanden de brui aan, verslagen door de eentonigheid van het werk, de ellende en de mannen. Ooit hield een medewerker het na één dag al voor gezien; een kleine, blozende man die voor de oorlog uitbrak voor de klas had gestaan. Een van de cliënten had hem aan het huilen gemaakt. Voor hij vertrok, had hij zich bij de deur omgedraaid om haar voor gek te verklaren dat ze dit werk deed, volgens hem was dit erger dan de loopgraven in Frankrijk.

Robin pakt het gedeukte waterketeltje en vult het aan de kraan. 'Wat een mooie dag,' zegt hij met een waarderend knikje naar het open raam. 'Helder, fris weertje.'

'Volgens mij is er geen tijd voor thee.'

Hij kijkt verrast op. 'Zoals je wilt.' Hij zet de ketel op het aanrechtblad. 'Hoe gaat het met jou vandaag? Alles goed?'

Hij ziet er zo fris uit, zo uitgerust, zo intens vriendelijk. Alsof hij oprecht graag wil weten of alles in orde is.

'Ja hoor. Op rolletjes.' Ze laat hem bij het raam staan, pakt haar tas en begeeft zich naar haar kleine kantoortje, waar ze de gebogen figuren van de rij wachtende mannen kan zien. De voorste zijn op de grond gaan zitten, waarschijnlijk stonden ze er al uren. Zodra ze het licht aandoet, krabbelen ze overeind en beginnen elkaar te verdringen. Ze kan hun gedempte verwensingen door de ruit heen horen. Robin loopt het kantoor binnen terwijl zij de benodigde zaken voor deze ochtend klaarlegt: scherp geslepen potloden om de gekleurde formulieren per geval, per opmerking en per klacht in te kunnen vullen. Roze voor de officieren, groen voor de overige rangen. Ze kijkt op haar horloge. Drie minuten voor negen. Ze pakt de sleutelbos uit de bovenste la van haar bureau en loopt naar de deur.

'Het is nog vroeg,' zegt Robin.

'Tja.' Ze draait zich naar hem om. 'Ben je zover?'

Hij manoeuvreert zijn lange gestalte langs zijn bureau, nestelt zich op zijn stoel en salueert. 'Zover.'

Ze rolt met haar ogen en steekt de sleutel in het slot. Achter in de rij ontstaat direct commotie. De slaapdronken mannen vooraan verliezen hun evenwicht als de deur opengaat, en ze worden bijna naar binnen geduwd. Evelyn stapt de kille buitenlucht in. 'Wie problemen veroorzaakt, kan direct vertrekken of moet weer achter aansluiten. Is dat begrepen?'

Halverwege de rij gaat een protesterend gebrom op.

Ze verheft haar stem. 'Is dat begrepen?'

Het gemopper sterft weg. Her en der klinkt een timide 'ja mevrouw'. Ze loopt terug naar haar bureau. Even voelt ze de bekende steek van medeleven voor deze beklagenswaardige stumpers. Maar medelijden is het drijfzand dat ze beter kan vermijden. Vooral op maandagochtend negen uur, anders haalt ze het eind van de week niet.

De eerste man die binnenkomt, monstert ze met een snelle blik. *Geamputeerd*. Zijn rechterbroekspijp is zo hoog dicht gespeld, dat zijn been direct aan de heup moet zijn afgezet. Waarschijnlijk was de stomp te kort voor een kunstbeen. Hij gaat op de stoel aan haar bureau zitten. Ze heeft er een sport van gemaakt te raden welke rang ze hebben bekleed voor ze hun mond opendoen. In deze wereld zonder emblemen zijn de mannen aan de uiteinden van het spectrum vrij makkelijk in te schatten, omdat ze zich in burgerkleding net zo rigide opstellen als in uniform. De uitdaging zit in de categorieën daartussen. Het lastigst zijn de mannen die tijdelijk tot de klasse van de hogere heren hebben behoord, omdat zij indertijd lukraak in de loopgraven werden gepromoveerd en toen de oorlog was afgelopen weer genoegen moesten nemen met een lage positie in de maatschappelijke pikorde. *Tijdelijke hoge heren* – het is een vileine, maar niettemin geëigende omschrijving. De man die nu tegenover haar zit behoort niet tot die categorie, noch tijdelijk noch in enig ander opzicht: hij is een zandhaas in hart en nieren, dat is aan alles te zien.

Ze buigt zich over haar papieren en als ze het eerste formulier pakt is haar werkdag begonnen.

Als ze de vierde man ziet binnenkomen, voelt ze direct aan dat zijn geval een netelige kwestie kan worden.

'Ben je zover?' vraagt hij als hij zich in de stoel tegenover haar laat zakken.

Ze bestudeert hem. Hij is een en al zelfvertrouwen. Is hij soms officier geweest? Ze kan zijn accent niet thuisbrengen. Ze pakt een formulier. Wat zou zijn rang zijn? Ze slaagt er niet in hem direct te definiëren.

'Uw naam, graag.'

'Reginald Yates.'

'Uw rang?'

'Tweede luitenant.'

Ze schrijft REGINALD YATES boven aan het formulier.

'Is dit uw eerste bezoek aan onze instelling?'

'Nee.' Hij snuift schamper. 'Niet echt.'

Hij heeft een hoekig gezicht, zijn bruine haar is met pommade glad achterovergekamd en zijn snor is zorgvuldig bijgeknipt. Ze kan niet goed zien hoe oud hij is. Hij kan zowel vijfentwintig als vijfendertig zijn. Hij heeft iets gejaagds over zich, iets ongedurigs. Evelyn werkt hier al zo lang, dat ze inmiddels goed weet wanneer iemand gevaarlijk kan zijn. Een paar jaar geleden is een medewerkster aangevallen door een man met een mes. Ze heeft maanden in het ziekenhuis gelegen en is daarna niet meer teruggekomen. Het was haar laatste vrouwelijke collega.

'Ik krijg sinds kort minder,' zegt de man. Hij haalt een pakje shag uit zijn zak en rolt behendig een sigaret.

Ze schuift een asbak in zijn richting. 'Minder geld, bedoelt u?'

'Ja.' Hij steekt zijn sigaret op en blaast een dikke rookpluim uit die tussen hen beiden blijft hangen.

'Het spijt me, meneer Yates, maar dat is het beleid.'

Door de rookwolken vindt zijn blik de hare.

'Mag ik vragen wat de aard van uw verwonding is?'

'Nee.'

Haar vraag heeft hem enigszins van zijn stuk gebracht. 'Goed, dat is natuurlijk aan u,' zegt ze.

Vast aan zijn achterste of aan zijn kruis; daar praten ze nooit graag over.

Hij buigt zich naar voren en prikt zijn vinger in de lucht om zijn woorden kracht bij te zetten. 'Het enige wat jij moet weten, is dat ik zeventien pond per week kreeg, en nou is het minder.' Ze merkt op dat hij platter begint te praten.

'Het zit zo, meneer Yates,' begint Evelyn. 'De overheid heeft bepaald dat de uitkering bij tweederangs verwondingen, te weten de verwondingen waarbij geen ledematen zijn verloren, na drie jaar wordt verlaagd. Mag ik vragen wanneer u gewond raakte?'

'In 1917.'

Ze spreidt haar handen. 'Dat is het dus. Het spijt me, meneer Yates. U kunt natuurlijk altijd bezwaar aantekenen.'

De man spuwt een plukje tabak op de grond. 'Dat was het dan?'

'Ja, ik vrees van wel.'

'Je kunt niet nagaan of ik meer kan krijgen?'

Evelyn slaakt een zucht. Het blijft haar verbazen dat ze het hier volhoudt, als spreekbuis voor een comité dat elke claim als verdacht beschouwt, elke man als een fraudeur, schuldig tot het tegendeel is bewezen, genoodzaakt zich in leven te houden met aalmoezen van een regering die zich al heel lang niets meer van dit soort mannen aantrekt.

'Het spijt me, meneer Yates, maar wij fungeren slechts als doorgeefluik. Als u een officiële klacht wilt indienen, kunnen we die in behandeling nemen en doorsturen. Binnen een maand krijgt u bericht of uw geval opnieuw wordt bekeken, en dan zult u een medische keuring krijgen.'

'Binnen een mááááand?' Hij bootst haar accent na. Ze moet toegeven dat hij dat niet slecht doet. 'Hoe zit het met de gunstige voorwaarden? Als ik soldaat was gebleven, had ik meer gekregen. Dat klopt toch niet? *In dit land staan we achter onze helden*, toch?' Zijn stem druipt van het sarcasme als hij de verkiezingsleus van David Lloyd George citeert.

Het klopt ook dat ex-soldaten in het voordeel zijn; zij ontvangen een bescheiden werkloosheidsuitkering. Mannen uit welgestelde kringen krijgen die toelage niet, gezien de veronderstelling dat ze een netwerk van vriendjes hebben of kunnen bogen op familiebezit. De tijdelijke hoge heren zijn met een dreun naar beneden gevallen. Hij leunt weer terug in zijn stoel en wijst naar haar met zijn sigaret alsof hij hem op haar af wil vuren. 'Wijven,' gromt hij.

'Tja, ik vrees dat werkloze vrouwen in hetzelfde schuitje zitten als u.'

Hij staat zichtbaar op het punt van ontploffen. Ze werpt een snelle blik in de richting van Robin, maar die is druk in gesprek met de roodharige man tegenover hem. Hij moet lachen om iets wat de man heeft gezegd.

'Het spijt me, meneer Yates,' zegt ze. 'Ik moet u nu verzoeken...'

'Hoeveel kinderen heb je?'

'Dat zijn uw zaken...'

'Vijf, ik heb vijf kinderen.' Hij hoest en buigt zich naar voren. 'Jij hebt er geen, hè?'

Ze geeft geen antwoord.

'Een oude vrijster, dat ben je. Volgens mij ben je kurkdroog tussen je benen.'

Het laatste restje sympathie dat ze voor hem had, is nu verdwenen. In gedachten geeft ze hem een trap, of ze plant de punt van haar potlood in zijn hand.

'Hier geniet jij van, hè? Kapsoneswijf.'

'Jazeker,' zegt ze en ze leunt naar achteren. 'Weet je waarom?'

'Nou?'

Ze buigt zich naar hem toe. 'Omdat ik een sadist ben.'

Hij opent zijn mond, maar doet hem weer dicht. 'Pestwijf,'

mompelt hij en hij staat op, de stoelpoten schrapen over de vloer.

'Wat u zegt, meneer Yates. Een sadistisch pestwijf.'

Zonder op te kijken legt ze zijn roze formulier op de stapel op haar bureau.

'De volgende!'

❖

Het ochtendlicht valt in brede strepen op Hetties bed en op de foto's boven haar aan de muur, die daar in een symmetrisch patroon zijn opgehangen: foto's van Vernon en Irene Castle die een foxtrot dansen, van Theda Bara, een filmshot van Lillian Gish in *Broken Blossoms*. Ook heeft ze een foto van de Dixies uit de krant geknipt, op de dag dat ze Londen verlieten: Billy Jones, Larry Shields, Emile Christian, Tony Spargo en Nick LaRocca, die zijn trompet in de aanslag houdt alsof het een dodelijk wapen is.

Iedereen ziet er stralend uit op de foto's, alsof ze het onverwachte zonnetje toelachen. In de kamer naast haar hoort ze Fred rondlopen, die zich gereed maakt om naar buiten te gaan. Haar moeder was al voor dag en dauw naar haar werk. Als Fred straks ook weg is, zal het huis voor enkele gezegende uren van haar alleen zijn, tot ze om twaalf uur zelf naar de Palais moet. Straks zal ze water opzetten om een warm bad te maken. Eerst wil ze nog wat blijven luieren in deze heerlijke zonneschijn, en denken aan de man uit Dalton's. Ed.

Ze sluit haar ogen en probeert zijn beeltenis op te roepen. Zijn geur. Zijn stijl van dansen. Zijn manier van praten, alsof het allemaal een spel was.

Twee minuten staat gelijk aan gluren.

Ze is nog nooit op die manier aangesproken.

Door de muur heen voelt ze de schok waarmee Fred zijn kledingkast openrukt. Teleurgesteld doet ze haar ogen open. Het is onmogelijk zich te concentreren zolang haar broer in de kamer naast haar rondscharrelt.

Hij had haar vannacht uit haar slaap gehaald. Dit keer slaakte hij maar een paar korte kreten waar hij zelf ook wakker van moet zijn geworden, want daarna bleef het stil.

Het kleerhangertje klettert als hij zijn blazer eraf haalt. Hij kleedt zich elke ochtend aan en gaat dan naar buiten, zonder dat hij een bestemming heeft. Hij is werkloos sinds hij terug is gekomen uit Frankrijk, in december nu twee jaar geleden. Dat was kort na de dood van hun vader. Na de demobilisatie zat hij wekenlang zwijgend in zijn vaders leunstoel en ging nooit naar buiten. Als ze thuiskwam van haar werk bij Woolworths, zat hij in dezelfde houding als toen ze wegging. In het schemerige licht en ook door de manier waarop hij daar zat, was het net alsof haar vader in die stoel zat, verrezen uit de dood. Ze kreeg er de kriebels van. Maar zitten was het enige wat Fred deed, alsof die oude leunstoel hem uiteindelijk zou vertellen waar hij een baan kon vinden.

Rond die tijd begon ze haar helft van haar salaris af te staan, terwijl Fred ondertussen in zijn stoel voor zich uit zat te staren en niets ondernam of bijdroeg, helemaal niets.

Vroeger was hij niet zo. Vroeger was hij zo luidruchtig dat ze er af en toe gestoord van werd. Hij nam alle ruimte in beslag. Dan liet hij al zijn fietsonderdelen op de tafel slingeren of hij plaagde haar met haar danslessen en haar filmposters. Hij werkte net als hun vader in de lampenfabriek aan Brook Green. Elke ochtend vertrokken ze samen op hun fiets, die twee waren onafscheidelijk. Als hij na werktijd de kroeg indook, kwam hij soms lallend thuis. Dan deed moeder alsof ze boos was, maar je kon zien dat ze het eigenlijk niet erg vond.

Fred was altijd haar oogappeltje geweest. Hij had een vriendin, Katy. Haar haar was zo hoogblond dat het bijna wit leek, en omdat ze verkoopster was in een winkel met kantoorartikelen hing er altijd een geur van potloodslijpsel om haar heen.

Fred kon ook lief zijn. Vlak voor Hetties verjaardag zou hij met verlof uit Frankrijk overkomen. Hij had haar in een brief gevraagd of ze nog speciale wensen had. Nou, ze wilde het liefst naar een voorstelling, en dus kocht hij kaarten voor *Chu Chin Chow* in Her Majesty's. Het was haar eerste keer op West End en de show was een spektakel van muziek, dans en echte dieren op het podium. Halverwege de voorstelling ging het luchtalarm af omdat er een aanval van Zeppelins dreigde. In plaats van dat ze met iedereen de schuilkelder invluchtten, was zij met Fred naar buiten gegaan om een sigaret te roken en naar de Zeppelins te kijken, die met hun gezwollen buiken als kolossale walvissen overvlogen.

'Niet tegen mam zeggen,' had Fred geknipoogd, alsof dit hun geheimpje was, en ze voelde zich volwassen, ze voelde de opwinding en de dankbaarheid dat ze spannende momenten als deze mocht beleven.

De tweede keer dat hij terugkwam uit Frankrijk, was hij een schaduw van zichzelf. Alsof alle tumult, spontaniteit en levenskracht uit hem was geperst en er niets anders was overgebleven dan een lege, verstomde huls.

Ze hoort nu dat hij langs haar deur loopt, zijn zachte voetstappen op de trap.

'Fred?' roept ze. Hij geeft geen antwoord. Ze glipt snel uit bed en opent de deur naar de gang.

Hij staat al halverwege de trap.

Ze leunt over de balustrade. 'Ga je op pad?'

Hij knikt en krimpt in elkaar, alsof ze hem heeft betrapt op iets zondigs.

'Waar ga je heen?'

'O, gewoon naar...' Hij haalt zijn schouders op, schraapt zijn keel en laat zijn hoed in zijn handen ronddraaien. 'Naar het arbeidsbureau. Misschien hebben ze iets.'

'Ga je werk zoeken?'

In de vreselijke, langgerekte stilte die volgt, kleuren Freds wangen akelig rood. Hij lijkt iets te willen zeggen, maar blijft aan de rand van zijn hoed friemelen. 'Wellicht,' zegt hij na een poosje. 'Wie weet.'

Dan zet hij zijn hoed op en rent bijna de trap af.

Hettie gaat terug naar haar kamer. Ze sluit de deur achter zich en leunt ertegenaan.

Fred gaat niet naar het arbeidsbureau.

Ze kwam hem toevallig een keer tegen op een van zijn wandelingen. Hij sjokte als een bejaarde over het trottoir, met dezelfde slepende tred als ze bij sommige mannen in de Palais ziet, de stillere types die haar inhuren en met haar over de dansvloer schuifelen, hun zwijgzaamheid is als de dunne huid over een blaar, het vliesje waar onuitspreekbare dingen onder schuilgaan.

Haar blik valt op haar dansjurk, die ze gisteravond voor ze ging slapen naast haar bed heeft uitgetrokken.

Als Fred werk vond, kon zij tenminste een keer nieuwe kleren kopen.

Waarom pakt hij niet gewoon weer de draad op?

Maar het gaat niet alleen om hem. Het gaat om al die mannen, die ex-soldaten die ze op straat ziet bedelen, met bordjes die aan een touw om hun hals bungelen. Het herinnert haar aan een periode die ze achter zich wil laten. Ze moest al opgroeien met de allesoverkoepelende narigheid, die alle kleur en fleur aan haar leven onttrok. De ellende heeft lang genoeg geduurd.

Ze schopt haar jurk in de hoek.

De oorlog is voorbij, voorbij! Ze moeten zich er maar overheen zetten.

❖

'Goedemorgen, mevrouw H. Wat kan ik voor u betekenen?'

De voorschoot van de slagersjongen zit vol rode vegen van zijn vingers. Vandaag hangt er een bijzonder sterke geur in de winkel; als Ada binnenkomt is het alsof ze tegen een muur aan loopt.

'Wat heb je voor moois?'

'De lever is prima vandaag.' De jongen duwt zijn vinger in het paarse vlees en er vormt zich een plasje bloed op de zilverkleurige schaal waar het orgaanvlees op ligt.

'Graag. En ook een half pond van dat rundvlees.'

'Doen we.' De jongen draait zich fluitend om om zijn mes te pakken.

Ada pakt haar portemonnee uit haar tas. In de vitrine ligt een hele ribbenkast, aan het uiteinde steekt het witte bot uit het gemarmerde vlees. Het is alsof de geur zich versterkt. Ze kijkt naar buiten, waar het zonlicht op de straat valt. Er staan twee vrouwen onder de luifel van de viswinkel, een jongen loopt voorbij met zijn gezicht van haar afgewend.

De jongen is slank, met bruin haar. Hij lijkt op Michael. Hij lijkt op haar zoon.

'Mevrouw Hart?'

De slagersjongen reikt haar de pakjes vlees over de toonbank aan. Ada neemt ze niet aan. Ze rent de winkel uit. Buiten op straat kijkt ze om zich heen, even later ontdekt ze hem in de verte aan de overkant, op ongeveer vijftig meter bij haar vandaan. Hij loopt stevig door, met zwaaiende armen. Ze roept hem na, maar hij is te ver weg om haar te kunnen horen. De bestelbus die komt aanrijden blokkeert haar uitzicht. Op de zijkant van de wagen staat SUNLIGHT ZEEP VOOR MOEDER, met een verlegen meisje in een blauwe overgooier die een doos zeepjes vasthoudt. Ada loopt achter het busje langs. In de verte ziet ze haar zoon weer, die recht op het park af stevent.

'Michael!' roept ze weer. Ze versnelt haar pas, maar het is alsof hij steeds harder gaat lopen. Ze probeert hem in te halen, terwijl ze haar blik strak op hem gericht houdt. Hij ziet er goed uit, dat kan ze zelfs aan zijn achterkant zien. Hij heeft allebei zijn armen nog, allebei zijn benen, hij loopt soepel en ontspannen en houdt zijn hoofd fier rechtop. Zijn haar is net zo geknipt als de laatste keer dat ze hem zag; de zon schijnt op de bovenkant van zijn oren, en wat hem ook is overkomen, waar hij ook is geweest, hij heeft het overleefd en is springlevend. Opnieuw roept ze zijn naam.

Er staat een rij voor de ingang van de kruidenier. Ze banjert er dwars doorheen en merkt dat de mensen hun hoofd met een ruk omdraaien en haar ontstemd nakijken. Haar hart bonst, ze voelt het zweet prikken bij haar slapen en op haar rug, het ademhalen gaat haar steeds moeizamer af maar de afstand tussen hen beiden blijft toch hetzelfde. Hij moet haar aanwezigheid voelen, want hij probeert zijn tempo op haar af te stemmen, alsof ze verbonden zijn in een macaber spel.

Als hij het eind van de straat heeft bereikt, ziet ze hem aarzelen; eindelijk staat hij even stil voor de ijzerhandel, alsof hij bedenkt welke kant hij op moet en onzeker is over zijn bestemming.

Ga de linkerkant op.

Dat is de weg naar huis.

De jongeman gaat linksaf, en ze roept hem na als hij om de hoek verdwijnt.

Nu ze weet dat hij op weg is naar huis, staat ze zichzelf toe een bedaarder tempo toe. Als ze de ijzerhandel bereikt, blijkt de linkerstraat helemaal leeg. Haar zoon is verdwenen. Ze ziet een oude man uit die richting komen, die langzaam over het trottoir slentert terwijl zijn hond de goot afsnuffelt.

'Pardon, meneer.' Ze grijpt zijn arm beet. 'Bent u net iemand tegengekomen?'

'Hè?'

'Hebt u hier net iemand gezien in deze straat? Een jongen? Een jongeman bedoel ik?'

De oude man kijkt een beetje geschrokken en schudt ontkennend zijn hoofd. 'Nee, niemand. Sorry, dame.'

Ze laat hem los en zoekt hijgend steun bij de muur.

'Gaat het wel met u?'

'Jawel, hoor.' Ze knikt. 'Niets aan de hand.'

Ze maakt zich los van de muur en haast zich naar de weg die langs het park loopt. Haar hoofd tolt. Opeens dringt het tot haar door wat er aan de hand is en ze moet bijna huilen van opluchting: hij had het natuurlijk op een hollen gezet! Zodra hij zag waar hij zich bevond, besefte hij hoe dicht hij bij zijn ouderlijk huis was en hij wilde het laatste stukje rennend overbruggen. Dat zou zij ook het liefst doen, maar ze dwingt zich om de rest van de weg naar huis kalm af te leggen; ze wil niet uitgeput raken, want straks is ze buiten adem en zal ze amper in staat zijn om hem te begroeten. Toch trilt ze als een espenblad als ze thuiskomt; ze heeft beide handen nodig om de sleutel in het slot te steken.

De keuken is precies zoals ze die heeft achtergelaten. De wringer in de hoek, de lucht nog zwaar van het hete spoelwater en de zeep, het wasgoed over het brandscherm gedrapeerd en aan de waslijnen boven haar hoofd. 'Michael!' Haar stem klinkt dof in de vochtige lucht. 'Michael!' roept ze wat luider. 'Ben je al thuis?'

Ze schuift de lakens opzij die aan de lijn hangen. Ze kijkt achter de stoelen in de huiskamer. Ze gaat op de bovenste trede staan van de trap naar de kelder en roept zijn naam naar de bedompte duisternis beneden.

De slaapkamer op de eerste etage, die ze deelt met Jack, is leeg. Ze loopt de gang weer op en blijft met bonzend hart voor Michaels kamer staan. Het is overal stil. De stilte hangt zwaar in het hele huis. Ze duwt de deur met haar heup open.

Michaels kamer is leeg. Na een korte aarzeling op de drempel gaat ze naar binnen. Ze krijgt bijna geen adem. Op handen en knieën kijkt ze onder het bed, maar ze ziet alleen maar leegte. De laatste mogelijkheid is de kledingkast in de hoek. Als ze die opent, ruikt ze hout en verlatenheid. De kast is leeg, op twee hangertjes en een kartonnen doosje na, dat stevig met touw is dichtgebonden. Zo stevig, dat het niet in een handomdraai is open te krijgen. Het doosje zit al jaren dicht.

Evelyn zet Reginald Yates uit haar hoofd en werkt gestaag door. Voor elke man is er een formulier, elke klacht wordt geregistreerd en gesorteerd op kleur. Om kwart voor elf laat ze een belletje rinkelen als teken dat het kantoor voor een korte pauze wordt afgesloten. De mannen buiten grommen misnoegd. Het is geen slecht weer. De dag begon wat guur, maar later is het onwinters zacht geworden; de zon heeft de hele dag op het raam in het kantoor gestaan, waardoor het zelfs binnen benauwd is. Ze kan wel een frisse neus gebruiken. Ze pakt haar vest en haar sigaretten en stapt de rommelige binnenplaats op. Leunend tegen de muur kijkt ze naar de hemel. Haar nek is nog steeds stijf van het rechtop slapen in de trein gisteravond. Met een hand op haar hals laat ze haar nekwervels kraken.

'Mag ik erbij komen staan?'

Ze draait zich om. Robin staat in de deuropening.

'Ik wist niet dat je rookte,' zegt Evelyn.

'Dat doe ik ook niet. Ik wil een luchtje scheppen. Althans, als ik je rustpauze niet verstoor?'

Ze haalt haar schouders op.

Een luchtje scheppen. Echts iets voor hem om het zo te noemen.

Hij gaat naast haar staan tegen de muur. 'Hoe ging het bij jou vanmorgen?'

Ze steekt een sigaret op en blaast schouderophalend de rook uit. 'Hetzelfde als altijd.'

'Ik had net een interessant geval,' zegt hij na een poosje.

'O ja?'

'Iemand die ik kende van voor de oorlog.'

'Echt waar? Waar kende je hem van?'

'We deden aan klimmen.'

'Klimmen? Hoe bedoel je?'

'Bergen beklimmen.' Zijn glimlach is terloops en heeft een zweem van melancholie. 'We hebben elkaar indertijd ontmoet in Wales, in een pension bij de Pen-y-Pas.'

Ze neemt een trek van haar sigaret. 'Dat was vast machtig.'

De sarcastische toon in haar stem ontgaat hem of hij laat hem langs zich heen gaan. 'Dat was het zeker,' vervolgt hij. 'We waren er in 1912 voor het eerst, en een jaar later nog een keer. Overdag beklommen we bergen, 's avonds zaten we in de kroeg te bomen, met een stevige borrel erbij. We dachten dat de wereld aan onze voeten lag.' Hij staart voor zich uit, alsof zijn verleden zich in kleur voor zijn ogen afspeelt en hij niet op dit armetierige binnenplaatsje met beroete muren staat. 'Hij verloor een been,' zegt hij ten slotte. 'Net als ik.'

Ze kijkt Robin voor het eerst recht aan. Hij is niet onknap. De meeste mensen zouden hem zelfs een mooie man willen noemen. Hij heeft een goed postuur, met brede schouders en een prettig gezicht. Het soort man dat gebouwd is voor het beklimmen van hoge bergen. Maar hij heeft ook een ander trekje: hij is zo blakend, zo ontstellend aardig, dat ze er moe van wordt. Ze kijkt op haar horloge.

'Is het alweer tijd?' Hij klinkt teleurgesteld.

'Ja.' Ze drukt haar sigaret tegen de muur uit en loopt langs hem heen naar binnen.

Het kartonnen doosje heeft ze naast haar op het bed gezet. Ada raakt het niet aan. Haar handen liggen gevouwen in haar schoot, maar ze jeuken en haar hoofd gonst alsof er een zwerm bijen in gevangen zit.

Waarom heeft ze hem gezien? Waarom nu?

Ligt het aan haar? Lijdt ze aan zinsbegoocheling? Speelt haar gemoedstoestand haar parten?

Nee. Het komt door die ene jongen aan de deur, die daar rillend van de kou stond te stotteren.

Hij had hulp bij haar gezocht.

Zijwaarts scharrelend als een krab, zo bewoog hij zich.

Ze kijkt om zich heen. De kamer is leeg, het enige wat is overgebleven van haar zoons aanwezigheid zijn de vervaagde rechthoeken op de muur, met de verbleekte schaduw van het plaksel waarmee Michael indertijd zijn voetbalposters had gelijmd. Haar vingertoppen glijden over de sporen en volgen het patroon.

Ik ken alle spelers uit mijn hoofd, mam. Vraag maar.

Het gezicht van haar twaalfjarige zoon was een en al concentratie. Hij zat in zijn schooluniform aan de keukentafel, de deur naar de tuin stond open en buiten gloorde een zomerse namiddag.

Parker,

Jonas,

McFadden,

Scott.

Clapton Orient. *De O's.*

Op zijn zesde nam Jack hem voor het eerst mee naar een thuiswedstrijd, het kleine handje van zijn zoon in de zijne, en sindsdien hebben ze, voor zo ver haar geheugen reikt, geen enkele wedstrijd overgeslagen tot in 1915 het voetbal werd afgeblazen. Tegen die tijd was bijna het gehele elftal gemobiliseerd, ze stonden lachend in hun uniform op de voorpagina van de krant. Het was het jaar van Kitchener, de affiches met zijn beeltenis hingen overal: op stadsbussen, op trams en op vrachtwagens – er was geen plek meer te vinden waar de minister van Oorlog niet zijn beschuldigende vinger naar het volk uitstak. HET LAND HEEFT JULLIE NODIG! Waar je ook keek, overal zag je dat hoofd. Schuldgevoel. Dat was wat hij opriep: schuldgevoel. Ze vroeg zich indertijd af hoe hij daar zo feilloos in slaagde.

Na de laatste wedstrijd van het seizoen maakten de spelers nog een rondje door het stadion en ze zouden vanaf daar rechtstreeks naar het rekruteringskantoor aan High Road gaan. Ada was ook in het stadion, en naast haar stond Michael met het juichende publiek enthousiast mee te zwaaien.

De volgende dag betrapte Jack hun zoon bij hetzelfde kantoor. Hij trok hem aan zijn oor uit de rij en nam hem mee naar huis. Michael schuimbekte van woede. Hij begreep niet waarom ze hem thuis wilden houden terwijl hij de kans had om met zijn helden aan het front te vechten.

Sinds die dag lagen ze voortdurend met elkaar overhoop.

Michael was na een van hun ruzies het huis uit gestormd. Ada was naar Jack gelopen, die zwijgend tegen het aanrecht stond geleund. Toen ze zijn arm aanraakte, reageerde hij als door een adder gebeten.

'Wat?'

'Misschien moeten we hem laten gaan,' had ze gezegd. 'De oorlog is toch snel voorbij.'

Hij keek haar recht aan. 'Jij gelooft ze ook, hè, met hun kletspraatjes dat de oorlog weldra voorbij zal zijn? Dankzij de dappere troepen van Kitchener.'

Ze schrok van zijn grimmige uitval. Want ze geloofde inderdaad in een voorspoedige afloop. Het gevoel van optimisme en hoop hing die zomer overal in de lucht.

Ze zaten in het trainingskamp, Parker, Jonas, McFadden, Scott en de overige spelers van de Clapton O's. En bij Ada in de straat werden jongens als Joe White, Sam Lacock en Arthur Gillies gedrild, Michaels jeugdvrienden die nauwelijks ouder waren dan hij. Deze jonge jongens en nog een miljoen andere soldaten in spe werden in trainingskampen klaargestoomd om de oorlog te winnen. Het was 1916, de mooie zomer was net begonnen, en het volk hield collectief de adem in tot ze ten strijde konden trekken.

In de laatste week van juni oefenden ze met wapens. Ada kon het geweervuur in haar keuken voelen, een soort gedempt gedreun op de grens van gehoorsafstand. Een week lang ging het dag en nacht door. Op de ochtend van de eerste dag in juli, om zeven uur 's morgens, hield het op. Ze liep naar buiten, naar de stoep met de bruine tegels, waar het doodstil was en de zon fel scheen. Er stonden nog meer vrouwen buiten. Ivy

White ook. Ze stak de straat over en liep naar Ada toe. 'Dat was het dan,' zei ze. 'Toch?'

Ze greep Ada met haar natte poetshanden vast. Het zeepsop zat tot aan haar ellebogen. 'Ze gaan naar Frankrijk, hè? De oorlog is zo goed als voorbij.'

Maar de oorlog was niet voorbij. Jack had gelijk gekregen. De oorlog ging een nieuwe fase in, een gruwelijke fase. De dodenlijsten in de krant werden met de dag langer. Joe, de zoon van Ivy, werd als vermist opgegeven en was waarschijnlijk gesneuveld. Ada zag haar vaak bij het raam staan, waar ze verwachtingsvol de straat in tuurde of ze Joe zag aankomen, die fluitend en wel op huis af liep.

Zelfs Kitchener overleefde de strijd niet. Hij sneuvelde op weg naar Rusland toen zijn schip op een Duitse zeemijn voer.

Op een dag, ergens aan het eind van de maand juli, trof ze Michael thuis aan de keukentafel waar een opengeslagen krant op lag. Hij zat met zijn handen in zijn haar.

'Wat is er?' vroeg ze. 'Is er iets mis?'

Hij keek op. Zijn gezicht was wit weggetrokken. Hij schoof de krant naar haar toe en liep de deur uit.

Eerst zag ze niet welk bericht hij bedoelde. Toen viel haar oog op de foto. *Soldaat William Jonas van de Clapton Orient.* Zijn zwarte haar had een keurige pommadescheiding in het midden, hij keek erg serieus en het shirt met de v-hals dat hij droeg was het shirt van zijn club. Volgens de krant was hij samen met sergeant McFadden omgekomen in de loopgraven. Naast zijn foto stond een kader waarin zijn wapenfeiten als voetballer waren opgesomd: *centrale spits, 73 wedstrijden, 23 goals.* Ze hoorde Michael buiten nijdig een bal tegen de muur trappen.

Ze ging naar hem toe met de krant in haar hand. 'Kijk me aan,' zei ze. 'Michael?'

Michael bleef tegen de bal schoppen.

'Je mag toch van geluk spreken dat je hier bent en niet daar?' Haar stem was hoog en sloeg over. Het kon haar niet schelen. 'Wees blij dat je vader je die dag mee naar huis heeft genomen. Je bent hier toch veilig? Jij had ook dood kunnen zijn.'

Hij stopte de bal met zijn voet en draaide zich naar haar om.

'Veilig, zeg je?' Hij spuwde op de grond. 'Niemand is veilig. Veiligheid bestaat niet meer. Voor niemand, die tijden zijn voorbij.'

Ze liep naar binnen, zakte neer op een stoel en liet haar bevende handen in haar schoot rusten.

De jongen had gelijk.

En op dat moment besefte ze dat er geen ontkomen aan was. Niemand zou de dans ontspringen. Het was als in de verhalen uit de bijbel die ze zich herinnerde uit haar kindertijd, waarin iemand een bevel had uitgevaardigd dat alle jongens het leven zou kosten.

Het werd herfst, de dagen werden korter en de dienstplicht werd ingevoerd. In die periode was ze begonnen met bidden, iets wat ze in geen jaren had gedaan. Het waren zelfzuchtige, panische gebeden, voor haarzelf, voor Michael, of de oorlog alsjeblieft bij haar voordeur wilde stoppen. Ze wist niet tot wie ze haar gebeden richtte, ze wist niet wie over de meeste macht beschikte: een verre God die misschien niet eens naar haar luisterde, of de hongerige oorlog zelf, die grommend en grauwend aan de poort rammelde, of Kitchener, wiens verweerde gezicht al deels bedekt werd door reclameposters voor Ovaltine en sigaretten, maar die nog steeds zichtbaar zijn vinger naar het volk uitstak, alsof hij zelfs vanuit het dodenrijk op hun schuldgevoel wilde inspelen.

Michael was op 20 februari 1917 jarig. In de eerste week van maart kreeg hij de oproep van het leger.

De avond voor hij naar Frankrijk vertrok, toen hij zijn training erop had zitten en zijn verlofweek thuis doorbracht, klopte ze op de deur van zijn kamer. Hij was de laatste dingen aan het pakken, het grote valies en de uniformjas had hij al naar de hal beneden gebracht. Zijn knapzak stond geopend voor hem op de grond en hij had zijn gerei als een waaier eromheen uitgestald. Ze liep om de precieze halve cirkel met spullen heen. Tandenborstel, zeep, handdoekje, twee paar reserveveters, mes, vork, lepel. Het raam stond open en het fletse zonlicht vulde de kamer. Hij keek op en kneep zijn ogen toe tegen de zon. 'Kom je me inspecteren, ma?'

'Misschien wel.'

Hij zat op zijn hurken. 'Je bent een geboren sergeant.'

Ze knielde naast hem neer en pakte een verstelsetje op. 'Heb je geleerd met naald en draad om te gaan?' vroeg ze.

'Min of meer wel.'

Ze legde het terug op zijn plek en ging op de rand van het bed zitten. Haar zoon was zichtbaar sterker teruggekomen van het trainingskamp. Het zachte, veranderende profiel van zijn jeugd begon vaste vormen aan te nemen, als de ontluikende gelaatstrekken van de volwassen man in wording. Hij boog zijn hoofd naar voren en ze zag zijn lange slanke rug, de bruinverbrande huid die zich over zijn nekwervels spande. Er hing iets om zijn hals. 'Wat is dat?' vroeg ze en ze wees ernaar.

Hij keek op en volgde haar blik. 'O, dat is mijn naamplaatje.'

'Mag ik het zien?'

Hij trok het uit zijn shirt, stond op en liep naar haar toe. 'Daar staat mijn naam,' zei hij, wijzend naar het bruine plaatje van geperste vezel. 'Dit is mijn regiment. En mijn nummer.'

Ze staarde naar het nummer. Een getal van zes cijfers. Naast de kloppende ader in zijn hals die de tijd bijhield. Haar zoon.

'Alles goed, mam?'

'Machtig.' Ze knikte, stopte het plaatje in zijn shirt en maakte het knoopje dicht.

's Morgens ging hij weg, de zon was nog aan het opkomen. Ze hadden aangeboden hem naar het station te brengen, maar dat wilde hij niet. Ze gingen er niet tegenin. Ze stonden naast elkaar bij de voordeur toen hij zijn tas op zijn schouder zette en hen met zijn kolderiek overbelaste silhouet gedag wuifde, de metalen helm heen en weer slingerend op zijn rug. Hij draaide zich aan het eind van de straat om. Ze zag als laatste zijn zwaaiende arm in de eerste stralen van de zon voor hij de hoek omging en uit het zicht verdween.

Vlakbij dendert een trein over het spoor, die de ruiten in de sponningen laat rammelen. Ada tilt het doosje op en zet het op haar schoot. Haar pulkende vingers krijgen de weerbarstige knoop niet los, ze zal het koord moeten doorsnijden. Ze aarzelt even, maar niet lang. Ze gaat naar beneden om een mes te pakken.

❖

'Dag schoonheid.' De portier, Graham, salueert met zijn goede arm voor Hettie. 'Hoe is het met mijn favoriete danseresje? Draai je vandaag een dubbele dienst?'

'Ja, balen.' Ze steekt haar hoofd door het loket van zijn kleine stulpje, waar een oliekacheltje brandt. Het ruikt er gezellig, naar warme wol en pijptabak. Graham behoort tot het meubilair van de Palais. Hij is een bijdehante Cockney met bijbehorend accent, die in dienst was bij de spoorwegen tot de oorlog uitbrak. Hij kan urenlang vertellen, totdat zijn toehoorders pas bij het ochtendgloren weer naar buiten komen, knipperend tegen het zonlicht, tien jaar ouder en beroofd van hun jeugd.

Ik werd als een van de laatsten gemobiliseerd.

Ze hadden niet veel aan een ouwe zak als ik.

Op het laatst ben ik 'm toch nog kwijtgeraakt.

Twee dagen voor Wapenstilstandsdag!

'k Zag 'm daar op de grond liggen, stuiptrekkend. Hand bewoog nog.

Herkende mijn eigen arm aan de tatoeage op de pols!

'Het valt niet mee, hè?' zegt Graham.

'Ik kan het geld goed gebruiken.' Hettie haalt haar schouders op.

'Wie niet. Wacht even.' Hij haalt een tinnen doosje van Nelson's uit zijn zak en neemt er een tablet uit. 'Hier.' Hij schuift het over de balie naar haar toe – het is een roodbruine vleespastille. 'Houdt je overeind,' knipoogt hij. 'In Frankrijk konden we er uren op marcheren, het hele land door.'

Het is zijn standaardtekst.

'Dank je wel.' Hettie stopt het tabletje in haar vestzak. 'Ik bewaar 'm voor straks.' Zo doen ze het altijd. Het is een routine.

Zou hij een vermoeden hebben dat ze die stinkpilletjes nooit lang op zak houdt en zodra ze de kleedkamer binnenkomt in de eerste de beste prullenbak mikt?

Toch is het hun vaste ritueel, dat ze allebei zijn gaan koesteren.

'Ik weet niet hoe jullie het volhouden, jullie meiden,' zegt hij hoofdschuddend. 'Uren achtereen op de dansvloer. Tjonge.'

Hettie trekt een gezicht alsof ze wil zeggen: Hebben we een keus? Ze knoopt haar vest stevig dicht en loopt de lange onverwarmde gang door, met aan het eind de lichtstreep onder de deur van de kleedkamer. De meisjes begroeten haar en trippelen om haar heen als ze binnenkomt en haar corduroy tas aan het knaapje hangt. De danseressen die zich al hebben omgekleed, zitten kwebbelend met sigaretten tussen hun vingers ondanks het bordje VERBODEN TE ROKEN aan de muur.

De kille kleedruimte in de Palais is een van de dubieuzere aspecten aan deze baan. Hij staat haaks op de luisterrijke entree, waar het Chinese behang met de pagodes en de kraanvogels de muren siert. De kleedkamer heeft gewoon een lik verf gekregen, en dan ook nog in een wanstaltig groen. Een paar meisjes hebben hun initialen in de afbladderende verflaag gekerfd. Een van hen heeft er zelfs een gedicht in vereeuwigd, ergens op kniehoogte:

Beware old Grayson
If he thinks you're late, son
He'll take you behind and
He'll give you what for

Toen Hettie net in de Palais was begonnen, moest iemand het haar uitleggen: Grayson, de floormanager met zijn samengeknepen mondje die woest kon worden als je te laat kwam, zou naar verluidt in Acton Town samenwonen met een man. Volgens de jongens loopt hij altijd naar ze te likkebaarden.

Ze hangt haar vest, blouse en rok aan het kledingrek en schiet vlug in haar dansjurk. Alleen al bij de gedachte aan de kou die haar wacht, begint ze te bibberen. Later in de week, als het drukker wordt, zal het in de Palais behaaglijker zijn door de warmte van de vele lichamen, maar vandaag is het op de grote dansvloer nog bar koud. Van het management mogen ze geen wolletjes meenemen, dus de meisjes proberen van alles om warm te blijven: ze naaien een extra voering in hun jurk en trekken dubbele maillots aan. Maar dat soort dingen zetten op een winterse maandagmiddag weinig zoden aan de dijk; ze kunnen er slechts op hopen zo vaak mogelijk te worden ingehuurd, opdat ze niet te lang stil hoeven te zitten.

'Hettie!'

'Ben je in Dalton's geweest? Mocht je naar binnen? Was je er op zaterdagavond?'

Achter haar hebben de meisjes een halve cirkel gevormd en kijken haar vol verwachting aan, als hongerige dieren die op de loer liggen voor etensrestjes.

'Ja, we zijn er geweest.'

'Dus de club bestaat echt?'

'Zeker weten. Maar de ingang is zo goed verborgen, dat je hem nooit zou opmerken.'

Als ze allemaal tegelijk een zucht slaken kan ze hun adem bijna voelen, alsof ze haar huid vergulden met hun afgunst. Ze popelt om hen te vertellen dat de mensen in Dalton's zich zo heerlijk onbekommerd op de dansvloer laten gaan, maar ze weet niet goed hoe ze dat onder woorden moet brengen zonder misverstanden te creëren.

'En de muziek? Was de band net zo goed als de Dixies?'

'De band was machtig.'

'En de vriend van Di? Wat voor man is dat?'

'Hij is stapel op haar. En steenrijk.'

Smachtend draaien de meisjes zich om, terug naar hun spiegels, hun poederdozen, hun sigaretten, en ze leggen de laatste hand aan hun make-up en hun kapsels. Hettie haalt haar dansschoenen uit haar tas en gaat zitten om ze vast te maken. Ze spint van tevredenheid. Eindelijk was het haar beurt om een keer benijd te worden. Het is misschien niet helemaal netjes, maar ze krijgt er wel een goed gevoel van.

Di komt op het nippertje binnenzeilen. Ze trekt een gezicht als ze haar mantel aan de kapstok hangt en zich op lichtsnelheid omkleedt. Op dat moment steekt Grayson zijn hoofd om het hoekje van de deur.

'Dames, het is tijd.' Hij klapt in zijn handen. 'Voetjes van de vloer.' Hij snuift theatraal. 'Wie ik betrap met een sigaret, krijgt een week geen geld. Begrepen?'

De meisjes schuifelen achter elkaar de koude gang in. Hettie en Di sluiten de gelederen op het moment dat de jongemannen uit de andere kleedkamer komen. Ze zijn alle twaalf keurig in het pak gestoken, klaar voor de middagdienst.

Als ze door de zwaaideuren naar binnen gaan, wordt Hettie zoals altijd overmand door gemengde gevoelens. Het staat buiten kijf dat de inrichting van de Palais sensationeel is. Alles is in Chinese stijl uitgevoerd, de dansvloer is overdekt met een kunstig ontworpen pagodedak, overal hangen Chinese tableaus van gekleurd glas en gelakte panelen, en het plafond wordt gestut door hoge zwarte zuilen die met schitterende, goudkleurige kalligrafie zijn versierd. In het midden van de zaal staat een miniatuurberg met klaterende fontein, en onder een van de twee replicatempels is de band zich aan het warmdraaien.

Ze kwam voor het eerst in de Palais toen ze op een gure dag in januari op auditie ging. De zaal was grotendeels afgezet met lint, en het lawaai van de timmerende en zagende werklui leek wel een achtergrondorkest voor de bonkende piano. Grayson had de hoopvolle kandidaten laten dansen voor een ernstig kijkende vrouw, die op barse toon bevelen uitdeelde en de groep van vijfhonderd jonge mannen en vrouwen binnen een tijdsbestek van één dag tot tachtig had gedecimeerd.

Alhoewel de Palais in aanbouw was en de geur van zaagsel en geschuurd hout overheerste, was het duidelijk dat hier iets heel bijzonders in de maak was.

Ze hadden geadverteerd in de regionale kranten.

Palais de danse in Londen! Een ongekend spektakel!
Het grootste en meest luxueuze danspaleis van Europa!
Twee jazzbands.
Mannelijke en vrouwelijke danspartners.
Avondkleding optioneel.

Hettie knipte de advertenties uit en liet ze op de keukentafel liggen zodat haar moeder ze kon zien. Het openingsweekend trok zesduizend bezoekers, en toen ze voor het eerst de dansvloer opging, met de zaal in zijn volle glorie, leek het er daadwerkelijk op een paleis. Hettie kwam er echter snel achter dat de grandeur niet bedoeld was voor het personeel. Alles was gericht op de cliënten, de mensen die hun portemonnee trokken. Danseressen als Hettie en Di waren veroordeeld tot de Box, en daar zaten ze nu nog steeds.

Ze lopen naar binnen, de meisjes aan de ene kant, de jongemannen aan de andere, en ze buigen hun hoofd als Grayson komt kijken of hij ergens een verboden vestje kan ontdekken, of slordig slingerende zakdoekjes, of hij iemand uitgezakt op zijn stoel ziet zitten, of iemand sigaretten heeft meegesmokkeld dan wel een breiwerkje om de tijd te doden tijdens de dansen waarvoor ze niet zijn gekozen. Zijn spiedende blikken hebben hem de bijnaam Generaal Grayson opgeleverd; de term was een vondst van de jongemannen die in Frankrijk hadden gezeten.

Twaalf jongemannen, twaalf jonge vrouwen per ploegendienst.
Twintig dansen 's middags (van 15.00 tot 18.00 uur),
vijfentwintig 's avonds (van 20.00 tot 24.00 uur).
Sixpence per dans.

'Bah, wat is het koud,' sist Di als Grayson met argusogen de rij inspecteert.

Grayson blijft staan en draait zich langzaam om. Di staart naar haar handen. Maar er is geen tijd voor reprimandes, want de zware entreedeur gaat al open en de cliënten stromen naar binnen; het zijn er honderden, zelfs op een maandagavond, hun voeten stampen op de zwevende dansvloer.

Na een rommelige start zet de band een ragtime in en de eerste koppels wagen zich op de dansvloer. De avonddienst wordt altijd ingeluid met een wals. Hettie houdt haar koude handen onder haar oksels en neemt de wanordelijke zaal in zich op. Zo de bezoekers al de moeite nemen zich in avondkleding te hullen voor de Palais, dan is dat zeker niet op een maandag. Op de dansvloer is het een allegaartje van bruin, zwart en grijs; de mannen in vrijetijdskleding, de meeste vrouwen gewoon in blouse en rok.

Een vrouw in een wollen twinset steekt met een kaarsrechte rug en vastberaden tred de dansvloer over. Als ze vlak bij de jongemannen in de Box is, geeft Di Hettie een heimelijke por tussen de ribben. 'Daar zul je d'r hebben.' Tegenover hen zit Simon Randall, die met een kloddertje spuug vlug zijn haar in model brengt. De vrouw blijft bedeesd voor hem staan met haar kaartje in haar hand. Simon pakt het met een brede grijns van haar aan en loopt met haar mee. *Ingehuurd*. Simon behoort tot de favorieten; twee middagen per week wordt hij door dezelfde vrouw ingehuurd voor elf shilling. Fooien niet meegerekend.

Het publiek heeft zich over de hele zaal verspreid. Ze hebben een tafeltje opgezocht of kopen een drankje bij een van de barretjes die op gelijkmatige afstand van elkaar tegen de muur zijn gebouwd. De gewelfde ruimte raakt steeds voller, het wordt drukker op de dansvloer en de band gaat luider spelen: de middag begint zijn gebruikelijke vorm aan te nemen. Haar blik valt op een lange man die zich traag door de menigte beweegt. Ze schiet met bonkend hart overeind:

hij lijkt op de man die ze in Dalton's heeft ontmoet. Ed.

De Palais? Daar ben ik een keer geweest.

Ze houdt zich in evenwicht door een metalen spijl vast te grijpen. Zou hij voor haar zijn gekomen?

Als de man de dansvloer heeft bereikt, leunt ze zo ver naar voren om hem beter te kunnen zien dat ze bijna van haar stoel glijdt. Dan ziet ze dat het Ed niet is. Behalve zijn lengte heeft hij niets met hem gemeen; deze man heeft het weifelende, scheve loopje van iemand met een kunstbeen. Dat kan ze op deze afstand al zien. Bij mannen als hij is het altijd uitkijken geblazen dat ze niet pontificaal op haar tenen gaan staan, want dat hebben ze zelf niet in de gaten.

'Wat is er?' vraagt Di.

'O, niets.' Kregel schudt ze haar hoofd.

Maar door haar houding heeft de man haar opgemerkt en hij komt nu op haar af. Ze herkent zijn type: hij doet alsof hij het klappen van de zweep niet kent en benadert haar met een vragende blik en onverschillig fluitend. 'Goedemiddag,' zegt hij met zijn handen in zijn zakken.

'Goedemiddag.'

'Wat moet ik schuiven voor dit gedoe?'

'Een sixpence,' zegt Hettie.

'Een sixpence?' De man lijkt zich op te winden, zijn stem slaat over. 'Ik heb net entreegeld betaald!'

Di komt tussenbeide. 'Neem dan zelf een partner mee als u niet wilt betalen.'

Hij loopt rood aan.

Hettie krijgt meteen een afschuwelijk gevoel. Haar hart bloedt – voor deze man, voor haarzelf, voor deze hele verdomde business. 'U kunt daar een kaartje kopen,' zegt ze vriendelijk en ze wijst naar een loket aan de rechterkant van de zaal. 'Ze gaan zo een foxtrot spelen.'

De man slikt. 'Ik ben zo terug. Ja? Moet ik terugkomen?' Het 'moet ik terugkomen?' klinkt agressief, alsof hij haar uitdaagt om hem af te wijzen.

'Ja, graag,' zegt ze met een glimlach.

De man verwijdert zich met stramme passen, alsof hij samen met zijn waardigheid in brokstukken op de vloer valt als hij onverhoeds ergens tegenaan stoot.

Di snuift. 'Dat wordt vast gezellig.'

'Jij hebt makkelijk praten.' Hettie kijkt haar recht aan. 'Ik heb het geld nodig. Ik heb geen man die leuke dingen voor me koopt, of wel?'

Di's mond vormt een verbaasde ronde o. 'Wat heb jij vandaag? Met je verkeerde been uit bed gestapt?'

Hettie haalt haar schouders op. Ze weet niet waarom ze zich vandaag aan Di ergert. En aan de Palais. Aan alles. De man staat weer voor haar, hij houdt een kaartje in zijn hand. Ze pakt het aan, stopt het in haar tasje en glipt door het smalle ijzeren klaphekje naar buiten. Als ze hem een glimlach schenkt, is dat niet gekunsteld – wie weet welke obstakels mannen als hij, met hun fysieke tekortkomingen, moeten overwinnen om in hun eentje hiernaartoe te durven komen.

Ze steekt haar armen naar hem uit, de handpalmen uitnodigend naar boven gekeerd. Want dit is wat zij doet voor de kost: een man huurt haar in en dan danst ze met hem. En als ze aardig tegen hem is en hij vindt het fijn om met haar te dansen, dan vraagt hij haar opnieuw, en dan verdient ze weer een sixpence. Zo werkt het. De helft van haar inkomen moet ze aan het management afstaan, maar als ze vriendelijk is, verdient ze meer.

Zijn handen zijn klam als hij haar tegen zich aan trekt. Hij stinkt naar zweet en bedompte kelders en kleren die nodig in de was moeten. Hij lijkt in de verste verten niet op de man uit Dalton's.

Die man lijkt verder weg dan ooit.

Als de muziek begint, gaan ze de dansvloer op.

❖

Tegen drieën is de rij bijna afgewerkt, er zijn nog een stuk of vijf mannen over. Evelyn laat zich tegen de rugleuning van haar stoel zakken en onderdrukt een geeuw. De man die aan de beurt is kijkt haar vertwijfeld aan. Hij schuifelt met zijn voeten over de vloer alsof de grond in beweging is.

Shellshock.

Soldaat.

'Kom binnen,' zegt ze. 'Ga maar zitten.'

Hij neemt plaats op de stoel tegenover haar.

'Uw naam?'

'Rowan.'

Ze schroeft het dopje van haar pen.

'En uw achternaam?'

'Hinde.'

Het is zo'n prachtnaam, dat ze even ophoudt met schrijven. Hinde. Sierlijk en toch zo gangbaar. Ze kijkt op en bestudeert deze man nauwlettender dan de anderen. Ze wil weten of er misschien iets van die schoonheid op zijn gezicht is terug te vinden. Maar hij is geen mooie man: zijn kleren zitten hem veel te ruim, zijn linkerarm hangt in een groezelige mitella en hij heeft de doorleefde blik van een bejaarde die zijn hele leven te dicht langs het ravijn heeft gelopen. Een van de duizenden die zich bij het leger had aangemeld in de hoop op een regelmatige hap eten.

'Rang?'

'Soldaat, mevrouw. Gewezen.'

Haar pen krast over het papier. De middagzon voelt warm

op haar wang. Ze hoopt dat het nog licht genoeg is als haar werk van vandaag erop zit, want dan kan ze door het park naar huis. 'Wat kan ik voor u doen, meneer Hinde?'

'Ik kwam toevallig langs,' zegt hij, 'en toen...'

Ze gaat ervoor zitten. Dit soort gevallen zijn haar bekend, de mannen die stotteren en stamelen. Als ze haar best doet, kan ze een engelengeduld aan de dag leggen. Rowan slaat zijn ogen neer en zwijgt. Na een korte pauze wijst hij naar haar vinger. 'Dat,' zegt hij.

'Wat is ermee?'

'Hoe is het gebeurd?' Zijn lichte ogen boren zich in de hare.

Er is iets aan hem dat haar raakt; ze vindt hem ontwapenend en besluit hem de waarheid te vertellen. 'Het is in een fabriek gebeurd,' zegt ze.

'Tijdens de oorlog?'

Ze knikt bevestigend.

'Een munitiefabriek zeker.'

'Ja.'

'Kijk eens aan, een munitionette.' Hij klinkt tevreden. 'Ik meende al zoiets te zien, je gezicht is nog een beetje geel van de chemicaliën.'

'O ja?'

'Deed het pijn? Dat moet haast wel.'

Ze kijkt naar de plek waar haar vinger ooit zat en in een reflex krult ze haar andere vingers beschermend om het stompje. 'Ja, het deed pijn,' zegt ze. 'Maar niet meteen.'

Haar eerste reactie destijds was een lachkriebel. De verbijsterende aanblik van die vinger. Háár vinger. Net zat hij nog aan haar hand. Het bevreemdende, langgerekte moment voordat het bloed tegen haar schort en haar gezicht spatte. Ze herinnert zich dat ze zich tot de vrouw links van haar wendde, en ook op haar gezicht de bloedspetters zag verschijnen. Toen keek ze opnieuw naar de luidruchtig stampende machine, met haar vinger erin, waar een witte pees als een lijmspoor aan bungelde. Iemand begon te gillen. Het werd zwart voor haar ogen. Tegen de tijd dat ze bij kennis kwam, lag ze met een ingezwachtelde hand in een ambulance die onderweg was naar het ziekenhuis.

Rowan zat tegenover haar te knikken. 'Ik heb het vaak gezien. Als mannen een arm of been kwijtraken, kunnen ze in eerste instantie hun elleboog niet van hun achterste onderscheiden.' Hij buigt zich samenzweerderig naar voren. 'Als je een soldaat was geweest, had je voor de rest van je leven een toelage gekregen.'

Ze glimlacht mistroostig. 'Ach ja, zo gaan die dingen.'

Ze ziet dat de volgende man in de rij ongeduldig begint te worden.

'Had u eigenlijk een klacht?' vraagt ze. 'Bent u daarom hier?'

Hij denkt even over haar vraag na. 'Nee,' zegt hij ten slotte. 'Dat is niet de reden.'

Ze wacht tot hij verder gaat, maar hij blijft gewoon zitten en staart naar zijn handen.

'Hebt u op dit moment werk?'

'Ja.' Hij kijkt op. 'Ik ben verkoper.'

'Hoe gaat dat?'

Hij brengt zijn vinger naar zijn mond en bijt op een loszittend velletje naast zijn duimnagel. 'Vreselijk.'

Allicht. Zouden de mensen het op prijs stellen als die kleine meneer Hinde bij hun op de deur klopt? Meneer de marskramer?

'Maar dat is het punt niet,' zegt hij. 'Het gaat over iets anders.'

'Zeg het maar.'

'Ik ben op zoek naar iemand van mijn regiment. Ik probeer

mijn kapitein te vinden. Ik weet niet waar ik hem moet zoeken... En toen kwam ik langs jullie kantoor en zag het bordje hangen. Ik zat bij de Seventeenth Middlesex, ziet u? Tijdens de oorlog vochten we met mannen uit Camden.'

'Aha.' Ze pakt een stukje papier en wil haar pen pakken. Zijn verzoek valt niet onder haar takenpakket, maar ze zou met haar dienstpasje naar het registratiebureau kunnen gaan. Soms zijn mensen bereid de regels op te rekken. 'Dat moet te doen zijn. Vooropgesteld natuurlijk dat de man in kwestie nog in leven is. Mag ik uw adresgegevens?' Ze houdt haar pen in de aanslag.

'Grafton Street 11 in Poplar.' Hij buigt zich naar voren om haar het adres te zien opschrijven.

'En uw regiment?'

'Seventeenth Middlesex.'

Ze noteert het. 'Wanneer zat u in dienst?'

'In 1916 en 1917.'

'En in 1917 bent u invalide geraakt?'

'Ja.'

'Wat is de aard van uw verwonding?'

'Nou, eh... mijn arm,' zegt hij aarzelend.

'Dat zie ik.' Ze wacht tot hij over de brug komt. 'Kunt u die arm niet meer gebruiken?' vraagt ze.

'Nee.'

Opnieuw voegt hij er niets aan toe. Ze voelt een lichte irritatie opkomen. 'En uw kapitein?'

'Ja?'

'Hoe heette hij?'

Hij krijgt een zenuwtrek. 'Montfort.'

Eerst denkt ze dat ze hem verkeerd heeft verstaan.

'Kapitein Montfort.' Hij buigt zich naar voren om te zien of ze de naam wel opschrijft.

Ze staart naar de pen in haar hand, die ze tegen het formulier gedrukt houdt. De wegsijpelende inkt maakt vlekken op het grijs gemarmerde papier met nerfjes en bobbels. Ze legt de pen opzij. 'Kapitein Montfort, zeg je?'

Hij knikt.

'Het spijt me zeer.' Ze leunt naar achteren. 'Ik vrees dat ik niets voor u kan doen.'

'Hè? Waarom niet?'

'Op dit kantoor houden we ons uitsluitend bezig met toelagen. Pensioenen en uitkeringen. Wij sporen geen vermiste personen op.' Ze haalt een in leer gebonden boekje tevoorschijn en neemt er een adres uit over dat ze op een stukje papier schrijft, zo geconcentreerd mogelijk, om het beven van haar hand waarmee ze de pen vasthoudt, te onderdrukken. 'Je kunt beter direct contact opnemen met de legerleiding. Hier zijn de gegevens.'

Hij kijkt naar het papier alsof het in een vreemde taal is geschreven. 'Maar u kon me helpen, dat had u zo-even gezegd.'

'Het spijt me, ik heb me vergist.'

Hij neemt haar nauwlettend op. Ze vermoedt dat hij doorheeft dat ze tegen hem liegt en trotseert zijn blik. Dan begint zijn hoofd krampachtig te beven.

'Meneer Hinde?'

De krampen worden steeds heviger en verspreiden zich over zijn ledematen, totdat zijn hele lichaam schokkende bewegingen maakt alsof een onzichtbare hand hem stroomstoten toedient. Zijn gezicht is vertrokken in een afschuwelijke grimas. Maar ze heeft dit soort toevallen vaker meegemaakt. Ze zijn vreselijk om te zien, maar ze moet gewoon blijven wachten tot het voorbij is. Ze boort haar nagels in haar handpalmen en kijkt strak naar het bruine, vlekkerige tapijt onder haar voeten.

'Gaat het, mijn beste?'

Ze kijkt op en ziet Robin vlak bij haar staan, die zijn hand op Rowans schouder heeft gelegd. Even denkt ze dat hij het tegen haar heeft. 'Rustig maar,' zegt hij dan, alsof hij een opgewonden dier tot kalmte maant, en hij wrijft zachtjes over de rug van de kleinere man. Naast Rowan lijkt Robin kolossaal en zo stevig geworteld als een eik. 'Goed zo, kalm maar, het gaat wel over.'

Na een poosje houden de spasmen op. Hijgend komt Rowan tot zichzelf. Robin doet een stap opzij om hem de ruimte te geven, zodat hij, Evelyn en Rowan een driehoek vormen. Hij steekt zijn handen in zijn zakken. 'Gaat het weer, mijn beste?'

Rowan knikt met neergeslagen ogen. 'Jawel, dank u. Het spijt me, meneer.'

'U hoeft zich niet te verontschuldigen, hoor,' zegt Robin zacht. Hij kijkt naar Evelyn. 'Gaat het?'

'Jawel,' zegt ze kortaf. 'Dank je.'

'Goed dan.' Hij werpt haar een tersluikse blik toe en loopt terug naar zijn bureau. Ze kijkt hem na met furieus kloppend hart. Ze proberen het keer op keer, de ene na de andere. Altijd willen ze de baas spelen. O, wat heeft ze daar toch een hekel aan. Ze werkt hier nu al twee jaar en niemand heeft het zo lang uitgehouden als zij. Als ze zich omdraait, ziet ze dat Rowan haar strak aankijkt.

'U...' Hij praat langzaam, alsof hij er woorden moet uitpersen die dikker zijn dan lucht. 'U leek net sprekend op hem.'

'Op wie?'

'Op de man naar wie ik op zoek ben.'

'Is het heus?' Ze geeft hem het stukje papier met het adres. 'Daar zitten de mensen die je kunnen vertellen of... de man die u zoekt nog in leven is.'

❖

De grafkist wordt overgeladen in de legerambulance met nummer 63638. Ernaast staan zes tonnen met aarde van zes verschillende slagvelden, honderd zakken in totaal. De ambulance draait de lange rechte weg op die naar de noordelijke kust leidt. Ze hebben een militaire escorte: twee wagens voor en twee wagens achter. In elk voertuig zitten vier zwijgende soldaten met hun baretten op schoot.

Ofschoon de oorlog zijn verwoestende sporen heeft achtergelaten, is dit landschap beter bewaard gebleven dan in de omgeving van de Somme, verder naar het zuiden. De boerderijen vertonen de eerste tekenen van herstel. Ondanks alles wat er is gebeurd, ziet het akkerland er nog steeds uit als akkerland; velden waar gewassen op kunnen groeien.

Het konvooi passeert een boer die zijn land omploegt. De man kijkt naar de legervoertuigen en de aftandse ambulance. Een jaar geleden keerde hij terug naar zijn boerderij. Bij de gevechten in Verdun is hij een oog kwijtgeraakt, wat hem tot zijn heimelijke opluchting op ontslag uit het leger kwam te staan. Het verlies van een oog leek een bescheiden prijs voor het behoud van zijn leven. Hij heeft een poosje bij zijn schoonvader in Bourgondië gewoond, toen de Duitse strijdmachten plotseling oprukten in 1918 en tijdens die onstuimige voorjaarsbelegering zijn boerderij, wijnkelder en landerijen vorderden. De Duitse soldaten waren nog maar jongens, ze waren bijkans verhongerd in de loopgraven en werden overrompeld door de plotse overvloed: ze dronken zijn complete wijnkelder leeg en slachtten al zijn kippen. Ze waren stomdronken geworden. Hij lag zelf met zijn vrouw en kinderen boven te slapen en ze werden wakker van de rumoerige, spiernaakte soldaten op de binnenplaats, die hun helmen tegen hun kruis gedrukt hielden en lege flessen over de grond lieten rollen. Hij besefte op dat moment dat de oorlog voorbij was. Dat de Duitsers waren verslagen. Dat hun opmars bij deze dronken, uitgehongerde soldaten zou stagneren.

Hij heeft een paar foto's van de oorlog die hij bewaart, verder wil hij alleen met rust gelaten worden en zijn akker om kunnen ploegen zonder op achtergelaten munitie te stuiten. Hij kent boeren die ledematen zijn kwijtgeraakt of erger, terwijl ze gewoon bezig waren met het bewerken van hun land.

Even vraagt hij zich af wat dat konvooi moet voorstellen. Misschien een hooggeplaatste officier uit het buitenland? Maar hij wil er niet te lang bij stilstaan. Vlug buigt hij zich over zijn ploeg en terwijl de motregen vanuit de grijze hemel op zijn gekromde rug spettert, denkt hij aan wat hij die avond zal eten als hij samen met zijn vrouw voor de open haard zit.

❖

Ada snijdt de knoop met een ferme haal van het mes in één keer door, en het koord valt uiteen met een stofwolkje dat op rook lijkt.

Boven op de stapel liggen de brieven die Michael aan haar en Jack heeft geschreven, en ook die zijn met een koord bijeengebonden. Ze legt het bundeltje naast zich op de dekens. Voor straks.

Er zit een kleinere stapel met ansichtkaarten onder. Ze ziet een afbeelding van een kerk. Aan de onderkant rechts staat 'Albert'. Op de spits van de klokkentoren staat een standbeeld van een vrouw met een kind, dat ze in haar uitgestrekte armen houdt zodat het hoog boven de grond bungelt. Op de achterkant herkent ze het handschrift van haar zoon.

Dat standbeeld is van de Maagd Maria. Ze schijnt al een paar jaar op die manier voorover te leunen. Het gerucht gaat dat ze pas omvalt als de oorlog voorbij is. Hopelijk hebben wij dan gewonnen, mam!

Het was de eerste kaart die hij haar stuurde bij zijn aankomst in Frankrijk in 1917. Ze had de kaart meteen op de keukenmuur geprikt, al kreeg ze er een ongemakkelijk gevoel van; er was iets vreemds aan die vrouw die daar zo hoog op het randje stond te wiebelen en haar kind stevig vasthield. Ze deed haar aan haarzelf denken.

Net als vele anderen had ook zij de plattegrond aan de muur hangen, die gratis met de *Daily Mail* geleverd werd, en de plaats Albert lag precies midden in de Britse zone, die op de kaart in het rood stond aangegeven. Ze tekende er een cirkel omheen. Eindelijk kon ze hem in haar gedachten ergens plaatsen en naar de afbeelding van de kerk kijken, zodat zij naar iets kon kijken wat hij ook had gezien. Het leek ook een echt Engelse naam: Albert. Geen tongbreker, in tegenstelling tot de andere plaatsnamen op de kaart zoals Ieper, Thiepval, Poperinge. Ze had werkelijk geen idee hoe ze die zou moeten uitspreken.

Ze rommelt verder in de doos. De stapel telt nog meer ansichtkaarten, eentje heeft een afbeelding van een rivier en mensen in zomerkleren die picknicken op de oever. 'De Somme', staat onder op de kaart. En op de achterkant heeft Michael geschreven: *De Somme ziet er tegenwoordig heel anders uit!* Ze herinnert zich wat ze had gedaan toen deze kaart in de bus viel: ze had de gezichten van de mensen bij de rivier bestudeerd en tot haar opluchting geconstateerd dat de Fransen uiterlijk weinig verschilden van haar landgenoten.

Op de laatste ansichtkaart staat een straat met kinderkopjes in een of andere stad. Er zit iets op de achterkant geplakt. Met voorzichtige vingers trekt ze het los. Het is een foto van Michael. De herinnering komt terug: hij had die tegelijk naar haar verzonden met de foto die ze beneden in een lijstje op het dressoir heeft gezet, kort na zijn aankomst in Frankrijk. Ze moeten vlak achter elkaar zijn genomen en ook door dezelfde fotograaf, want de muur op de achtergrond is identiek. Maar op deze foto lacht hij niet; zijn blik is waakzaam en zijn silhouet is wazig, zodat het moeilijk te zien is waar de omtrek van zijn uniform ophoudt en waar de muur begint. Hij moet hebben bewogen toen de sluiter openstond, maar ondanks die plausibele verklaring bevalt het resultaat haar bepaald niet. Nu lijkt het alsof hij al op weg was naar een toekomst waarin hij niet meer bestond.

De overige hebben geen afbeeldingen; het zijn effen, lichtbruine postkaarten, met aan de linkerkant voorgedrukte teksten onder elkaar.

Ik maak het redelijk

Ik lig in het ziekenhuis

{ *ziek* }	*en op weg naar herstel*
{ *gewond* }	*en hoop snel uit het ziekenhuis te zijn.*

Ik ben naar het legerbasiskamp gestuurd.

	{ *brief(ven) datum…* }
Dank voor jullie	{ *telegram(men) " …* }
	{ *pakketje"…* }

Ik schrijf jullie zo snel mogelijk.

De laatste brief die ik van jullie ontving was

{ *recent*
heel lang geleden }

ALLEEN
HANDTEKENING }

Datum ….

De eerste twee voorgedrukte kaarten waren van juni 1917, toen hij net naar het front was getrokken. Ze weet nog dat ze een volle week geen post van hem had gekregen, en toen kwamen deze kaarten, vlak op elkaar, waarbij hij alles had doorgekrast behalve IK MAAK HET REDELIJK.

Ondanks de summiere boodschap was ze dolblij geweest met de kaarten.

Toen de namen van de gesneuvelden van zijn compagnie werden gepubliceerd, stortte ze zich op de krant en ging met haar vinger langs de lijsten, koortsachtig op zoek naar zijn naam tussen die van de doden en de gewonden. Hij stond er niet bij. Daarna duurde het een volle week tot ze weer een persoonlijk bericht van hem ontvingen. Ondertussen probeerde ze het nieuws te bevatten dat vijftig van de tweehonderd jongemannen de slag hadden overleefd.

Ze besefte eveneens dat haar zoon dingen gezien moest hebben aan het front die een figuurlijke wig tussen hen in had gedreven.

Er ligt nog één dienstkaart in de doos. Deze is van 14 september 1917 en werd na twee weken radiostilte bij hen bezorgd. Twee weken waarin ze hem viermaal had geschreven. Twee weken waarin ze naar de brievenbus rende zodra ze de klep hoorde vallen; waarin Jack elke avond de keuken in kwam met zijn pet verfrommeld in zijn samengebalde vuist en net deed alsof hij niet op zoek was naar een kaart die tegen de theepot was gezet. En op deze kaart was opnieuw aangegeven:

IK MAAK HET REDELIJK.

Dat was het laatste wat ze van hem hoorden, op 14 september 1917.

Ze spelden elke krant op berichten over zijn compagnie. Tevergeefs. Er stond niets in over eventuele militaire operaties, ze hadden geen enkel aanknopingspunt.

Op de bodem van de kartonnen doos ligt een sepiakleurige envelop. Ze pakt hem op. Hij weegt bijna niets. Een vederlicht dingetje voor een loodzwaar bericht.

De brief werd op een maandag in september bezorgd, op een zonovergoten dag in de nazomer. Ze was net als de andere vrouwen in de straat het wasgoed aan het ophangen, alsof ze tegelijk op het idee waren gekomen om hun achtertuin met wit wapperende slingers te versieren. Ze had het klepje van de brievenbus niet gehoord, en toen ze de donkere gang in liep zag ze de omtrekken van een witte envelop op de deurmat. Ze raapte hem op en zag het officiële briefhoofd, met Jacks naam in zwarte letters. Prompt liet ze de envelop vallen en stormde de achterdeur uit.

Buiten scheen de zon fel en bestookte de witheid van de lakenslingers in de achtertuinen, alsof alle vrouwen van Londen zich tegelijkertijd hadden overgegeven. Ze stond vlak bij het konijnenhok, dat nog op Jacks lijstje stond om gerepareerd te worden. Het zeshoekige gaas was uit het grijze, onbewerkte hout gerukt. Dat was het werk van een vos geweest, inmiddels een aantal jaar geleden. De kat van de buren lag op een warm plekje ernaast te slapen, zijn ademhaling deed zijn buikje op en neer gaan in de zon.

Het volgende wat ze zich herinnert, is dat ze in de keuken staat waar de schaduwen langer worden en dat Jack binnenkomt. Hij houdt haar de brief voor. Zegt dat ze moet gaan zitten.

'Maak hem niet open,' zegt ze.

Maar dat deed hij wel. Ze staarde naar zijn gezicht terwijl hij de brief las. Zijn blik volgde de regels, bleef ergens steken, ging weer omhoog. En in dat korte moment voelde ze hoe haar hele leven, haar hele toekomst, ineenschrompelde en omviel.

'Het is niet waar.'

Hij legde de brief op tafel. Schoof hem naar haar toe.

Ze keek naar de handen van haar man, het spinsel van zwarte haar dat zijn handrug en zijn vingers bedekte.

'Je moet dit lezen, Ada.'

Ze pakte de brief van hem aan.

Geachte heer Hart,

Met leedwezen delen wij u mede dat uw zoon Michael op 11 september aan zijn verwondingen is overleden.

Hoogachtend,

Meer stond er niet in, dit waren de enige woorden die in het papier waren geslagen. De brief was niet eens ondertekend, er was alleen een snelle handtekening onder gezet en die was nog uitgelopen ook, alsof er regen op was gevallen.

'Het is niet waar,' zei ze toen ze opkeek. 'Ik had het geweten als het zo was. Maar het is niet zo.'

Er kwam geen andere brief, geen verdere toelichting hoe hun zoon om het leven was gekomen. Jack schreef de compagnie van Michael aan, maar ze wachtten tevergeefs op antwoord. Iedereen had twee brieven gekregen. Iedereen van wie ze wist dat die een dierbare had verloren. Vaak kregen ze nog meer inlichtingen, zoals een brief van een militair die bij het overlijden aanwezig was geweest, iemand die troostende woorden kon bieden, een klein detail verstrekken.

Ze was overtuigd dat het op een vergissing berustte.

In het begin werd ze op straat aangehouden door mensen die hun medeleven betuigden. Dat hij een jongen was geweest waar ze trots op mocht zijn, alsof zijn dood haar in waarde deed stijgen. Ze hoorde hun woorden aan totdat ze hun weg vervolgden. Ze pakte haar rouwkleding niet uit, die in de doos bij haar bed stond en die was verpakt in dun papier met mottenballen; de jurk die ze voor het laatst twintig jaar geleden had gedragen bij het overlijden van haar moeder.

In de winter van 1918 keerden de jongemannen terug. Opeens zag ze hen overal, in hun afzwaaiuniform en jassen van vijftien shilling. Alsof zich in Frankrijk een soort magisch contraproces had voltrokken en ze in dat drasland juist waren opgebloeid in plaats van gesneuveld, herrezen uit vruchtbare grond. De kranten stonden bol van de miraculeuze verhalen over jongens die zich achter de vijandelijke linies hadden verstopt en het hele eind naar huis waren gelopen; jongens die niet eens wisten dat de oorlog voorbij was, maar die pardoes in hun eigen achtertuin waren opgedoken, in lompen gehuld en vervuild, maar op tijd voor de middagthee.

In deze periode had ze hem voor het eerst gezien: hij stond bij een groepje knapen op een straathoek met zijn rug naar haar toe. Ze liep op hem af; hij draaide zich om maar bleek iemand anders te zijn – rillend en zwetend maakte ze zich uit de voeten. Een paar dagen later zag ze hem weer, arm in arm met een meisje in het park. Ze rende achter hem aan en riep zijn naam. Het was Michael niet. Het overkwam haar keer op keer dat ze achter iemand aanliep om tot de ontdekking te komen dat het haar zoon niet was, het was iemand van ongeveer dezelfde lengte, met dezelfde slag in zijn haar of met dezelfde haarkleur. Of de jongeman die ze achtervolgde kon ze niet bijhouden.

Als ze 's nachts onrustig lag te woelen, wat vaak voorkwam, liet ze Jack slapen en ging ze naar de kamer van haar zoon. Ze kroop dan in zijn smalle bed en keek naar de voetbalposters aan de muur. Na verloop van tijd begon ze hem te zien. Dan werd ze wakker en zat hij op de rand van het bed. Het verbaasde haar nooit. Ze stak haar hand naar hem uit, maar hij maakte een afwerend gebaar, alsof hij haar wilde tegenhouden. Donkere schaduwen roerden zich in de hoek van de kamer.

'Wie zijn dat?' vroeg ze.

'Ssst.' Hij legde zijn vinger tegen zijn lippen en glimlachte. 'Maak je geen zorgen, mam. Het zijn de doden maar.'

Aan het eind van de lange winter van 1918 stond er op een

dag een dokter op de stoep. Hij gaf haar een injectie, niet meer dan een snel prikje in haar arm. Toen ze weer bij haar positieven kwam, lag ze in het bed dat ze deelde met Jack, en Jack zelf zat op een stoel in de hoek van de kamer. Het daglicht was helder en hard. Hij kwam naar haar toen om haar overeind te helpen.

'Opgeknapt.' Het was geen vraag.

Op weg naar beneden kwamen ze langs Michaels kamer. De deur stond open en ze zag dat hij was leeggehaald. Van de voetbalposters waren alleen lichte rechthoeken met donkere randen over, met de klontjes van het meelmengsel dat hij gebruikt had om ze tegen de muur te plakken. Ze keek de kamer rond. 'Waar zijn al zijn spullen?' vroeg ze aan haar echtgenoot. Haar tong voelde te groot voor haar mond.

'Die heb ik weggedaan.' Hij klonk opgelaten maar tegelijk ook bazig, en hield zijn kaken stijf opeengeklemd.

Ze dacht dat ze hem op dat moment haatte, maar zelfs de haat voelde ver weg, alsof het gevoel iemand anders overkwam, iemand die dicht bij haar was maar onbereikbaar, machteloos spartelend achter een dikke glazen plaat.

Ze hoort iemand beneden. De deur gaat open. Jacks voetstappen in de keuken.

Ada graait de ansichtkaarten bij elkaar. Buiten is het al donker.

'Ada?'

Het vlees, dat had ze bij de slager laten liggen. De maaltijd, die had ze moeten bereiden. De dag, hij was verdwenen. Waar is hij gebleven? Ze stopt alle post snel terug in het doosje op de officiële brief na, die laat ze in de zak van haar schort glijden. Ze probeert het koordje weer om de kaarten te knopen, maar ze stuntelt met onhandige vingers en hij is al op de trap. Ze zet het doosje in de kast en doet gauw de deur dicht. Als Jack binnenkomt, draait ze zich naar hem om en strijkt haar haren glad.

'Wat ben je aan het doen?'

'Niets. Ik... was aan het schoonmaken.'

'Hier?' Zijn blik gaat van haar gezicht naar haar lege handen en weer terug.

'Ja. Ik... ik was hier al maanden niet meer geweest... Misschien moest er iets gebeuren, dus ik ben gaan kijken.' Haar hart gaat als een razende tekeer.

'Met welke spullen wilde je gaan schoonmaken?'

'Nou, die had ik nog niet meegenomen. Ik... ik stond op het punt om eraan beginnen.' Ze voelt dat ze bloost tot in haar haarwortels.

Jack kijkt de kamer rond. Zijn blik valt op de schaar op de dekens. 'Volgens mij hoeft hier niets te gebeuren.'

'Ja,' zegt ze. 'Je hebt vast gelijk.' Ze loopt langs hem heen, grist de schaar in het voorbijgaan mee en snelt de trap af, dankbaar voor de verkoelende schemer in de keuken. Boven hoort ze Jack rondlopen. Het klinkt alsof hij bij het raam blijft staan en naar buiten kijkt. Hij loopt terug, aarzelend. Zou hij de kast openmaken? En zou hij dan zien dat ze aan het doosje heeft gezeten? Ze durft nauwelijks adem te halen. Maar ze hoort hem doorlopen, zijn voetstappen die de kamer verlaten en de trap afdalen. Ze grijpt naar de gootsteen voor houvast.

'Wat is het hier donker.' Hij staat achter haar.

'O, ja.' Ze houdt een lucifer bij de gaslamp. Geel licht valt op de muren.

'Heb je niet gekookt?'

'Sorry, ik ben het vergeten.'

'Vergéten?'

'Sorry,' herhaalt ze en ze draait zich naar hem om. Vijfentwintig jaar. Ze verwacht dat hij er iets over zal zeggen. Maar hij doet het niet.

'Ik ga een gebakken visje halen,' zegt hij uiteindelijk met vaste stem. 'Wil jij er ook een?'

Ze knikt. Ze voelt zich ellendig.

Hij zet zijn pet op. 'Tot straks.'

Ze kijkt hem na. Laat zich op een stoel zakken. Denkt aan het vlees dat op de toonbank in de winkel is blijven liggen. Wat moet de slagersjongen wel niet gedacht hebben toen ze halsoverkop naar buiten rende? Ze laat haar hoofd op haar handen steunen.

Ze is een gekke vrouw, een gekke vrouw bij wie de jaren gaan tellen.

Die achter spoken aan rent.

Die midden op straat de naam van haar overleden zoon uitschreeuwt.

De legerambulance met de grafkist rijdt langs de Britse en de Franse troepen, die in lange rijen op de straten van Boulogne zijn opgesteld. Hij rijdt door de oude stadspoort en neemt de steile weg omhoog naar de heuvel die uitkijkt op de haven, hij rijdt over de brug die naar de versterkte kasteelpoort leidt en gaat dan onder de hoge stenen arcadeboog door, waar hij met knerpende banden op de bekiezelde binnenplaats tot stilstand komt.

Acht soldaten tillen de kist door de bochtige gangen van het kasteel langs de Franse legereenheden naar het officiersverblijf in de oude bibliotheek, dat tijdelijk dienstdoet als chapelle ardente. *De ruimte is versierd met vlaggen en palmtakken, en de vloer ligt bezaaid met bloemen en boombladeren in de gele, oranje en rode kleuren van de herfst.*

Een garde van Franse soldaten stelt zich naast de kist op. Ze zijn van het 8ste Regiment en onlangs stuk voor stuk onderscheiden met de Légion d'honneur voor hun moedige optreden aan het front. Kaarsen worden aangestoken. De soldaten staan in de houding met hun geweer tegen hun schouder. Een van hen, een veteraan van dertig, werpt een zijdelingse blik op de kist voor hij zijn ogen neerslaat. Het hout is ruw en onbewerkt. Niet bepaald een kist voor iemand die een staatsbegrafenis krijgt. Hij vraagt zich af of deze eenvoud een typisch Brits trekje is.

De Britten die hij aan het front leerde kennen, vond hij maf en erg geestig. Eén jongeman in het bijzonder zou hij nooit meer vergeten. Hij ontmoette hem voor het eerst in een cafeetje pal achter de linies. De Engelsman zat achter een bord met eieren en gebakken aardappels. Dat was het enige waar de Tommy's om vroegen, de hele tijd, met hun grappig hakkende accent: eieren met aardappels! Eieren met aardappels! Deze jongen was klein van gestalte. Toen de Franse soldaat bij hem kwam zitten en de Tommy opkeek, wisten ze allebei zonder het hardop te zeggen wat ze aanstonds met elkaar gingen doen. Aldus geschiedde, achter de ruïne van een kerk bij de oude grafstenen, hun maag gevuld met bier en gebakken voedsel.

Daarna, weet hij nog, stortte de jongen snikkend op de grond. En hij wist dat het niet ging om wat zij hadden gedaan, althans, niet direct, maar om alle andere dingen die er gebeurd waren. Ze hielden elkaar vast tussen de afgebrokkelde stenen totdat de vogels begonnen te fluiten en een bleke zon zijn eerste stralen over de resten van de kerk wierp.

Dat was in juni 1916, vlak voor de Somme.

De Franse soldaat staart naar de vloer met de bloemen en de boombladeren die oplichten in de gloed van de kaarsen.

❖

Evelyn pakt afwezig haar tas in. Robin zei iets tegen haar toen hij wegging en ze had hem geantwoord, maar ze kan er zich niets meer van herinneren. Ze was zelfs vergeten boos op hem te zijn omdat hij tijdens haar onderhoud met Rowan Hinde tussenbeide was gekomen. Ze doet het licht uit en blijft even staan om naar buiten te kijken. Op deze namiddag is de hemel, die zojuist nog het meest weg had van een zwart vlak met stadslichten, van een diepblauwe intensiteit.

Kapitein Montfort.

In gedachten ziet ze het gezicht van de jongeman als hij de naam uitspreekt. Zijn bange ogen. Ze spreekt dagelijks mannen die bang zijn. Was dat een reden om hem niet te helpen?

Ze pakt haar jas en muts van de kapstok en loopt door de donkere gang naar de voordeur. Buiten haalt ze haar sleutelbos tevoorschijn om af te sluiten.

'Evelyn?'

Met een kreet deinst ze terug, ze laat haar sleutels vallen en drukt haar hand tegen haar keel. Robin staat in de schaduw van de portiek.

'Verdorie zeg, ik schrok me een ongeluk.'

'Sorry, dat was niet de bedoeling.' Ze ziet dat hij aanstalten maakt om de sleutels op te rapen, dus ze bukt zich snel om hem voor te zijn. Zijn gezicht ziet bleek in de schemering. 'Nou?' zegt ze uiteindelijk. 'Waarom sta je hier nog? Ben je soms iets vergeten? Moet je iets pakken binnen?' Het wordt steeds donkerder en ze wil in het park zijn voor de avond definitief zal vallen. Ze houdt de sleutelbos in haar hand en doet geen moeite de ergernis in haar stem te verbergen.

'Ik wilde je alleen iets vragen.'

'Wat dan?'

Hij komt wat dichterbij. 'Ik ga best vaak dansen 's avonds,

en ik vroeg me af of… eh…' Hij richt zich in zijn volle lengte op tot hij boven haar uit torent. 'Om een lang verhaal kort te maken, heb je zin om mee te gaan? Donderdag treedt er een steengoede Dixie-band op. Wapenstilstandsdag. Misschien dat je het wilt vieren met een avondje uit? Het is goed om die sombere sleur te doorbreken, bedoel ik.'

Ze doet een stap naar achteren. 'Nee dank je, Robin.'

'O.' Hij laat zijn adem ontsnappen. 'Had je andere plannen?'

Ze maakt een nietszeggend gebaar.

Hij laat zijn pet tussen zijn vingers ronddraaien. 'Een andere keer misschien?'

'Misschien.'

Er valt een stilte. 'Goed dan. Zal ik…?' Hij wijst in de richting van de metro.

'Ik ga lopen.' Ze slikt bijtijds de opmerking in dat ze door het park naar huis wil, anders zou hij zichzelf met dat been van hem misschien geweld aandoen om haar bij te kunnen houden. Ze bedenkt opeens dat ze geen idee heeft waar hij woont. Eigenlijk weet ze niets van hem.

Hij knikt. 'Goed, tot morgen.'

'Morgen?'

'Tot ziens bedoel ik,' zegt hij en hij draait zich om.

Ze knoopt haar jas dicht tot aan haar kin. 'Robin?'

'Ja?' Hij heeft zich weer omgedraaid, met verwachtingsvolle blik.

'Ik zou het op prijs stellen als je je niet meer met mijn werk bemoeide.'

'Hoe bedoel je?'

'Mijn cliënt met de shellshock. Ik had de situatie onder controle.'

'O, op die manier. Het spijt me. Het is een gewoonte die ik in Frankrijk heb opgepikt. Soms… nou ja, soms helpt het.'

'Ik heb liever niet dat jij je nieuwe methodiek onder werktijd uitprobeert.'

Hij geeft geen antwoord. De stoep vult zich met steeds meer mensen die naar huis willen. 'Oké.' Hij knikt. 'Nogmaals sorry. Tot morgen.'

Ze keert hem de rug toe en maakt zich uit de voeten. Ze is opgelucht dat ze de afstand tussen hen tweeën kan vergroten en laat zich opslokken door de mensenmassa. Ze wringt zich door de menigte heen die op weg is naar de metro en loopt in de richting van het park. Robin die haar mee uit vraagt? Het is bijna grappig. Misschien was hij alleen maar aardig uit medelijden. Of had hij een soort rally der verminkten in gedachten, waarbij ze samen schutterig over de dansvloer krabbelden terwijl zij over haar vinger kon jeremiëren en hij over zijn been. Dansen? Ze had in geen jaren gedanst. Het idee alleen al is bijna obsceen.

Bij het park zijn er minder mensen op het trottoir. De gietijzeren poort staat open. In de regel wordt die gesloten als het gaat schemeren, maar de klok is twee weken geleden teruggedraaid en het is nu een uur vroeger. De parkopzichter is nergens te bekennen. Ze loopt door en zuigt gulzig de frisse lucht op, haar ogen laven zich aan het laatste daglicht. Met snelle schreden en zwiepende armen loopt ze tegen de heuvel op, dankbaar voor deze inspanning na een hele werkdag achter haar bureau, die haar bloedstroom op gang brengt en haar wangen een blos geeft.

Het is heerlijk om boven op de heuvel te staan. Ze ziet dat haar speciale bankje nog vrij is, en op de paar mensen na die beneden op het gras hun hond uitlaten, is er niemand. Op een van de paden die dwars door de grasvelden lopen, ziet ze een lamplichter die zich langzaam voortbeweegt met een spoor van kleine vuurtjes in zijn kielzog. Lage wolken jagen elkaar op aan de loodgrijze hemel. Ondanks de kou trekt ze haar wanten uit en legt haar blote handen op de ruwe rugleuning van het bankje.

Hier zaten ze ooit, met zijn tweeën, zij en Fraser, onder een vlammende hemel, drie jaar en vier maanden geleden, op de zevende juli om drie uur 's middags; het laatste uur dat zij met hem op deze aarde doorbracht.

Hij had haar eind juni 1917 een brief geschreven. Hij had net gehoord dat hij met verlof mocht, voor het eerst in tien maanden. Hij mocht zich gelukkig prijzen. Veel verloven waren ingetrokken vanwege een ophanden zijnde grootschalige operatie. Hij zou eerst naar Schotland gaan, waar zijn familie woonde, maar als de treinreis volgens plan verliep, zou hij de laatste twee dagen met haar kunnen doorbrengen.

De gedachte aan Londen, waar het wemelt van de uniformen, lijkt me bijna net zo ellendig als de situatie waarin ik me nu bevind. Kunnen we niet eropuit samen, naar de provincie? Een mooi natuurplekje dat we geen van beiden kennen. Ik wil met jou in de weide zitten en niets anders dan groen om ons heen zien.

Ze werkte indertijd op een kantoor aan de Strand, waar ze lijsten typte van goederen die in pakhuizen lagen opgeslagen. Oersaai. Haar naaste collega was een zwaarlijvige vrouw uit Horshom die altijd zwetend binnenkwam en mopperde dat ze vanwege het openbaar vervoer steeds te laat kwam. Toen Evelyn Frasers brief had ontvangen, ging ze in de lunchpauze naar buiten om bij de boekhandel een plattegrond te kopen, die ze achter een stapel transportdocumenten verborg. De rest van de middag besteedde ze aan het bestuderen van de kaart, terwijl ontelbare vliegen tegen het raam op de zesde etage aan vlogen.

Ze zocht naar een plekje waar het alleen maar groen was, en koos een willekeurig dorpje tussen Londen en Hastings, dat langs de spoorlijn vanaf Victoria Station lag. Op de kaart was het omgeven door groene weiden, ze zag zelfs een stukje blauw dat op de kaart zo klein was als de nagel van haar pink. Het moest vast een of ander meer of waterreservoir voorstellen. Misschien konden ze gaan zwemmen.

Op de bewuste dag was het moordend heet. Het was hun niet echt gelukt om de vele uniformen te ontlopen, want de trein zat stampvol soldaten die met hun liefje naar het strand gingen. Fraser was die ochtend vroeg aangekomen uit Edinburgh en had zich naar de andere kant van Londen gehaast om op tijd te komen. Ze was hem op het station bijna voorbijgelopen. Toen hij haar bij haar arm pakte, schrok ze zich rot. Hij was amper herkenbaar. Hij zag er tien jaar ouder uit, uitgeput, en zijn wangen waren ingevallen. Ze besefte direct dat het geplande uitje geen goed idee was. Ze hadden beter rustig thuis kunnen blijven.

Fraser lag de hele reis te slapen, zijn hoofd rolde heen en weer tegen de leuning. Ergens schrok hij wakker van iemand die spontaan begon te zingen. Hij had een angstige en verwarde blik in zijn ogen, maar zodra hij haar naast hem zag zitten, gaf hij haar hand een kneepje en viel direct weer in slaap. Ze pakte een boek uit haar tas, maar de letters dansten voor haar ogen. Er ging te veel wanhoop schuil achter de gekunstelde vrolijkheid in deze treinwagon, waar het naar zurige legerkleding en oververhitte lichamen rook. Het raampje kon niet open en om onduidelijke redenen bleef de trein ook tussen de stations in telkens stilstaan. Ze werd er beroerd van; het voelde alsof ze gevangen werd gehouden op het platteland, en de opdringerigheid waarmee de groene boomkruinen hun weelderige bladeren tegen het raam drukten, was schokkend, akelig zelfs – de zomer was in volle gang, zich nergens van bewust.

Ze maakte Fraser wakker toen ze het station binnenreden dat ze had uitgekozen, en ze sprongen uit de trein die in een wolk van stoom en rook naar zijn volgende bestemming tufte. In de plotselinge stilte keken ze elkaar aan, alsof ze vreemden voor elkaar waren die op drift waren geraakt.

Hij stak een sigaret op. 'Ik heb gedroomd,' zei hij na een poosje.

'O ja? Waarvan? Ik wil trouwens ook roken.'

Hij bood haar een sigaret aan en stak er zelf nog een op. 'Dat weet ik niet zeker.' Hij schermde met zijn hand zijn ogen af voor de zon en keek uit over de velden aan de andere kant van de rails, die zich tot aan de horizon leken uit te strekken. 'Het was vast een nare droom.'

Het koren was rijp. De zon stond hoog aan de hemel. Het was bloedwarm buiten. Fraser was een lange man, maar in de ongenadige zon leek hij ineen te schrompelen op een manier die ze niet eerder bij hem had gezien. Ze kreeg een verschrikkelijk gevoel van naderend onheil, alsof er in deze omgeving een gevaar school waarvoor ze hen niet zou kunnen behoeden.

'We hebben geen water,' zei ze. Stom. Hoe had ze dat kunnen vergeten? En ze had ook niets te eten bij zich, ondanks het feit dat ze ruimschoots de tijd had gehad om deze dag te organiseren. Waarom had ze er niet beter over nagedacht? Nu stonden ze hier moederziel alleen, zij met niets anders dan een akelig voorgevoel terwijl hij alleen maar om een landelijk uitstapje had gevraagd.

Hij keek haar lachend aan. 'Als we omkomen van de dorst, hoef ik tenminste niet terug naar Frankrijk.'

Ze verlieten het station. Hij nam haar hand in de zijne en samen liepen ze de helling af, langs een rijtje huizen van rode baksteen met voortuinen waar een weelde aan zomerbloemen bloeide. Een kat lag dommelend in de schaduw van een boom. In de verte beierde een kerkklok het kwartier. Aan de voet van de heuvel begon een laan waarvan de bomen aan weerszijden verstrengeld waren aan de kruinen, zodat ze een baldakijn boven hun hoofd vormden. Hun voetstappen waren het enige geluid op dit koele natuurpad.

Ze zwegen, maar in haar hoofd woedde een storm. Zo ging het elke keer; ze schreven elkaar eindeloos veel brieven, en als hij in levenden lijve voor haar stond, klapte ze dicht.

Ze dacht koortsachtig na wat ze zou kunnen zeggen, maar ze kon niets verzinnen. Het leek ongepast om Frankrijk ter sprake te brengen. Misschien kon ze hem iets over Schotland vragen, hoe het bij zijn familie was geweest, maar ze wist niet hoe ze erover moest beginnen.

'Zal ik de kaart pakken?' zei ze ten slotte. 'Ik heb hem in mijn tas gedaan.' Die had ze tenminste wel bij zich.

Hij keek haar verstrooid aan, alsof ze een belangrijke gedachte had onderbroken. 'Nee,' zei hij hoofdschuddend. 'Laten we gewoon doorwandelen.'

Ze liepen een heuvel op. Hier was het baldakijn minder dik en als er een windje opstak, waaiden de bladertakken uiteen en vormde de zon lichtvlekken op de grond. Na een poosje werden de bomen spaarzamer en konden ze in de verte het landschap zien. Haar hart zonk. De velden waren allesbehalve groen. Ze waren geel en saai en stonden vol korenaren.

'Ik...' Haar stem stokte. Fraser keek niet naar haar; hij schermde zijn ogen af tegen de zon.

'Daar.' Hij wees.

Ze volgde de lijn van zijn vinger naar een groepje bomen op een helling. Het pad ernaartoe was zo smal dat ze achter hem moest lopen. Bij tijd en wijle keek hij opzij, alsof er zich iets dreigends in de graanvelden ophield. Toen ze de bomen hadden bereikt, vleiden ze zich neer in het reepje schaduw van een eik. Fraser trok zijn knieën op, liet zijn armen erop rusten en staarde uit over het graanveld, dat vlak voor hun voeten ophield. Even leek het alsof hij zich kon ontspannen nu ze op een stukje hoger gelegen grond zaten, en hij stak opnieuw een sigaret op. Ze zocht in haar vestzak naar haar eigen pakje. Kleine vogeltjes vlogen af en aan en doken tussen de korenaren. Ze kreeg hoofdpijn van de drukkende hitte. 'Het spijt me zo,' zei ze.

Hij keek haar aan. 'Waarom?'

De uitputting stond in zijn gezicht gekerfd, en ze voelde haar hart bloeden.

'Hiervoor.' Ze wees om zich heen. 'Het is een beetje...' Ze trok haar neus op.

Hij keek om zich heen en knikte. 'Kunnen we teruggaan?'

'Waarheen?'

'Naar Londen.'

'Nu al?'

'Ja.'

'Waarom?' Ze hoorde haar stemgeluid, dat klonk als van een dreinend kind.

'Ik voel me hier niet op mijn gemak.'

'Het spijt me echt,' herhaalde ze.

'Ach nee, het is echt jouw schuld niet. Ik... ik ben gewoon moe. Kunnen we niet gewoon teruggaan?'

'Komt het door mij?' De woorden waren haar ontschoten voordat ze zich kon inhouden.

Fraser bleef over de vallei uitkijken, alsof zich daar iets bevond wat hij niet kon duiden, iets in de blauwe verte waarvoor hij zich moest inspannen om het te kunnen zien. 'Dat mag je mij niet vragen,' zei hij ten slotte. 'Dat is niet eerlijk.'

Ze kreeg zin om te huilen, tranen die zich vanuit diep in

haar borst naar boven trachtten te persen. Ze trok stevig aan haar sigaret om het gevoel te onderdrukken.

Die avond lag ze klaarwakker, terwijl zijn lichaam naast haar het smalle bed in beslag nam. Ook de hele weg terug naar Londen had hij in de trein geslapen. Toen ze thuiskwamen in haar flatje, ging hij meteen naar bed en sliep de hele middag door, en hij werd niet wakker toen de avond viel en de hemel verkleurde tot een mat marineblauw. Ze bleef de hele nacht wakker liggen. Bij het ochtendgloren stond ze op en ging bij het open raam staan, waar ze de vogels kon horen fluiten. De zon was al een tijdje op voordat ze hem achter zich hoorde bewegen.

'Evie?'

Ze bleef met haar rug naar hem toegekeerd staan. Ofschoon het nog vroeg in de ochtend was, was het nu al heet. De hoge stemmen van twee kinderen die beneden op straat speelden, dreven door de verstilde lucht naar boven.

'Evie?'

Ze draaide zich om.

'Kom.' Hij steunde op zijn elleboog. Zijn gezicht stond loom en ontspannen door het lange slapen. Het kussen had kreukels in de huid van zijn wang gemaakt. 'Kom,' herhaalde hij. 'Het spijt me, Evie, echt.'

Het briesje dat door het open raam naar binnen waaide, streelde haar nek. Ze liep naar hem toe. Hij strekte zijn arm naar haar uit, maar ze vleide zich niet tegen hem aan. Liever trok ze haar benen op en legde haar armen om haar borst, met een paar centimeter ruimte tussen hun gezichten.

'Het spijt me zo,' zei hij weer. Hij streelde haar voorhoofd en schoof een haarlok achter haar oor. Ze zag de fijne zweetpareltjes in de kleine holte boven zijn liplijn. Ze ging er met haar vinger langs en bracht hem naar haar mond. Het smaakte zilt, zoals slaap proefde. Hij kuste haar wangen, eerst de ene, toen de andere, knoopte haar pyjamajasje los en trok haar tegen zijn borst. Toen legde hij zijn hand om haar hals en bracht haar lichaam naar het zijne.

'Is dit fijn?' vroeg hij haar.

'Ja,' zei ze.

Later lag ze met haar hoofd op zijn borst, terwijl hij een sigaret rookte. Ze hoorde vlak bij haar oor het zacht knisperende geluid van het smeulende vloeitje. De zon had haar kamer al bereikt, de stralen voelden zacht en warm op haar benen en voetzolen, de galm van de ochtendgeluiden op straat klonk zoals geluiden in de zomer klinken: roffelend, alsof de stad een drum was waarvan het trommelvlies door de hitte werd aangespannen.

Ze gingen naar buiten, en liepen in het park de heuvel op tot ze bij dit bankje stonden. Zijn trein zou over twee uur vertrekken. Hij sloot zijn ogen en ze zag hoe ze onder zijn oogleden heen en weer rolden, de schaduwen eronder waren al iets minder zwart.

'Die mannen,' zei hij. 'Soms denk ik dat ze hun verstand hebben verloren.'

'Hoezo?'

'Omdat ze in dingen geloven.' Hij opende langzaam zijn ogen en nam haar hand in de zijne. 'Ondanks alles wat ze hebben moeten doorstaan. De meesten geloven in God. Ze geloven allemaal in een leven na de dood. Ik loop 's avonds tussen hen in en ik weet dat geen van hun verwacht te worden gedood. Niet één.' Hij liet zijn vingertop langs de levenslijn in haar handpalm glijden. 'Ze voorspellen elkaars toekomst.'

Ze voelde iets samentrekken van binnen. 'Echt waar?' Ze probeerde luchtig te klinken. 'En… en jij?'

'Wat bedoel je?'

'Heb jij je toekomst laten voorspellen?'

'Nee,' zei hij en hij legde zijn vingers om haar hand.

Ze wist dat hij loog.

De grond rondom het bankje was hard gebakken door de hitte en had de geelgroenige tint van een Londense zomer. De zon was op zijn heetst. Ze kon Frasers aanwezigheid naast haar voelen, ze voelde hem in zich – de herinnering aan hem, de manier waarop ze in bed verstrengeld hadden gelegen, was nog maar zo kort geleden dat het leek alsof het nog steeds gebeurde: zijn gewicht op haar, de stoppels op zijn wang tegen haar huid. Zijn mond.

'Denk jij er ook zo over?' vroeg ze. 'Dat je niet wordt gedood?'

'Dat is het punt,' zei hij met een half lachje. 'Als het erop aankomt, denk ik precies hetzelfde. Dat weet ik nu al.'

Toen hij haar hand steviger omklemde, voelde ze hoe het leven dat in hem zat door haar heen stroomde.

En zo zaten ze daar, onder de julizon, omgeven door de geur van de zomer en met de insecten en de vogels in een lucht vol zoemend, kwinkelerend leven.

'Billy! Billy!'

Evelyn schrikt op. Haar handen zijn ijsklompen. Er is een stevige wind opgestoken, die de wolken door de hemel jaagt. Aan de voet van de helling roept iemand zijn hond, zijn stem klinkt ijl en hoog in de wind. 'Bil-ly! Kom, jongen. Tijd om naar huis te gaan.'

Het hondje trippelt op hem af. Evelyn staat op en stampt met haar voeten op de grond om er gevoel in te krijgen. Het is bijna donker. Ze legt nog eenmaal haar hand op de bank om het ruwe hout tegen haar huid te voelen. Dan draait ze zich om en loopt naar beneden.

Halverwege de helling blijft ze staan; ze moet opeens weer aan Rowan Hinde denken.

Ik ben op zoek naar mijn kapitein.

Kapitein Montfort.

Wat wilde hij van haar broer?

Ze verdringt haar opkomende schuldgevoel. Er zijn vast meer kapiteins die Montfort heten. Als ze zich moest bekommeren om elke verloren en wanhopige ziel die bij haar aanklopte, zou ze nooit meer een minuut voor zichzelf hebben.

Als de cliënten allemaal weg zijn en als Hettie, Di en de overige dansers onder Graysons argusogen met kaarsrechte rug ('Geen hangende schouders tijdens het volkslied!') zijn blijven staan tot de band de laatste akkoorden van 'God Save the King' heeft gespeeld, en de klok twaalf heeft geslagen, mogen ze eindelijk, eindelijk naar huis.

'Het is tijd, heren!' roept Simon Randall als de dubbele deuren naar de danszaal achter hen dichtzwaaien en ze verlost zijn van Graysons spiedende blikken. Een paar jongens lopend stoeiend en lachend door de gang. 'Ik zou heel wat over hebben voor een koel biertje. Kon dat maar.'

De meisjes lopen een voor een de kleedkamer in, waar ze vesten, truien en jassen aantrekken en hun dansschoenen in tassen proppen. De meesten zijn rond deze tijd niet meer zo spraakzaam.

'Hoe veel?' vraagt Di.

'Twintig.' Hettie ploft op een houten bank. Negen 's middags, elf 's avonds. Geen slecht resultaat voor een dubbele maandagdienst. 'En jij?'

'Vierentwintig.'

Hettie haalt haar schouders op. De keren dat ze Di heeft verslagen, zijn op één hand te tellen.

'Morgen vrij,' zegt Di.

Hettie kan nog net de energie opbrengen om te knikken. Ze bukt zich om haar schoengespen los te maken en masseert haar voeten.

Di trekt haar mantel aan en doet een sjaal om. 'Loop je met me mee naar de markt?'

'Nee, vanavond niet.' Ze schudt haar hoofd.

'Het?' Di gaat naast haar zitten; haar bleke, knappe gezichtje staat bezorgd. 'Je bent toch niet boos op me, hoop ik?'

Hettie kijkt haar aan. Hoe kan ze het haar uitleggen? Sinds zaterdag wordt ze gekweld door een gevoel van leegheid. Het is duidelijk dat Di zich begint te ontwikkelen, terwijl zij zelf geen millimeter vooruit komt. Gezien de ontwikkelingen is het de vraag hoe lang Di haar baan als danseres in de Palais zal aanhouden.

'Ach nee,' zegt ze hoofdschuddend. 'Ik... ik ben gewoon moe.'

'Zullen we morgen afspreken?' Di staat op. 'Winkels kijken en zo.'

'Ja, oké.'

'Fijne avond nog.' Di zet haar muts op en loopt met de andere meisjes de deur uit, hun stemmen echoën door de gang tot buiten op straat. Hettie blijft een minuut bewegingloos op de bank zitten, starend naar de stoffige tegelvloer. Ze is sloom vandaag. Alle bruisende vitaliteit die ze afgelopen zaterdagavond had opgedaan, is uitgeblust en vervaagd.

Ze gaat als laatste weg en doet het licht uit. Aan het eind van de donkere gang ziet ze hoe het licht vanuit Grahams kamertje in een rechthoekig vlak op de vloer schijnt. Bijna was ze zonder iets te zeggen langs hem gelopen, maar ze denkt aan haar salaris en steekt haar hoofd om het hoekje van de deur. Graham zit met zijn rug naar haar toe papieren te sorteren.

'Hallo Graham.'

'Hettie!' Hij lacht haar toe. 'Ik dacht even dat ik je had gemist. Hier.' Hij vist een vleespastille uit zijn zak. 'Daarmee kom je wel thuis.' Hij knipoogt.

Van de aanblik alleen al wordt ze onpasselijk. 'Nee, dank je.' Ze schuift de pastille terug over de balie. 'Hou 'm zelf maar. Ik ben er niet voor in de stemming deze avond. Had je mijn envelopje, alsjeblieft?'

Hij kijkt in het houten vakkenkastje voor hem. 'Eens even zien... Burns. Hier is-ie.' Hij pakt de envelop uit het vakje en geeft hem haar.

'Dank je, Graham.'

Ze voelt aan de bruine envelop. Er moeten drie biljetten van tien shilling in zitten. Over een half uur zal ze thuis vijftien shilling op de keukentafel leggen.

Als ze wil doorlopen, houdt Graham haar tegen. 'Momentje, ik had nog iets anders voor je.' Hij graait in zijn zak en haalt een dubbelgevouwen papiertje tevoorschijn. 'Er is een berichtje voor je binnengekomen,' zegt hij en hij schuift het naar haar toe.

Ze staart ernaar zonder het aan te raken. Haar eerste impuls is dat het bericht gevaar betekent. Of een sterfgeval. Of haar vader. Dat vreselijke berichten zo abrupt kunnen toeslaan.

'Hij klonk erg aardig,' zegt Graham knipogend.

Haar blik ontmoet de zijne. 'Wie?'

Graham haalt zijn schouders op. Ze vouwt het briefje open.

Ik overweeg je dekmantel prijs te geven.
Chantage op ramkoers, heet dat.
Zullen we de voorwaarden bespreken?
Dalton's? Dinsdag? Tien uur?

'Van wie is dit?' Ze wendt zich met bevende handen tot Graham. 'Is hij hier geweest?'

Hij schudt zijn hoofd. 'Nee hoor, hij belde op.'

Ze kijkt weer naar het briefje.

Ik overweeg je dekmantel prijs te geven.

Zou Di haar soms een poets willen bakken?

Maar Di heeft hem niet gezien. Ze kent hem niet. Ze heeft hem niet horen praten.

Chantage op ramkoers.

Dat is zijn manier van praten.

'Erg deftig. Erg beleefd. Hij vroeg of er hier een zekere Hettie werkzaam was, en of ik een boodschap kon doorgeven.' Hij kijkt haar bezorgd aan. 'Ik heb je toch niet van streek gemaakt, meisje?'

'O, nee hoor.' Ze glimlacht naar hem. 'Helemaal niet. Echt niet.' Ze buigt zich naar hem toe en kust hem op zijn verweerde wang, die naar tabakspijp ruikt. 'Machtig bedankt, Graham!'

'Kijk es aan.' Hij grijnst. 'Ik moest morgen nog maar eens zo'n boodschap optrommelen.'

'Toedeloe.'

'Truste, schattebout.'

Hettie danst bijna de gang door naar buiten, waar de hemel hoog boven haar hoofd geheel wolkenloos is, de talrijke sterren daarentegen lijken wel door een gulle reuzenhand te zijn gezaaid.

Ik overweeg je dekmantel prijs te geven.

Niemand uit haar kennissenkring praat op die manier.

Het moment is aangebroken; in de nachtlucht kan ze het proeven. De toekomst heeft zich eindelijk aan haar geopenbaard en hij tintelt als een sorbet op haar tong.

❖

Tegen de tijd dat Evelyn thuis is, is ze bijna bevroren. Het lukt haar nog net om de sleutel in het slot te steken. Het is stil en leeg in huis. Teleurgesteld loopt ze moeizaam de trap op. Doreen is vast weer op stap met haar vriend. Ze ziet haar vriendin nauwelijks meer. Ze laten hooguit korte boodschappen voor elkaar achter: *Kolen?? 10 shilling. Jouw deel.* Of: *Melk?? Twee flessen?? Weg.*

Ze gaat op bed liggen en steekt haar handen in de zakken van haar oude jas, te moe om een vuurtje aan te steken, te koud om te bewegen. Ze blijft een hele poos zo liggen. Met de takken van de boom die grillige schaduwen op het plafond werpen en het flakkerende gele schijnsel van de straatlantaarn als enige licht in de kamer, luistert ze naar de avondgeluiden: de ketting in de badkamer van de buren; een stel dat voorbijkomt en met gedempte stemmen een gesprek voert tot opeens de heldere lach van de vrouw weerklinkt, het geluid van een taxi die net lang genoeg stil blijft staan om iemand uit te laten stappen en wegrijdt.

Ze rolt zich op haar zij en schuift een hand onder haar wang. Het beeld in haar hoofd van Rowan Hinde is zo scherp dat het in levenden lijve in de kamer lijkt te zijn: zijn kleine gezicht, zijn spastische lichaam. Zijn arm die er nutteloos bij hing.

Kapitein Montfort.

Zou hij echt naar haar broer op zoek zijn? En zo ja, wat wil een soldaat na al die tijd van zijn kapitein?

Ze hijst zich overeind om een vuurtje te maken, blazend op haar vuisten om ze warm te krijgen. Ze rolt een paar stukjes papier strak op en steekt ze in het rooster. In de kolenbak liggen wat aanmaakhoutjes, die legt ze erbovenop. Als het vuurtje begint te knappen, steekt ze een sigaret op en staart met opgetrokken knieën in de vlammen.

Zijn vader had haar een kort, eenvoudig berichtje gestuurd. Omdat ze niet getrouwd waren en zij geen naaste familie was, had ze geen officiële mededeling gekregen.

Maar Fraser had over haar verteld. Hij had hen haar adres gegeven, voor het geval dat. Ze vonden het spijtig dat ze haar nooit hadden ontmoet en dat hun eerste contact zo moest verlopen. Of ze misschien een keer op bezoek wilde komen?

Twee weken. Twee weken waarin ze had geloofd in een wereld die hem nog steeds vasthield, waarin ze hem brieven had gestuurd, waarin ze een bedompt kantoor deelde met een vrouw uit Horsham, waarin de gedachte aan hem haar overeind had gehouden terwijl haar leven doorging.

Hoe was het mogelijk? Waarom had een of ander instinct haar niet wakker geschud?

Dus zo voelt het.

Toch leek het gevoel op niets wat ze kende: het voelde eerder afgestompt, alsof ze met een magische truc uit zichzelf was getreden. Ze had de brief opnieuw gelezen, geconcentreerd, om elk detail op te kunnen nemen.

Eerst konden ze zijn lichaam niet vinden…

Ze keek op. Probeerde het zich voor te stellen. Geen lichaam.

Ze keek weer naar de brief.

Eerst konden ze zijn lichaam niet vinden, dus er was nog hoop.

Maar later volgden twee berichten van zijn compagnie. Ze hebben hem naar voren zien lopen, en toen was er pal naast hem een bom ontploft. Toen de kruitdampen waren opgetrokken, was hij verdwenen.

Verdwenen? Wat had dat te betekenen? Hoe kon een mens zomaar verdwijnen? Ze kreeg de absurde aanvechting om te gaan lachen. Ze lachte ook, maar hield er meteen mee op. Ze wachtte tot er iets anders voor in de plaats kwam, maar dat gebeurde niet.

Naar voren lopen.

Verdwijnen.

Geen lichaam meer hebben.

Het ene moment was hij er, het volgende moment was hij opgegaan in de vier windstreken.

Ze vonden het heel erg, schreven ze, *dat er geen lichaam was. Dat er geen begraafplaats voor hem zou zijn. Maar ze hoopten te zijner tijd een plek te hebben om naartoe te gaan.*

Wat waren ze beleefd. Alsof zij er schuld aan hadden dat hun zoon van de aardbodem was weggevaagd.

Ze keek de kamer rond, naar de paraplubak met de geknakte paraplu erin, de tafel waar een deukje in zat omdat zij en Doreen hem met het naar boven tillen ergens tegenaan hadden gestoten in de hal. Alles leek echt te zijn en tegelijkertijd ook weer niet, en nu begreep ze pas wat hij bedoelde. Niets in deze ruimte was echt.

Ze moest zichzelf echt maken.

De volgende dag meldde ze zich bij de munitiefabriek. Ze zeiden dat ze maandag op de afdeling kogelhulzen kon beginnen en gaven haar meteen een werkuniform.

Dag drie

Dinsdag, 9 november 1920

Buiten landt de regen zachtjes op de zompige bladeren, die hun val breken. Ada ligt wakker. Ze denkt aan haar zoon. Aan waar hij in Frankrijk zou kunnen liggen en of het daar ook regent.

Naast haar komt Jack in beweging en vlug sluit ze haar ogen alsof ze slaapt, terwijl hij opstaat en zich geeuwend krabt. Ze hoort de kleinste beweging, ze hoort elk kreunend en grommend geluidje dat hem ontsnapt als hij zijn sokken aantrekt, zijn gulp dichtknoopt, zijn bretels omdoet en ze laat knallen. Als hij weg is, gaat ze op haar rug liggen en kijkt naar het plafond tot de ochtendzon door het raam schijnt.

Beneden maakt Jack zich klaar om naar zijn werk te gaan. Ze hoort dat hij even blijft staan, als in een kort overleg met hemzelf of hij haar moet wakker maken. Hij besluit het niet te doen. De deur valt achter hem dicht.

Goed, het is dus makkelijker als ze niet met elkaar praten.

Niet praten is altijd makkelijker.

Ze staat op en kleedt zich aan. In de houten kast in de hoek trekt ze een la open. Onder de stapel linnengoed ligt de brief die ze daar gisteren had verstopt. Ze laat hem in de zak van haar vest glijden. Die zal ze straks nodig hebben voor degene bij wie ze op bezoek gaat.

❖

De bureautelefoon die een paar jaar geleden is geïnstalleerd, is bedoeld voor noodgevallen. Tot dusver heeft ze hem nauwelijks hoeven gebruiken. Ze loopt ernaartoe en neemt de hoorn van de haak. Het heeft de hele ochtend gemiezerd, maar nu valt het met bakken uit de hemel; dikke grijze stralen stromen onophoudelijk langs de ruiten. Buiten op straat zijn de mensen diep weggedoken in hun grauwe regenjassen en pogen zich met stukken zeildoek te bedekken, terwijl hun adem kleine dampwolkjes boven hun hoofd vormt.

'Guur weertje.' Robin staat naast haar en kijkt ook naar buiten.

'Ja. Ach ja.' Ze voelen zich vandaag nog minder op hun gemak in elkaars bijzijn dan voorheen, en ze hebben geen van tweeën iets over hun gesprek van gisteravond gezegd. Ze drukt de hoorn tegen haar oor en wacht op de telefoniste.

'Kan ik u helpen?'

'Kunt u mij doorverbinden met nummer 8142 in Londen?'

De telefoon rinkelt en rinkelt, ze luistert naar de holle klank. Ze voelt haar adem tegen het mondstuk; haar bloed suist als een ver getij en dan, na wat een eeuwigheid lijkt, wordt er opgenomen.

'Ed?'

'Eves?' De stem van haar broer, dik van de slaap, drukt verwarring uit. 'Sorry, ik was... ik was met van alles en nog wat bezig.'

'Hoe gaat het met je?' zegt ze stijfjes. Ze is niet goed in gesprekken over de telefoon.

'Prima hoor, een beetje verkouden, verder gaat alles z'n gangetje.'

Ze tikt met haar vinger op het blanke hout van haar bureaublad. 'Zou je misschien met me willen lunchen?'

Rechts achter haar hoort ze Robin schuiven in zijn stoel.

'Vandaag?' Haar broer klinkt verbaasd.

'Ja.' Ze probeert opgewekt te doen. 'Waarom niet?' Ze hoort dat hij een sigaret opsteekt en hoest. 'Nou, waarom niet. Waar wil je afspreken?' Zijn stem klinkt een stuk vaster.

'Ik heb niet veel tijd. Hier om de hoek zit een theehuis...'

'Een theehuis? Bewaar me.'

Ze had het kunnen weten. 'Vooruit dan. Wat dacht je van dat Franse restaurantje tussen jouw huis en het park? La Forchette. Zie ik je daar om tien over een?'

'Afgesproken. Maar eh...'

'Wat is er?'

'Is er iets aan de hand, Eves?

'Nee hoor, het leek me gewoon een leuk idee.'

'Oké. Tot straks.'

Ze legt de hoorn op de haak. Haar hand ligt nog steeds op het mondstuk als ze Robin hoort kuchen. Ze kijkt hem aan. Hij glimlacht flauwtjes.

'Lunchafspraakje?'

'Nee hoor, ik...' Ze voelt dat ze begint te blozen.

'Sorry.' Hij steekt zijn hand op. 'Nieuwsgierig aagje.'

'Het is mijn broer maar.'

De man die buiten staat, klopt op het raam. Zijn adem maakt vrieswolkjes als hij op de klok wijst die boven Evelyn hangt. Hoogste tijd om het kantoor te openen.

'Maar wie is het dan?'

Ze zitten op het bed van Di. Het is al bijna lunchtijd en terwijl de zon zijn best doet om zich achter de gordijnen te doen gelden, is Di nog steeds in haar nachtpon. Haar zwarte bobkapsel is een slaperige warboel en met een sigaret in haar hand buigt ze zich nieuwsgierig over Hetties briefje.

'Dat vertel ik net,' zei Hettie. 'We hebben elkaar ontmoet bij Dalton's en gedanst.'

'Hoe vaak?'

'Eén dansje maar.'

'Wanneer?'

'Helemaal aan het begin van de avond.'

'Waar was ik op dat moment?' Di's blik is een en al ongeloof.

'Druk bezig met Humphrey.'

Di spert haar ogen open. Ze lijkt verbaasd dat Hettie tot zoiets in staat is. 'Maar... Waarom heb je niets over hem verteld?' fluistert ze met gekwetste stem.

'Dat weet ik niet.' Hettie haalt haar schouders op. 'Ik... kreeg de kans niet.'

Di staat op en loopt naar de kast. Ze graait naar iets erbovenop en komt terug met een leeg sardineblikje, dat ze tussen hen tweeën op het bed zet. 'Weet je wie hij is?' Ze tikt haar askegel in het blikje af.

'Nee.'

Di blaast een verbijsterd rookpluimpje uit. 'Hoezo weet je dat niet?'

'Nou, gewoon.' Hettie schuift het briefje met een zucht opzij. 'Misschien heb je gelijk en moet ik maar niet gaan.'

'Dat heb ik toch niet gezegd? Geef dat briefje eens hier, ik wil het met eigen ogen zien.' Di pakt het op en leest hardop voor. *'Ik overweeg je dekmantel prijs te geven.'* Ze trekt een fluwelen wenkbrauw op. 'Wat bedoelt hij daarmee?'

Hettie friemelt aan de tressen aan de rand van de sprei. 'Hij zei... dat ik anarchist was. Dat dacht hij.'

'Hè? Een anarchist zoals in de kranten? Die lui met de bommen?'

'Hij maakte een grapje. Althans, dat denk ik.'

'O, zo.' Di gaf haar het briefje terug. 'Zo te horen is hij niet goed snik.'

'Wellicht heb je gelijk.'

'Is hij mooi?'

Hettie knikt. 'Maar op aan aparte manier.' Ze denkt aan zijn gezicht; zijn grijze ogen, hoe die oplichtten als hij lachte, alsof het een masker was waar een ander persoon achter schuilging.

'Apart?' Di leek niet onder de indruk. 'Is hij rijk?'

'Dat weet ik niet. Misschien wel, maar...'

'Maar wat?'

'O, weet ik veel.' Het is onmogelijk uit te leggen. Hettie kijkt weer naar het papiertje dat ze tussen haar vingers houdt.

Dalton's? Dinsdag? Tien uur?

'Ik ga erheen.'

'Wááát?'

'Ik vind hem leuk. Ik ga.'

'Misschien dat je hem "leuk" vond,' zegt Di met ogen als schoteltjes, 'maar misschien heeft hij wel... perverse neigingen. Of hij handelt in blanke slavinnen.'

Hettie grinnikt.

Di buigt zich naar haar toe en zegt met lage stem: 'En stel dat hij je meeneemt naar Limehouse om je opium te laten roken?'

Ze waren samen drie keer naar *Broken Blossoms* geweest en ze hadden nog veel vaker naar die grote bioscoop aan Broadway willen gaan, waar de vloer bezaaid was met half verorberde sinaasappels en gepelde pindadoppen, om te dwepen met Lillian Gish die verliefd werd op haar Yellow Man en opium rookte, waarna ze door haar gemene vader werd doodgeslagen.

'Welnee, we gaan heus niet naar Limehouse.'

'Weet je dat zeker?'

Ze plukt de sigaret tussen Di's vingers vandaan. 'Nee.'

Ik wil ook de boel laten ontploffen.

'Ik ga. Mijn besluit staat vast.' Ze neemt een flinke, bevredigende trek van de sigaret.

'Je bent niet goed wijs!' zegt Di schril.

Misschien heeft ze gelijk. Misschien ook niet. Maar wat voelt ze zich opeens heerlijk vrij.

'Di?'

'Hm?'

'Mag ik een jurk van je lenen?'

Di fronst haar wenkbrauwen.

'Toe? Ik heb alleen dat ene oude vod. En dat stinkt.'

'Waarom geef je het geen sopje?'

'Di, toe nou!'

Di kijkt verongelijkt en trekt een pruillip. 'Ik dacht dat we naar de film zouden gaan vanavond. *The Mark of Zorro* is net uit.'

De kaarten zijn anders geschud. Normaal gesproken gaat het anders. Normaal gesproken is Di het rankste, mooiste meisje dat met open armen door de toekomst wordt verwelkomd. Zij is degene die door het leven wordt toegelachen en allerlei dingen beleeft. Hettie ziet hoe ze worstelt met deze omslag en aardig probeert te blijven.

'Nou goed dan,' bromt ze ten slotte, lichtelijk gepikeerd. 'Welke jurk wil je lenen?'

Maar ze weet het natuurlijk al. Hettie weet ook dat zij het weet. Het kan er maar één zijn. Ze ziet de jurk op het hangertje bij het bed, zijn donkere schoonheid glitterend in het grijze ochtendlicht. Hetties verlangen is als een pijnlijke knoop in haar maag. 'Mag ik… die zwarte lenen? Alsjeblieft?'

'De zwarte?' kermt Di. 'O mijn god.'

'O Di, toe?'

'Nou, vooruit dan.' Di laat zich op bed vallen en blaast een nurkse rookwolk naar het plafond.

'Echt?' Hettie springt op.

'Doe me een plezier.' Di legt een hand over haar ogen. 'Vraag het niet nogmaals.'

Hettie loopt meteen op de jurk af en drukt hem tegen zich aan. Wat is hij mooi. Zwaarder dan ze had gedacht, en ze kan nu al voelen hoe soepel de stof straks op de dansvloer met haar lichaam zal meebewegen.

'Hoe ga je naar Dalton's?'

Hettie draait zich om, de jurk nog steeds tegen haar borst gedrukt. 'Ik neem de metro. We hebben om tien uur afgesproken.'

De zin wordt met schrijfmachineletters in de lucht geramd.

We hebben om tien uur afgesproken.

Ongelooflijk. Onuitwisbaar. Die kan ze nooit meer terugnemen.

Di gaat rechtop zitten en prikt haar wijsvinger in haar richting. 'Zorg dat er niets met mijn jurk gebeurt. Anders doe ik je wat.'

'Ik beloof het je.' Hettie loopt naar haar vriendin toe en bukt zich voor een hartelijke omhelzing. 'Ik ben je eeuwig dankbaar.'

'Hm.'

Hettie vouwt de jurk op en legt hem voorzichtig in haar tas. 'Ik... er is nog iets.'

Di trekt een wenkbrauw op.

'Ik wilde je nog iets anders vragen.'

Het restaurant is kleiner dan Evelyn zich herinnert. Er staan niet meer dan vijf tafeltjes, bedekt met een eenvoudig wit tafellaken waar een brandende kaars in een rode kandelaar op staat. Een van de tafeltjes is bezet door een elegante vrouw en een kalende man, die aan het eten zijn. Ze kijken op als Evelyn binnenkomt en ze voelt hun borende blikken als ze haar categoriseren als een vrouw die in haar eentje een restaurant betreedt. Ze schudt haar paraplu uit en zet hem in de standaard bij de deur. De ober neemt haar mantel aan. Op het zwarte bord is met een krijtje DAGMENU gekalkt: biefstuk met aardappelen, *tarte tatin*.

Ze kiest een tafeltje bij het raam en bestelt een karaf met wijn. Als de wijn wordt gebracht, drinkt ze haar glas snel voor de helft leeg terwijl ze door het natgeregende raam naar buiten kijkt. Ze steekt een sigaret op. Het andere stel kijkt haar verbolgen aan, hun afkeuring hangt bijna tastbaar in de lucht. Ze wordt boos op zichzelf als ze haar sigaret in de asbak uitdrukt, maar als ze er opnieuw een opsteekt, smaakt die haar niet.

De deur gaat open en dan staat Ed op de drempel, die een doorweekte krant beschermend boven zijn hoofd houdt. Lachend loopt hij naar haar toe. 'Voortaan moet ik beter opletten als ik de deur uitga. Het regent dat het giet, wist ik veel.'

Haar broer ziet bleek. Hij is nonchalant gekleed in een blazer met een slordig geknoopte stropdas, alsof hij uit bed is gerold en zich in het donker heeft aangekleed. Opnieuw spiedende blikken van het andere koppel. Ze ziet dat de vrouw vlug rechtop gaat zitten en haar hals rekt.

Zoals gewoonlijk heeft Ed niet door welk effect hij op zijn omgeving heeft. Altijd hetzelfde verhaal. Neem die afschuwelijke gala-avonden waar ze vroeger naartoe moesten; de kwetterende meisjes stonden voor hem in de rij, maar hij danste gewoon de hele avond met haar. Ze verfoeide die soirees. Gezien het oppervlakkige gekeuvel, de krukkige danspartners, de chaperonnes – in feite was het één grote huwelijksmarkt – was ze altijd blij dat hij nooit van haar zijde week. Hij was verreweg de beste danser.

Ze kijkt opzij. Het is al twintig over een. 'Ik heb honger. Zullen we bestellen?'

'Bestel jij maar.' Met een handgebaar gaat hij zitten. 'Ik vind alles prima.'

Ze roept de ober en bestelt twee menu's.

Hij leunt op tafel, nipt van zijn glas en trekt een vies gezicht.

'Ach kom, zo slecht is deze wijn niet,' zegt Evelyn.

Hij steekt een sigaret op. 'Dat vind jij.'

Ze kan zich niet inhouden. 'Lag je nog op bed toen ik je om elf uur belde?'

'Het was laat geworden gisteravond.'

'Mensen van het goede leven.'

'Jij daarentegen bent de connaisseur van de kwelling, snoes.' Hij heft zijn glas. 'Neem dit bocht. Mogen we dit wel wijn noemen?' Hij wenkt de ober. 'Mag ik de wijnkaart, alstublieft?'

Als die wordt gebracht, laat hij zijn blik over de lijst glijden. 'De rode bourgogne, graag,' zegt hij. 'Uit 1894.'

'Kom eens.' Ze grist de wijnkaart uit zijn handen. 'Zeg, die wijn kost twee pond per fles!'

'Ja, en?'

'Ja, en ik moet nog werken vanmiddag, Ed.'

'Rustig maar.' Hij grinnikt. 'Zo vaak gaan we niet samen lunchen.'

Bijna nooit. Maar wiens schuld is dat?

De fles wordt tegelijk met twee nieuwe glazen op tafel gezet. Ed geeft aan dat zij de wijn moet keuren. De ober schenkt een bodempje in haar glas, en als ze de wijn proeft, sluit ze even haar ogen. Verrukkelijk. Natuurlijk is de wijn verrukkelijk, hij kost twee pond per fles. Ze knikt naar de ober en hij schenkt beide glazen vol.

Evelyn neemt opnieuw een slok. Wat vloeit deze bourgogne soepel. Buiten klettert de regen op de klinkers en op de zachte kappen van de geparkeerde wagens. De twee geraniums aan weerszijden van de deur worden gegeseld. Ze leunt achterover. Toch is het fijn om haar knappe broer weer te zien. Die peperdure fles wijn is ook niet verkeerd. Ze zou het hier met gemak een poosje uithouden, in de warme cocon van zijn onbevangenheid, en samen met hem de fles soldaat maken. Hoefde ze maar niet terug naar dat akelige kantoor, met Robin en al die andere akelige mannen.

'Vertel op.' Zijn ogen glinsteren. 'Wat is de reden hiervoor? Heb je me in de val laten lopen?'

'Welnee.' Ze bloost. 'Integendeel. Ik wilde gewoon...' Ze zet haar glas neer. 'We zien elkaar nooit meer.'

Hij heft zijn glas. 'Daar drink ik op.'

Ze klinken.

'Ik was toch al van plan je te bellen,' zegt hij.

'O ja? Waarom?'

'Ga jij donderdag ook?'

'Waarheen?'

'Heeft Anthony je niet uitgenodigd?'

Ze moet verbaasd kijken, want hij schudt glimlachend zijn hoofd. 'Appartement aan Whitehall, ceremonie, de inwijding van *Het Graf van de Onbekende Soldaat*. Lees je de kranten wel?'

'O dat.' Ze trekt haar neus op. 'Het is me geheel ontschoten, om eerlijk te zijn.'

'We kunnen samen gaan.' Hij leunt naar voren. 'Als goedmakertje voor afgelopen zaterdag, toen ik niet op Paddington kwam opdagen. Ik heb mijn plicht verzaakt et cetera.'

'Ik weet het nog niet, Ed.' Het komt raar op haar over. Zo'n publieke begrafenis, met al die rimram en fanfare. 'Vind jij het ook niet iets te...'

'Hm?'

'Ik weet het niet. Hypocriet? Alsof het nog iets uitmaakt. Alsof het de mensen kan doen vergeten.'

'Ik geloof niet dat het daarvoor is bedoeld, Eves. Als het al iets betekent, dan is het een herdenking.'

'Misschien,' zegt ze schouderophalend.

'Denk er maar over na. We maken er een hele dag van, dan gaan we daarna nog ergens anders naartoe. Ik zou het in elk geval heel leuk vinden om met jou te gaan.'

Ondanks alles doen zijn woorden haar goed. 'Oké,' zegt ze. 'We maken er iets moois van.'

Het eten wordt op tafel gezet. Het vlees is dun gesneden, geserveerd in peperroomsaus en met gloeiend hete, beboterde aardappels erbij. Ze laadt haar vork vol en ziet dat haar broer zijn bord niet aanraakt. 'Heb je geen trek?'

'Zo meteen.' Hij pakt zijn sigarettenkoker. 'Heb je hier bezwaar tegen?'

'Nee hoor.'

Hij rookt en zij eet in kameraadschappelijke stilte.

'Vertel op,' zegt hij als ze bijna klaar is. 'Waarom had je gevraagd of ik kwam lunchen?'

Ze neemt haar laatste hapje biefstuk met roomsaus en legt dan haar vork neer. 'Er was gisteren een man in mijn kantoor.'

'En?'

'Volgens mij was hij op zoek naar jou.'

'Hè?'

'Ja, echt.' Ze pakt een stukje brood uit het mandje op de tafel en verkruimelt het op haar bord. 'Hij heette Rowan Hinde.'

De hand van haar broer blijft roerloos in de lucht hangen terwijl de rook van zijn sigaret omhoog kringelt. Ze hoort achter haar de ober rinkelen met de glazen, het andere stel schraapt met vorken over hun bord.

'Rowan Hinde, zei je?'

'Ja.' Ze eet een stukje van het in de room gedoopte brood.

Hij neemt een slok wijn. Er verschijnt een rimpel tussen zijn wenkbrauwen. 'Hoe zag hij eruit?'

'Het is een vrij ongebruikelijke naam.'

'Ja.' Hij knikt. 'Ik zal het me zo wel herinneren. Help me op weg. Had hij nog bijzondere uiterlijke kenmerken?'

'Nee, niet echt.' Ze pakt zelf ook een sigaret. Nu ze erover nadenkt, is zijn opvallendste eigenschap dat hij zo onopvallend was. 'Klein van stuk. Hij zag er hongerig uit. Hij is soldaat geweest en raakte invalide in 1917.'

'Ken je de aard van zijn verwonding?'

'Hij kan zijn arm niet meer gebruiken.' Ze steekt de sigaret op. 'Zijn arm zit er nog wel aan. In een mitella. En hij heeft last van zenuwaanvallen.'

Hij knikt. 'Ah. Waarom kwam hij naar jouw kantoor?'

'Omdat hij op zoek is naar jou.'

Hij kijkt verbaasd. 'Wat raar, zeg. Hoe wist hij wie jij was?'

'Dat wist hij niet van tevoren; hij had geen idee dat ik je zus was. Het was puur toeval dat hij bij mij aanklopte.'

'Heb je gezegd dat ik je broer ben?' Hij leunt verder naar voren.

'Natuurlijk niet. Dat zou tegen elke vorm van ethiek indruisen.'

Ze bestudeert haar broer, de kloppende ader bij zijn slaap, de huid die strak over zijn jukbeenderen is gespannen. 'Ik heb hem het adres van de militaire registratie gegeven. Als ze medelijden met hem krijgen, vertellen ze hem misschien waar hij jou kan vinden.'

'Dat lijkt me hoogst onwaarschijnlijk.'

'Hoezo?'

Hij gaat verzitten, neemt een fikse teug en kijkt naar het vlees op zijn bord; de boter in de saus is gestold. 'Een momentje.' Het servet valt van zijn schoot op de grond als hij opstaat. Ze buigt zich naar voren om het op te rapen en legt het naast zijn bord.

'Heeft het gesmaakt?' De ober duikt naast haar op.

'Ja, prima.'

'Wilt u nog een dessert?'

'Nee hoor, dank u. De rekening, alstublieft.'

Ze trommelt met haar vingers op het tafelkleed en drinkt haar wijnglas leeg. De fles is nog bijna vol. Ze schenkt nog een flink glas in. Ze hoort achter haar het geluid van een toilet dat wordt doorgespoeld. Ed komt terug en blijft achter haar stoel staan. 'Ik moet maar eens gaan.'

Ze kijkt naar hem op. 'Ik heb al om de rekening gevraagd,' zegt ze op verzoenende toon. 'Blijf nog even.'

Hij gaat zitten, wippend met zijn been onder tafel zodat de glazen schudden en rinkelen alsof er een metrotrein onder hen door rijdt.

'Gaat het wel?' vraagt ze.

'Best.' Hij ontwijkt haar blik.

'Toch is het raar.' Ze leunt naar voren. 'Waarom zou een soldaat iets van jou willen? Na al die tijd?'

'Hoe moet ik dat weten?' snauwt hij. 'Kom op, Eves. Je weet toch hoe mensen zijn? Ze halen zich van alles in hun hoofd en schieten er geen steek mee op. Dat zou jij bij uitstek moeten begrijpen.'

Zijn opmerking doet haar pijn.

'Wat bedoel je daarmee?'

Hij spreidt zijn handen. 'Je kunt het opvatten zoals je wilt.'

'Nee, leg het me maar uit. Wat bedoelde je daarmee?'

Hij leunt naar voren. 'Ik hoop niet dat je het verkeerd opvat, Eves, maar je moet je echt over hem heen zetten. Het zou helpen als je niet zo vaak zat te piekeren.'

Ze voelt de bijtende steek van woede weer door haar lichaam trekken, die deze middag, de heerlijke steak in roomsaus en de wijn, meteen in een ander daglicht stelt. 'Doe ik dat dan, piekeren? Tjonge, sorry hoor, ik was me er niet van bewust.'

Hij neemt nog een slok wijn en kijkt met een ongeduldige blik waar de ober blijft. Hij is precies zijn vader op dit moment. In een flits ziet ze hoe hij er over vijftien jaar bij zal zitten: net zo zelfverzekerdheid, net zo zelfgenoegzaam, die opeengeklemde kaken.

'Waar blijft die kerel? Jezus.'

'Ed...'

'Wat?' Hij werpt haar een snelle blik toe.

'Weet je echt niet wie Rowan Hinde is?'

'Dat zei ik niet. Ik zei dat zijn naam een belletje deed rinkelen. Meer niet. Weet je hoeveel manschappen onder mijn bevel stonden?'

Dat weet ze niet. 'Honderd?'

'Tweehonderdvijftig,' zegt hij korzelig. 'Ergens daaromtrent. Denk je dat ik me elke doorgeflipte soldaat kan herinneren?'

'Ik zei niet dat hij doorgeflipt was.'

Ze is zich pijnlijk bewust van de ijzige sfeer aan tafel.

Na een poosje kijkt Ed haar aan. 'Eves,' fluistert hij, 'wat dacht je precies met dit gesprek te bereiken?'

'Ik...' Ze slikt haar woorden in. Eerlijk gezegd heeft ze geen idee. Informatie misschien, maar dan nog – wat wilde ze dan precies weten?

'Laat het zitten,' zegt hij.

'Hè?'

'Laat zitten, zei ik. Bemoei je er niet mee.'

'Nou zeg!'

'Ja, Eves. Dat werk van jou, dat is deprimerend. Het is echt niet goed voor je, godbetert. En je hoeft niet eens te werken.'

'Ah, op die manier. Welaan, niet iedereen ligt tot twaalf uur op zijn nest. Wat doe je nog meer met je leven behalve dure wijn drinken?'

Hij laat zijn been weer op en neer wippen en legt dan zijn handen op de tafel, alsof hij het wippen wil laten ophouden. Tevergeefs. 'Laat ik maar doen alsof je dat niet hebt gezegd.' De sfeer aan tafel is nu elektrisch geladen, alsof het elk moment kan bliksemen.

De ober duikt naast haar op met een bordje waar de rekening op ligt. Ze maakt aanstalten haar portemonnee te pakken, maar Ed staat al. Hij smijt een paar bankbiljetten op de tafel en buigt zich naar voren voor een vluchtige kus op haar wang. 'Tot gauw, Eves, hopelijk gaat het dan een beetje beter met je.'

Voor ze van tafel opstaat, is hij al de deur uit.

Het is een klein, knus zaakje dat in een zijstraatje van Shepherd's Bush zit weggestopt. Het ruikt er naar scheerzeep, leer en mannen. Het had haar enige overredingskracht gekost, maar uiteindelijk had Di het adres van haar kapper prijsgegeven.

'Van de buitenkant ziet het er niet uit. Je zou nooit verwachten dat het daar was, het ziet er meer uit als een barbier. En dat is het eigenlijk ook. Negeer de mannen, ze zullen naar je staren, maar daar moet je niet op letten. Vraag naar Giovanni. Zeg dat ik je gestuurd heb. Hij is de beste.'

De beslissing bleek uiteindelijk heel eenvoudig.

Sterker nog, de beslissing was al genomen.

Nu zit ze in een krakende leren stoel, midden in een bedrijvig kapperszaakje, met een soort tafellaken om haar hals geknoopt en een oude Italiaan die achter haar met zijn schaar staat te zwaaien.

'Hoeveel wil je ervan af?' Zijn accent is sterk.

Hettie ziet dat er twee mannen door de etalageruit naar haar gluren. Maar het kan haar niets schelen. *Het kan haar niets schelen.*

'Alles,' zegt ze.

Hij beschrijft een halve cirkel om haar heen, tilt haar dikke lokken op en laat ze weer vallen. 'Alles,' herhaalt hij in zichzelf, en blijft dan staan. 'Je hebt prachtig haar,' zegt hij. Zijn ogen zoeken de hare in de spiegel. 'Maar het is in slechte conditie. Net paardenhaar.'

'Ik weet het,' beaamt ze. 'Daarom wil ik dat je me knipt.'

'Nee, geen paard,' zegt hij. 'Kleine pony.'

Hij tilt weer een handvol haar op en houdt de schaar erbij. Het metaal glanst in de zon. 'Dit gaat leuk worden,' zegt hij.

Knip!

Hij laat de eerste afgeknipte lok zien. Een trofee. Een afgeknipte paardenstaart. Even dreigt ze in paniek te raken, alsof ze bang is dat de staart gaat bloeden.

Knip!

Ze denkt aan haar moeder.

Knip!

Je vader! Je vader vond je haar altijd zo prachtig!

Knip!

Ze ziet haar vader voor zich, de groeven in zijn gezicht die verzachtten als hij glimlachte.

Knip!

Sorry, pap.

Knip!

Ik was zo verdrietig toen je doodging.

Knip!

Die flierefluitende losbol.

Knip!

Knip!

Ik overweeg je dekmantel prijs te geven.

Knip!

Knip!

Knip!

Vind je het leuk om dingen op te blazen?

Knip!

De toekomst komt eraan.

Knip!

Hij komt steeds dichterbij.

Knip!

Hij

Knip!

Is

Knip!

Er

Knip!

Bijna

Knip!

De schok van de frisse lucht. Haar nek is ontbloot.

De kapper doet een stapje naar achteren. 'Beeld- en beeldschoon,' zegt hij.

'Machtig,' fluistert Hettie als haar blik de zijne in de spiegel vindt.

❖

Hopelijk gaat het dan een beetje beter met je.

De zin blijft door Evelyns hoofd spoken. Het lef! Alsof de fout bij haar ligt, alsof ze ziek was en hem daarom de vraag had durven stellen, en niet alleen hem, maar ook de andere mannen. Alsof die rotoorlog een exclusief speeltje van de herenclub is.

Het regent nog steeds pijpenstelen en het is gevaarlijk op het trottoir met al die mensen en hun stekelige paraplu's. Ze botst tegen een schuifelende man aan, verliest bijna haar evenwicht maar kan bijtijds een ijzeren reling vastgrijpen.

'Kijk uit waar je loopt, ja?' De man is oud maar zijn rug is kaarsrecht, alsof hij in het leger heeft gezeten. Zijn stem snijdt zelfs door de regensluiers op deze natte middag.

Evelyn staat te zwaaien op haar benen. Ze staart hem aan. Er zijn veel te veel mannen als hij; ze zitten overal en hun blakende intactheid komt haar de keel uit. Het zijn de ouderen die de aarde hebben geërfd. 'Loop naar de hel,' spuwt ze.

De man doet zijn mond open alsof hij haar iets wil toesnauwen, maar bedenkt zich. Hij draait zich om, met een volmaakt rechte rug, en maakt zich met stramme passen uit de voeten. Onmiddellijk voelt Evelyn de schaamte. Ze grijpt de spijlen van het hek vast. Ze ziet wazig, het straatbeeld begint te vervagen. Pas nu ze stilstaat, voelt ze hoe onvast ze op haar benen staat. Hoeveel wijn heeft ze eigenlijk gedronken? Bijna de hele fles in haar eentje. Ze moet flink aangeschoten zijn. Het is beter om haar hoofd helder te krijgen voor ze naar haar werk gaat. Ze schuift haar mouw omhoog en kijkt op haar polshorloge. Ze is al te laat, maar in deze kennelijke staat kan ze moeilijk op kantoor verschijnen. Haar flat is niet ver; als ze een stuk afsnijdt kan ze er snel zijn. Het is verleidelijk, en bovendien is het beter om te laat te komen dan dronken naar binnen te wankelen. Ze laat de ijzeren reling los en loopt de zijstraat in. Ze rent bijna, ontwijkt de plassen regenwater en houdt haar paraplu hoog in de lucht.

Haar flat geeft het neutrale, licht verbaasde gevoel van een doordeweekse middag. De stilstaande lucht ruikt ietwat muf. De vaat van dagen ligt opgestapeld in de gootsteen. Haar slaapkamergordijnen zijn dicht. Ze kan zich de laatste keer dat ze die open heeft gehad niet herinneren. Als ze de gordijnen opzij trekt, bemerkt ze een beweging in het appartement tegenover haar. Er staat daar iemand in de schaduw, maar door de diepte van de kamer kan ze niet veel zien. Ze blijft nog even staan om naar buiten te kijken, maar het uitzicht wordt vervormd door de striemende regen tegen het raam.

Als ze zich omdraait, trekt ze een gezicht. Bij daglicht is haar slaapkamer een verschrikking. Het lijkt wel een varkensstal. Waar is de werkster? Opeens weet ze het weer. Die is haar moeder gaan opzoeken in Dorset of Devon, ergens in die buurt. Doreen had er vorige week een berichtje over achtergelaten. Ze trekt haar doorweekte mantel uit en legt die op bed, daarna loopt ze naar de badkamer en draait de koude kraan open. Ze kijkt op en ziet haar spiegelbeeld.

Haar broer had tegen haar gelogen.

Je bent een leugenaar, Edward Montfort. *Een leugenaar.*

Ze doet ook haar blouse uit, en hapt naar adem als ze ijskoud water tegen haar gezicht spettert.

Hij wist meteen wie Rowan Hinde was, zijn gezicht sprak boekdelen.

Wat had hij te verbergen?

Ze spat water in haar gezicht tot de bovenkant van haar onderjurk kletsnat is. Ook die trekt ze uit. Ze poetst zorgvuldig haar tanden, droogt zich met een handdoek en loopt haar kamer in.

De schaduw in de flat aan de overkant komt in beweging. Evelyn schrikt zich rot. Ze was vergeten dat ze de gordijnen had geopend. Ze is naakt vanaf haar middel. Het is opgehouden met regenen en het zicht is vrij. De schaduw wordt donkerder, splijt zich en verandert dan in een man, een man in een rolstoel. Hij staart naar haar door het raam.

Terwijl zij blijft staan, rolt hij zijn stoel dichter naar het venster. Ze kan de bleke lijn van zijn huid zien vanaf waar zij staat; hij kan niet ouder dan twintig zijn. Hij heeft een beeldschoon gezicht en kijkt haar recht in haar ogen.

Ze voelt de huid rond haar tepels samentrekken.

Haar sigaretten liggen op de hoek van haar bed. Ze kan vanuit haar ooghoek de koker en de aansteker zien. Zonder haar blik van de zijne los te maken pakt ze beide voorwerpen met zorgvuldige bewegingen van de sprei. Ze steekt een sigaret op, inhaleert en blaast een rookpluim uit. De aansteker valt met een zacht plofje op bed. De jongen maakt zijn gulp open. Ze ziet dat hij zijn hand in zijn broek steekt. Ze voelt de lucht in de kamer op haar huid; ze hoort haar ademhaling zachtjes door de kamer gaan. Ze neemt nog een trekje van haar sigaret. De hand van de jongen begint langzaam op en neer te bewegen, terwijl hij haar strak blijft aankijken. Ze spreidt haar benen een beetje, ze voelt de druk van haar onderbroekje tegen haar vlees, het gezwollen pulseren van haar eigen lichaam. Ze rookt door. Zo verstrijkt de tijd, zonder dat ze hun blikken van elkaar afwenden, terwijl hij steeds sneller zijn hand beweegt. Haar adem stokt. Als ze hem zijn rug ziet krommen, laat ze haar adem met een zucht ontsnappen.

Zijn hoofd hangt. Even blijft hij zo zitten, dan rolt hij zonder op te kijken zijn stoel uit het licht.

Ze slaat een arm voor haar borsten en trekt het gordijn dicht. Opeens is het pikkedonker in de kamer. Ze zakt neer op de rand van haar bed, met haar hoofd in haar handen. Even denkt ze dat ze in snikken zal uitbarsten.

Maar dat gebeurt niet. Ze staat op, haalt diep adem, en pakt een droge onderjurk en japon uit de kast.

Als ze eindelijk het kantoor binnenloopt, is ze anderhalf uur te laat. Vreemd genoeg is de rij die middag niet al te lang, er staan hooguit een man of tien à vijftien buiten te wachten. Robin let niet op haar als ze achter haar bureau plaatsneemt. Maar ze voelt het als hij haar aanwezigheid enkele seconden later opmerkt. Ze hoort dat hij gaat verzitten, en de ruimte tussen hen beiden gonst een beetje. Dat gonzen is raar, maar ze draait zich toch niet naar hem toe om zijn blik te zoeken.

'Ada, wat een verrassing!' Met een blozend en bezweet gezicht doet Ivy de deur open. 'Het water kookt al. Kom, ik ga meteen thee voor ons zetten.'

Ada voelt aan de envelop in haar zak en loopt door de donkere gang achter Ivy aan naar de keuken. Er staat iets stroperigs op het fornuis te pruttelen. De ramen zijn beslagen en de tafel ligt bezaaid met takken, waardoor de zoetige damp vermengd wordt met de geur van vers gekapt hout. 'Wat ruikt het hier lekker.' Ada snuift de geur op.

'Rozenbottels.' Ivy houdt een schaal met gepelde vruchtjes omhoog. 'Je kent me toch? Ik maak altijd siroop voor de winterperiode. Goed tegen de verkoudheid. Als het klaar is, kom ik je wel wat brengen.'

'Dat is lief.'

'Ga zitten, dan zet ik thee.'

Ada neemt plaats aan de geboende tafel terwijl Ivy rondscharrelt en uitgebreid met de thee bezig is: deksel van de theepot, theepot omspoelen, theeblaadjes erin, heet water opgieten. Ivy is een stuk zwaarder dan vroeger en haar bewegingen zijn ook trager.

Ze kennen elkaar al jaren. Yvy is een jaar of drie ouder dan Ada en ze had al twee dochtertjes toen Ada in de straat kwam wonen. Op een gegeven moment waren ze gelijktijdig in verwachting: Ada van Michael en Yvy van Joseph, haar derde kind. Dat was in de tijd dat Yvy altijd vrolijk was, weet Ada nog, ze kon om de kleinste dingetjes in lachen uitbarsten. In de zomer van 1916 verloor ze haar zoon en het duurde heel lang voordat haar lach weer te horen was.

Ivy zet de theepot met het serviesgoed op tafel en schenkt voor allebei een kopje in.

'Goh, wat heb ik je lang niet gezien.' Als Ivy haar toelacht, schrikt Ada even, zoals elke keer als Ivy lacht. Aan het eind van de oorlog heeft ze haar tanden laten trekken en haar dochters hebben van hun spaargeld een kunstgebit voor haar betaald. Het ziet er raar uit, alsof het eigenlijk voor iemand anders was gemaakt. Het past ook niet goed, want het klappert als ze praat en ze slist. 'Alles goed met Jack? Levert het volkstuintje nog steeds iets op?'

'Jawel, het blijft maar doorgaan.'

'Fijn.' Ivy gaat zitten. 'Eerlijk gezegd komt het goed uit dat je hier nu bent, want ik wilde je al een hele poos iets vragen.'

'Wat dan?'

'Of je naar de stad gaat voor de ceremonie. Je weet wel, de begrafenis van de Onbekende Soldaat.'

Tot dusver zijn Ada en Jack dit onderwerp uit de weg gegaan, maar ze weet ook zo wel dat Jack daar niet naartoe wil.

'Ik las in de krant dat ze zelfs dranghekken gaan plaatsen,' zegt Ivy. 'Er worden duizenden toeschouwers verwacht.'

'Is er dan wel genoeg ruimte voor zo veel mensen?'

'Het is juist de bedoeling dat iedereen gaat. We moeten met zo veel mogelijk mensen onze eer betuigen.'

'Dat begrijp ik.'

'Ik dacht er met de meisjes naartoe te gaan, maar ze hebben geen van beiden zin.' Yvy's gezicht betrekt, maar niet lang. 'Toen kwam ik op het idee om er samen met jou naartoe te lopen… Als je dat tenminste wilt.'

'Ik… ik weet het niet. Mag ik erover nadenken?'

'Natuurlijk. Doe maar rustig aan.'

Ada voelt weer aan de brief in haar zak en zet haar kopje neer. 'Mag ik je iets vragen, Ivy?'

'Tuurlijk.'

'Het heeft met Joe te maken.'

'Wat dan?'

'Na zijn dood heb je toch een brief ontvangen waarin stond hoe het is gebeurd?'

'Dat klopt.'

'En daarna kwam er toch nog een brief waarin stond waar hij begraven is?'

Ivy knikt.

'Mag ik die brieven zien?'

Heel even is Ada bang dat ze buiten haar boekje is gegaan. Maar dan zegt Ivy: 'Ja hoor. Als je dat graag wilt. Ik zal ze even pakken.'

Ze loopt naar de salon en Ada hoort haar scharrelen.

Ada kijkt uit het raam naar de tuin. Het is al donker aan het worden en er steekt een briesje op dat de dorre blaadjes laat opdwarrelen. De begrafenis van de Onbekende Soldaat, als symbool voor alle gesneuvelden die niet naar huis zijn teruggekeerd. Het lijkt haar mooi.

'Je moet ze zelf maar lezen.' Ivy komt de keuken weer in. 'Ik kan het niet.' Ze legt twee bruine enveloppen op tafel. 'Bovendien moet ik dit nog opruimen.' Ze pakt een armvol takken, neemt ze mee naar het aanrecht en begint ze doormidden te breken.

Ada haalt de eerste brief uit de envelop.

Mevrouw,

Mij is opgedragen u te berichten dat er een rapport is ontvangen waarin wordt vermeld dat wijlen soldaat Joseph White begraven ligt op circa twee kilometer ten noordwesten van Guedecourt, ten zuidwesten van Bapaume.

Het graf staat geregistreerd bij dit bureau, en wordt gemarkeerd door een duurzaam houten kruis met inscriptie, bevattende alle gegevens.

Met de meeste hoogachting,

Kapitein,
Stafkapitein voor brigadegeneraal
Directeur, Gravenregistratie en Inlichtingen.

De andere brief is langer en de letters staan dichter op elkaar. Bovenaan staat een stempel met 20 mei 1920. Bij dit schemerlicht is de tekst moeilijk te lezen en Ada moet haar ogen echt inspannen.

Mevrouw,
Hiermede bericht ik u dat aangaande de overeenkomst met de Franse en Belgische regering om de verspreid liggende graven en kleine kerkhoven die ongeschikt zijn bevonden voor permanente teraardebestelling te ruimen, het in bepaalde gebieden noodzakelijk is gebleken om de aldaar begraven stoffelijke resten elders ter aarde te bestellen. Het stoffelijk overschot van soldaat White is derhalve verwijderd en herbergraven op de begraafplaats Grass Lane, Guedecourt, ten zuiden van Bapaume.

Ik wil hier aan toevoegen dat de noodzaak van deze verwijdering diep wordt betreurd, maar onvermijdelijk was gezien de hierboven vermelde redenen. Wij kunnen u verzekeren dat de herbegrafenis met de grootste zorgvuldigheid en eerbied heeft plaatsgevonden. Verder is zorg gedragen voor een passende religieuze rouwdienst.
Met de meeste hoogachting,

Majoor D.A.A.G.
Voor generaalmajoor
D.G.G.R. & E.

'Ze zijn niet zuinig met grote woorden, hè?' zegt Ada en ze vouwt de brief weer op.

Hoofdschuddend pakt Ivy de pan van het vuur. 'Volgens mij is het gewoon één grote smoes, denk je ook niet? Lekker makkelijk om ze allemaal bij elkaar te gooien, dan zijn ze beter te tellen. Het idee alleen al, vreselijk. Waarom konden ze hem niet gewoon met rust laten? Zag je dat stukje aan het eind over een passende religieuze rouwdienst? Ze hebben me niet eens gevraagd of hij wel een geloof had. Voor hetzelfde geld was hij een fanatieke hindoe geweest. Bovendien was hij atheïst, net als zijn vader.'

'Hebben ze het niet eens gevraagd?'

Ivy slaakt een zucht. 'Nee. Heb je nog naar dat andere papiertje gekeken?' Ze zet een kaars op tafel. Aan de achterkant van de brief is een papiertje bevestigd met de gegevens:

Naam Joseph White
Regiment 10th London
Locatie graf A.I.F. Begraafplaats (Grass Lane) Guedecourt. Kavel 7. Rij D. Graf 4.
Dichtstbijzijnde station Bapaume
Dichtstbijzijnde stad idem
Dichtstbijzijnde informatiekantoor: Albert

'Die plaats ken ik.' Opgewonden wijst Ada naar de laatste plaatsnaam. 'Die stond op de kaart die Michael stuurde. Albert. Dat is het plaatsje van de kerk met de vrouw en het kind.'

'Dat klopt,' zegt Ivy. 'Ik heb daar ook foto's van gezien.'

'Hier, Ivy.' Ada pakt haar eigen brief uit haar zak. 'Zou je dit even willen bekijken?'

Ivy werpt een blik op de envelop. 'Het spijt me, Ada, maar ik weet niet of ik dat wel kan.'

'Toe, alsjeblieft?'

Ivy laat zich vermurwen. Ze haalt de brief uit de bruine envelop, leest hem snel door, knikt en legt hem opzij. 'Zo'n brief kreeg ik ook als eerste. Dat is toch standaard?'

'Dat weet ik,' zegt Ada. 'Maar ik heb verder nooit iets ontvangen. Geen bericht over hoe hij is gestorven of waar hij is begraven. Helemaal niets.' Ze gebaart naar de brieven op tafel.

'Waarom heb je er toen niets van gezegd?' zegt Ivy onthutst.

'Omdat ik nog steeds dacht dat hij terug zou komen. Dat ze zich hadden vergist.'

'Heb je ooit geprobeerd contact met iemand te zoeken?'

'Jack heeft de compagnie geschreven. We kregen een brief terug waarin stond dat hij bij het departement van oorlog moest zijn. Die heeft hij benaderd, maar hij heeft nooit antwoord gekregen.'

Ivy haalt diep adem. 'God, het maakt me echt razend dat het ze gewoon niks kan schelen. Als je bedenkt wat die jongens allemaal hebben gedaan en meegemaakt. Hier, moet je dit zien.' Ze loopt naar een la en komt terug met een opgevouwen krantenartikel dat ze op tafel legt. 'Heb je dit gelezen? Er worden nu tours georganiseerd waarbij je de graven kunt bezichtigen.'

'Ik heb het gezien.'

'En weet je ook hoeveel ze daarvoor vragen?' Haar vinger gaat naar een in een zwart kader geplaatste advertentie onder aan de pagina.

> All-inclusive tour. Graven en slagvelden. Onder leiding van sympathieke veteraan £ 6 – maaltijden en vervoer inbegrepen.

Ivy schudt haar hoofd. 'Ze hebben me gevraagd of er nog iets op zijn grafsteen moest komen te staan. Maar dat kostte alleen al sixpence per letter. Voor een inscríptie betalen is toch wel het minste wat ze kunnen doen, vind je niet? Toen heb ik samen met mijn Bill uitgerekend hoe lang ik moest sparen voor de twaalf pond die het kost om met z'n tweeën op zo'n tour te gaan. Wat denk je? Ik krijg vijftien shilling per week huishoudgeld. Als ik daar elke week twee shilling van opzij leg, duurt het vier jaar voordat ik dat bedrag bij elkaar heb. Daar hebben ze vast niet over nagedacht toen ze besloten om hem niet naar huis te brengen.' Ze trilt van woede.

Een licht penetrante geur vult de keuken.

'Wacht, ik moet even de pan in de gaten houden.' Ze loopt naar het fornuis. Buiten wakkert de wind aan en de ruiten rammelen in de sponningen.

'Ada?' Ivy lijkt al weer iets gekalmeerd. 'Herinner je je mijn nicht May nog? Ze woont in Islington en heeft haar beide jongens verloren. Je hebt haar afgelopen zomer op Ellies bruiloft ontmoet.'

Ada kijkt naar Ivy die langzaam in de pan roert. 'Ja, dat weet ik nog.' May was een klein vogelachtig vrouwtje dat een en al verdriet uitstraalde.

'Een paar dagen geleden heeft ze een brief over haar zoons ontvangen.'

'O?'

'Ze vertelde me dat hun namen in Frankrijk op een gedenkteken komen, samen met de namen van nog een heleboel anderen. Dan kunnen de mensen daarnaartoe gaan om hun eer te bewijzen. Het was in een van die plaatsjes met een rare naam. Volgens mij begon het met een T.'

Ada knikt. Ze kan zich er helemaal geen voorstelling van maken hoe zo'n gedenkteken eruit zal zien of hoe dat soelaas zou kunnen bieden.

'Van haar jongens is niets teruggevonden,' zegt Ivy zachtjes. 'Echt helemaal niets.'

Er valt een stilte.

'Dus jij hebt niet zo'n soort brief ontvangen, Ada?'

'Nee.'

'Maar die kan nog steeds komen.'

'Zou kunnen.' Ada zet haar kopje neer en pakt haar brief weer op. 'Ivy?'

'Wat is er?'

'Hoe zit het met die vrouw bij wie je ooit op bezoek bent geweest?'

'Welke vrouw?'

'De vrouw die zei dat ze met de doden kon praten.'

Ivy doet het deksel op de pan en veegt haar handen af aan haar schort. 'Wat bedoel je?'

'Kon ze dat?'

'Wat krijgen we nou, Ada?' Ivy slaat haar armen over elkaar. 'Hoe kom je daar nu ineens bij? Waarom begin je hier opeens over?'

'Er kwam een jongeman bij me aan de deur,' haast Ada zich te zeggen. 'Je weet wel, zo iemand die allemaal rommel verkoopt. Ik heb hem binnengelaten, vraag me niet waarom.' Er schiet haar iets te binnen. 'Zeg, is er zondagochtend ook bij jou een verkoper aan de deur geweest met vaatdoeken en zo?'

Ivy denkt even na en schudt dan haar hoofd. 'Nee, en ik ben de hele dag thuis geweest.'

'Ik nam hem mee naar de keuken. Niet dat ik iets wilde kopen, maar omdat hij het zo koud had mocht hij van mij even binnen komen en een sigaret roken. En ineens zei hij hardop Michaels naam.' Ze kijkt op. 'Ik weet dat het mallotig klinkt, maar toen die jongen het over hem had, leek het echt alsof hij Michael kon zien. Alsof Michael er was.'

Ivy gaat op de stoel naast Ada zitten. 'Bedoel je als geest?'

'Eh, eigenlijk wel.'

'Ach, Ada,' zegt Ivy zacht. 'Je weet toch dat geesten niet bestaan.'

'Natuurlijk weet ik dat. Maar toch zag ik hem gisteren opeens op straat lopen.'

'Wie?'

'Michael. Ik ben hem helemaal achterna gegaan naar huis. Maar toen ik thuiskwam was hij... verdwenen.'

'O, lieve Ada.' Ivy pakt Ada's hand vast en ze blijven even

zo zitten tot Ada haar hand terugtrekt. Ze heeft nog meer op haar hart.

'Gisteren heb ik al zijn brieven tevoorschijn gehaald. Voor het eerst in twee jaar. Waarom heeft niemand ons verteld wat er is gebeurd, ging het steeds door me heen. En waarom kwam die eigenaardige jongeman bij me aan de deur? Hij is niet bij jou langs geweest, toch? Het bestaat niet dat hij alleen maar met vaatdoeken leurde.'

'Hoe kun je dat nou weten?'

Ada schudt heftig haar hoofd. 'Ik ben ervan overtuigd dat hij speciaal voor mij kwam. En ook dat hij iets over Michael wist. En opeens dacht ik: die man zie ik niet meer terug en ik zal het dus nooit te weten komen. Vanaf dat moment moest ik de hele tijd denken aan die vrouw bij wie je bent geweest. Ik kan haar maar niet uit mijn hoofd zetten. Waar is die vrouw, waar zou ze wonen?'

Ivy's gezicht verstart. Resoluut staat ze op. 'Ik heb hier geen zin in. De doden zijn dood, laat ze met rust.'

Er wordt op het raam getikt en de twee vrouwen schrikken zich wild. Buiten staat een gestalte, een ineengedoken zwarte vorm. Maar omdat de kaars zo vlak voor hun neus staat, valt niet te onderscheiden wie of wat het is. Ivy loopt naar het raam. Wanneer ze 'Het is Ellie,' zegt, hoort Ada de opluchting in haar stem. Er waait een ijzige windvlaag naar binnen als Ivy de deur opendoet en haar dochter Ellie, een knappe meid die blaakt van gezondheid, de keuken binnenkomt met een baby op haar heup.

'Alles goed, mam?' Ellie tuurt door de schemerige keuken. 'Ada? Hallo! Alles goed? Ik was net bij Sal. Ik dacht ik waai even langs om te zien hoe het met je gaat.'

'We zaten net aan de thee.'

'Je mag wel een beetje meer licht aandoen.'

'Zo, ik ga er maar weer eens vandoor.' Ada staat op.

'Je moet niet weggaan omdat ik er ben, hoor.' Ellie kijkt de twee vrouwen aan.

Ada tovert een glimlachje tevoorschijn. 'Ik moet toch het eten opzetten. Jack zal zo wel thuiskomen.'

Ellie knikt en zonder verder commentaar loopt ze naar het fornuis en laat de baby de bubbelende siroop in de pan zien. 'Wat is dat nou, Johnny? Wat is dit?'

'Toe nou, Ivy, geef me alsjeblieft haar adres,' dringt Ada aan.

'Ada,' zegt Ivy op een toon die duidelijk maakt dat ze er genoeg van heeft. 'Hou nou op. Het is trouwens al vier jaar geleden. In die tijd kan er heel wat gebeuren.'

'Dat weet ik ook wel. Ik wil alleen-'

Ivy loopt naar haar dochter en kleinzoon bij het fornuis. 'Ada gaat weg,' zegt ze tegen het jongetje. 'Zeg maar dagdag.'

Ellie kijkt op. 'Kom, oma vindt dat je Ada gedag moet zeggen.' De wangen van het jongetje zijn rood van de warmte van het fornuis. Met een tevreden grijns begint hij te brabbelen en zijn moeder zwaait zijn armpje heen en weer. 'Johnny, zeg maar dada, Ada.'

Twee Britse begrafenisondernemers lopen door de bochtige gangen van het chateau. Hun voetstappen weergalmen op de plavuizen.

Hun namen zijn Sowerbutts en Noades. Ze zijn gisteravond in Frankrijk aangekomen met de avondboot en daarna namen ze de trein. Sowerbutts heeft een aanbevelingsbrief bij zich van Sir Lionel Earle, vaste secretaris van het Office of Works. Achter hen lopen zes Britse soldaten met op hun schouders een zware, lege doodskist die de begrafenisondernemers uit Londen hebben meegenomen. De kist is vervaardigd uit het hout van een eikenboom die bij Hampton Court Palace heeft gestaan en de heren Sowerbutts en Noades hebben persoonlijk op de totstandkoming van de kist toegezien. Al met al duurden de werkzaamheden twee weken, waarin het eikenhout net zo lang werd geschaafd, geschuurd en gepolijst tot het aan de strenge eisen van de begrafenisondernemers voldeed. Vervolgens werden er ijzeren banden om de kist aangebracht en aan weerszijden twee handvatten bevestigd. Op de deksel ligt een Kruisvaarderszwaard, een geschenk van de koning, en daarbij een tekst in Gotische letters :

Een Brits soldaat, gevallen in de
Grote Oorlog 1914-1918
Voor Koning en Vaderland

Op de drempel van de kapel maken Sowerbutts en Noades even pas op de plaats. Vol verwondering kijken ze naar de sierlijk met bloemen en bladeren bestrooide vloer. De kleurenpracht is zo overweldigend dat het bijna iets ongerijmds, iets heidens heeft.

De Franse garde salueert; het klakken van hun hielen klinkt als een salvo en dan verlaten ze het toneel.

Noades gebaart naar de Britse soldaten achter hem dat ze de eikenhouten kist neer mogen zetten. Sowerbutts pakt op zijn beurt de tas die hij uit Engeland heeft meegebracht en loopt naar de ruwhouten kist. Desgewenst konden deze beide heren over alle denkbare hulp beschikken, maar ze zijn perfectionisten. Ze beschouwen zichzelf, en terecht, tot de allerbesten in hun vak en geven er de voorkeur aan op hun eigen manier en met hun eigen gereedschap te werk te gaan.

Er is hun niet verteld wat de exacte herkomst is van dit stoffelijk overschot en ook niet hoe lang het in de aarde heeft gerust. Ze weten alleen dat het afkomstig is uit de akkerlanden van Noord-Frankrijk. Ze zijn benieuwd. Ze weten dat de grond daar uit dikke, modderige klei bestaat. Maar hoe hoog was het percentage klei? En hoe vochtig was de grond?

Noades voegt zich bij zijn collega en gaat aan de andere kant van de kist staan.

'Zijn we zover?'

Hij knikt. Na een kleine pauze tillen de beide mannen de deksel op.

Uit de kist stijgt een zware, muffe lucht op. Niet echt naar. Geen spoor meer van bederf of verrotting. Het lijk is nog steeds in de jute zak gewikkeld waarin het twee dagen geleden is verpakt. Noades neemt zijn schaar ter hand en knipt de zak van beneden tot onder open. Met ingehouden adem buigen beide mannen zich voorover.

Ze zien een klein, kromgetrokken skelet. Aan de zijkant van de schedel kleven enkele huidresten en aan de rechterkaak hangt een rafelig stukje dat eruitziet als perkament. Op sommige plekken plakt ook nog bemodderde kakistof aan de botten. Het jasje is behoorlijk intact, maar de broek is vrijwel vergaan, behalve rond het kruis doordat het geraamte in een gebogen houding is aangetroffen.

Vijf jaar, volgens Sowerbutts.

Vierenhalf, denkt Noades. Met inachtneming van de vochtigheid van de grond, dat spreekt.

Herfst 1915, denkt Sowerbutts.

Voorjaar 1916, schat Noades.

Voorzichtig halen ze de stoffelijke resten uit de zak en herschikken die in de eikenhouten kist. Het gaat niet helemaal volgens de procedure die ze traditiegetrouw aanhouden. Het beste wat ze kunnen doen is de beenderen zorgvuldig neerleggen zodat het skelet op zijn rug ligt, met de armen langs de zij.

In stilte volvoeren de twee mannen hun taak.

Ze weten dat binnenkort alle ogen op deze doodskist gericht zijn, en dat de kracht van de kist is gelegen in de toeschouwers die zich voorstellen dat hun eigen dierbare erin ligt.

In dit stadium zou het vreemd zijn om vast te stellen wanneer deze man is gesneuveld, zelfs bij benadering. Ze waren er in eerste instantie nieuwsgierig naar, maar nu lijkt het verbinden van een jaartal of een datum afbreuk te doen aan het belang van deze gebeurtenis.

Ondertussen vinken ze onwillekeurig de bekenden af die destijds ook gediend hebben maar het niet kunnen zijn: iemand die groter was dan deze soldaat, of iemand die later dan hij is gesneuveld.

Wanneer het werk is voltooid, verzegelen de begrafenisondernemers de zware deksel.

Ze weten allebei dat ze nooit tegen iemand, wie dan ook, zullen vertellen hoe de inhoud van deze kist eruitzag. Nooit.

❖

Evelyn kijkt niet op van haar bureau voordat de laatste man is vertrokken. Dan leunt ze achterover in haar stoel en rekt zich uit. Vijf uur.

Robin staat bij zijn bureau en gespt met zijn rug naar haar toe zijn tas dicht. 'Zal ik afsluiten?' vraagt hij zonder zich om te draaien.

'Graag. Ik moet nog iets afmaken.'

Ze pakt de sleutelbos uit haar tas en legt hem op haar bureau. Ook al blijft ze met haar neus in de paperassen zitten als hij naar haar toe loopt, ze ziet toch de fijne lichte haartjes op zijn vingerkootjes als hij zijn hand uitsteekt en de sleutels oppakt. Ze kijkt nog eens goed tussen de formulieren die voor haar liggen, maar ze vindt niet waarnaar ze op zoek is. Ze heeft het vast gisteren al opgeborgen.

'Nou, ik ga maar.' Hij staat naast haar.

'Wacht even.' Evelyn kijkt op. 'Robin, het spijt me echt heel erg dat ik je vanmiddag zo heb laten zitten.'

'Geeft niet.'

'Het geeft wel. Mijn lunch liep uit.'

'De lunch met je broer?'

'Ja.'

Wanneer hij naar haar truitje kijkt, dringt het tot haar door dat ze andere kleren heeft aangetrokken en ze voelt dat ze een rood hoofd krijgt. Het heeft geen zin om er nog een punt aan te draaien, dat werkt alleen maar averechts.

'Alsjeblieft,' zegt hij en hij houdt haar de sleutels voor. 'Voor jou.'

Ze legt de sleutels op het bureau. 'Wacht, Robin.' Om een of andere reden wil ze vanavond hier niet in haar eentje zitten, geen seconde. 'Kun je even op me wachten?'

'Wat je wilt.' Hij klinkt verbaasd.

'Ik ben zo klaar, echt waar.' Ze loopt naar de opgestapelde kastjes die tegen de muur staan en gaat ze langs tot ze bij de letter H komt. Nadat ze door een la heeft gerommeld, vindt ze waarnaar ze op zoek was: een blauw papiertje met de naam van Rowan Hinde erop. Ze schrijft zijn adres over in haar notitieboekje, *Grafton Street 11, St. Poplar*. Dan kijkt ze naar het rijzige silhouet van Robin die bij het raam staat. Hij heeft zijn handen in zijn zakken en staart naar buiten. Evelyn krijgt weer hetzelfde gevoel van paniek als daarnet. Doreen is vast de deur uit en er is verder niemand als ze straks thuiskomt. 'Klaar,' zegt ze.

Hij staat nog steeds uit het raam te kijken.

'Wat een hondenweer, hè.'

'Nou, zeg dat wel,' zegt hij.

'Ik heb geen zin om er nu al doorheen te gaan.' Ze lacht even. 'Ik denk dat ik maar een kop thee ga zetten.'

'Goed hoor.' Hij knikt. 'Tot morgen dan maar.' Hij maakt aanstalten om weg te gaan.

'Heb je zin om nog even te blijven?'

'Voor de thee?' vraagt hij.

'Ja.'

'Eh, nee, dank je. Ik ben niet zo van de troostprijzen.'

'O jee. Het was niet mijn bedoeling-' Ze staat iets te snel op en haar hoofd bonst. In plaats van het gevoel van dronkenschap heeft ze nu een dikke strakke band om haar schedel. 'Nu ik erover nadenk,' zegt ze, terwijl ze heel even steun zoekt bij haar bureau, 'wil ik helemaal geen thee. Ik ga een borrel drinken. Wat vind je daarvan?'

Hij wil iets zeggen, maar ze steekt haar hand op. 'Weet je wat? Laat maar zitten. Doe maar wat je wilt. Sorry dat ik het voorstelde.'

Ze trekt haar jas aan en pakt haar spullen. Maar Robin staat er nog steeds. Wanneer ze hem aankijkt, glimlacht hij op een manier die ze niet van hem kent. 'Nu ik erover nadenk,' zegt hij, 'snak ik naar een borrel.'

De pub is op de hoek, een paar deuren van het kantoor verwijderd. Het is een van die bruine arbeiderspubs waar vrijwel nooit vrouwen komen. Normaal gesproken zou ze daar nooit naartoe gaan, maar het regent pijpenstelen en ze heeft geen idee hoe ver Robin kan lopen zonder last van zijn been te krijgen.

Binnen is het tamelijk rustig, slechts een paar mannen die in hun eentje zitten te drinken, gebogen over hun pints. Ze zorgt ervoor dat ze als eerste bij de bar is. 'Mag ik een gin met jus en...' Ze draait zich om naar Robin.

'Een biertje graag.' Hij knikt even naar de barman.

'Gin met jus en een bier, alstublieft.'

Robin kijkt naar de regen die tegen de ramen slaat. 'Wat een viezigheid.'

Evelyn denkt aan zichzelf zoals ze halfnaakt en dronken voor het raam stond. 'Ja,' zegt ze en ze trommelt met haar vingers op de houten bar. 'Zeg dat wel.'

De barman zet hun drankjes neer en Robin tast in zijn broekzak.

'Nee!' zegt ze. Ze legt heel even haar hand op zijn arm. 'Ik bedoel, ik wil betalen. Ik heb nog iets goed te maken van vanmiddag.'

Robins wenkbrauwen schieten omhoog en hij steekt zijn handen op alsof hij zich overgeeft,

'Pittig ding,' zegt de barman tegen Robin, die lacht. Evelyn haalt haar portemonnee tevoorschijn en betaalt met een ijzige blik. Ze pakken hun drankjes op en draaien zich om. Welk tafeltje? In de hoek is een beetje te intiem, bij de deur is het te tochtig. Ze loopt naar een onbezet tafeltje in een rij, en gaat zitten op de stoel die het dichtst bij de muur staat. Als Robin tegenover haar heeft plaatsgenomen, ziet ze dat zijn been een beetje naar buiten steekt.

Ik ga 's avonds vaak dansen.

Hoe krijgt hij dat in vredesnaam voor elkaar met dat been?

'Zo,' zegt ze.

'Zo.' Hij kijkt haar aan. Er is iets met zijn blik. Die heeft iets uitdagends, net als toen hij haar aankeek op kantoor.

'Was het heel erg?' Ze neemt een slokje van haar gin.

'Wat bedoel je?' Hij kijkt verbaasd.

'Vanmiddag.'

'O, nee hoor, het ging prima. Alhoewel, ik kan natuurlijk beter zeggen dat het helemaal niet ging.' Hij glimlacht en heft zijn glas. 'Interessant. Ik heb nog nooit meegemaakt dat een vrouw me iets te drinken aanbood.'

'Het smaakt vast hetzelfde.' Ze steekt een sigaret op.

Met een zwierig gebaar houdt hij zijn biertje tegen het licht, en dan neemt hij een slok. 'Klopt,' zegt hij. 'Niks mis mee.'

Ondanks alles moet ze glimlachen. Ze voelt de gin aanslaan en de band om haar hoofd zit niet meer zo strak.

'Mag ik er ook een?' vraagt hij en hij wijst naar haar sigaretten.

'Ik dacht dat je niet rookte.'

'Af en toe, alleen als ik drink. Vroeger rookte ik als een schoorsteen, net als jullie allemaal, maar ik heb wat gif binnengekregen. Gas in de longen.'

Ze schuift het pakje naar hem toe.

Hij steekt een sigaret op, neemt voorzichtig een trekje, en legt hem dan in de asbak. De blauwe rook kringelt tussen hen omhoog.

'Zo,' zegt ze na een korte stilte. 'Hoe bevalt je baan?'

'Hoe mijn baan bevalt?' Hij leunt achterover. 'Nou ja. Wat moet ik erover zeggen?' Hij draait zijn glas om in zijn hand. 'Op sommige punten moeilijker dan ik dacht en andere dingen vallen juist weer mee. Ik ben vooral blij dat ik werk heb gevonden. Dat is nog niet zo eenvoudig met – dit.' Hij gebaart naar zijn been.

Evelyn werpt er even een blik op en vraagt zich af hoe het eruit zal zien. Plastic in plaats van huid. En hoe het geweest moet zijn om daar aan te wennen.

'En het is ook stukken beter dan met tijdschriften langs de deuren gaan of lucifers op straat verkopen.' Hij buigt zich voorover. 'Een paar dagen geleden zag ik een man met een draaiorgeltje, op de zijkant had hij foto's van zijn kinderen geplakt.'

'Hoeveel had hij er?'

'Negen.'

Ze fluit zachtjes.

'Er stond ook bij waar hij had gevochten.'

'Waar dan?'

'Onder andere bij de Somme. Zo lang de oorlog heeft geduurd, voor zover ik begreep.'

'Jezus.' Ze pakt een bierviltje en scheurt het doormidden. 'Ik kan daar zo razend om worden. Het is net alsof we met z'n allen om een groot gat heen lopen. Een van die afschuwelijke bomkraters in het centrum van de stad, maar wel met ik weet niet hoeveel mannen erin, en niemand die naar ze kijkt. Mensen lopen gewoon fluitend langs en doen net alsof ze niets zien.'

'Ik weet niet zo zeker of ze niets zien,' zegt hij zacht.

'Goed.' Ze kijkt hem aan. 'Misschien is dat niet zo. Maar ik vind het echt onverdraaglijk dat zij veroordeeld zijn tot bedelen op straat. Vooral de ouderen raken me enorm. Ze staan daar maar geduldig in hun beste pak en een hoed op en ze hebben ondanks alles toch zo'n waardigheid... en wij...' Ze onderbreekt zichzelf en schudt haar hoofd.

'Waarom werk je dan voor hen?'

'Pardon?'

Weer die uitdagende blik in zijn ogen. 'Voor de mensen door wie ze daar terecht zijn gekomen. Als het niet aan de uitkeringen ligt aan wie dan wel? Ik weet zeker dat als er een betere verdeling zou zijn-'

'Je verwart de boodschapper met de boodschap.'

'Best mogelijk. Maar je zou nog altijd iets anders kunnen gaan doen.'

'Wie weet.' Ze leunt achterover en steekt haar handen op. 'Heb je een voorstel?'

Hij schokschoudert. 'Er zijn genoeg kantoorbaantjes.'

'Je weet net zo goed als ik dat dat niet waar is. Zeker niet voor vrouwen. En zeker niet nu.'

Hebben ze ruzie? Ze weet het niet zeker, maar het voelt wel zo. Ze is geïrriteerd.

'Hoe lang zit je daar nou al?' Zijn stem klinkt milder, verzoenend.

'Twee jaar.'

'En wat heb je daarvoor gedaan?'

'Voor ik op kantoor zat of voor de oorlog?'

'Allebei. Begin maar bij het begin, als je wilt.'

Ze lacht even. 'Dan zitten we hier de hele avond.'

'Nou ja.' Hij kijkt naar haar lege glas en het zijne dat halfvol is. 'We kunnen er best nog eentje nemen.'

'Ja.' Ze glimlacht. 'Reken maar.'

Hij drinkt zijn glas leeg, staat op en loopt naar de bar, Zijn sigaret ligt nog steeds zachtjes te smeulen in de asbak. Ze pakt hem op, neemt een laatste trekje en maakt hem dan uit. Robin komt al weer terug met hun drankjes. Als hij zo aan komt lopen kun je bijna niet zien dat hij een kunstbeen heeft, zo natuurlijk beweegt hij zich.

'Hoe lang heb je dat been al?' flapt ze eruit als hij de glazen op tafel zet. Ze heeft onmiddellijk spijt van haar vraag, maar hij geeft geen krimp.

'Drie jaar.' Hij gaat weer zitten. 'Maar het heeft wel een poosje geduurd voordat ik er een had dat paste. Hé, wacht even-' Hij steekt zijn vinger op. 'We waren nog niet klaar met jou. Je ging me vertellen wat je hiervoor hebt gedaan.'

'Munitie.'

Hij trekt verbaasd zijn wenkbrauwen op. 'En hoe was dat? Zwaar?'

'Nogal.' Ze vraagt zich af of hij nu iets over haar vinger zal zeggen.

'En daarvoor?'

'Ik... eh.' Ze knijpt met haar wijsvinger en duim van haar goede hand het sinaasappelpartje uit. Wanneer ze het loslaat dobbert het tegen de ijsblokjes aan. *Daarvoor werd ik verliefd.*

'Toen ben ik naar Londen verhuisd. Ik deelde een flat met iemand en deed van alles en nog wat. Ik dacht dat ik nog zeeën van tijd had om te beslissen wat ik wilde gaan doen. Maar toen brak de oorlog uit, en...' Ze slaat haar ogen op. Hij zit zo geconcentreerd naar haar te kijken dat ze haar blik afwendt. 'En toen de oorlog was afgelopen, zat ik hier.' Ze pakt de helft van haar bierviltje op en scheurt het doormidden. 'Zo,' zegt ze. 'En nu ben jij aan de beurt. Je bent uitgekookt genoeg geweest om mij aan het praten te krijgen.'

'Ik heb niet het idee dat je me erg veel hebt verteld.' Hij glimlacht. 'Maar goed. Mag ik misschien nog een keer zogenaamd een sigaret van je roken?'

Ze schuift het pakje naar hem toe.

Hij steekt er een op, maar nu legt hij de sigaret niet in de asbak. 'Ik zat op de universiteit toen de oorlog uitbrak. Ik ben pas laat gaan studeren, want om de een of andere reden leek het me beter om eerst te gaan reizen.'

'Waar ben je zoal geweest?'

'In India, Nepal, de Levant.'

'En beviel dat?'

'Ben jij wel eens in een van die landen geweest?'

Ze schudt haar hoofd.

'Zou je eens moeten doen.'

Verrast kijkt ze naar hem op. *O ja?*

'Ik had helemaal niet zo veel geld, maar ik leefde heel zuinig en bovendien was er niet veel om geld aan uit te geven omdat ik weinig met mensen in aanraking kwam. Het was echt geweldig.'

'Wat heb je allemaal gedaan dan?'

'Heel veel gelopen. En in Noord-India en Nepal ook bergen beklommen. Het leek me altijd wel wat om een baan te nemen bij de koloniale regering, maar toen ik daar eenmaal was...' Hij glimlacht. 'Goed, het was duidelijk dat dat niets voor mij was. Ik wilde iets constructiefs doen. Dus heb ik me bij Cambridge gemeld en ben klassieke talen gaan studeren.' Hij lacht even. 'God mag weten waarom.'

'En was het constructief?'

Hij schudt zijn hoofd. 'Ik was inmiddels al ouder dan de andere studenten. Het scheelde maar een jaar of drie, maar ik voelde me stokoud. Ik wilde alleen maar weer de wereld in. Dus heb ik zodra de oorlog uitbrak alles op alles gezet om een aanstelling in het leger te krijgen. Ik wilde naar Jeruzalem omdat ik dacht dat er een gerede kans bestond dat zich daar een derde front zou ontwikkelen. Ik heb er echt mijn uiterste best voor gedaan om daar terecht te komen.' Hij trekt een grimas. 'Klinkt dat niet ontzettend cynisch?'

Ze schudt haar hoofd. 'En ben je daarnaartoe gegaan?'

'Nee. Er werd aan allerlei touwtjes getrokken, maar voor mij wel aan de verkeerde, ik werd naar het Westelijk Front gestuurd.'

'Wat een pech.'

'Misschien.'

'Waar was je gelegerd?'

'Eerst in Ieper. Daar kreeg ik het gas binnen. Een paar maanden daarna hebben ze me naar huis gestuurd. Mijn been verloor ik in 1916.'

'En... hoe dan?' Ze weet niet goed hoe ze het moet vragen.

Hij kijkt naar de sigaret in zijn hand, alsof hij verbaasd is dat die daar nog is en neemt een kort, licht trekje. 'Ik herinner me niets meer van de granaatinslag. Toen ik wakker werd in het ziekenhuis en ze me vertelden dat ik mijn been kwijt was, geloofde ik het in eerste instantie niet. Ik kon het nog steeds voelen. Af en toe voel ik het nog steeds. Heel gek... En toen,' er verschijnt een rimpel in zijn voorhoofd, 'kon ik aan niets anders meer denken dan aan die stakkers die met hun krukken en geldblikje op straathoeken staan. De gedachte dat ik nooit meer zou kunnen bergbeklimmen. Misschien nooit meer zou kunnen lopen. Ik wilde gewoon dood.'

Hij zegt het terloops. Hierdoor vindt ze hem alleen nog maar aantrekkelijker.

'Maar dat ging over en langzamerhand voelde ik me… Ik ben er niet trots op, maar ik voelde me opgelucht.'

'Ja.' Ze buigt zich naar hem over.

'En daarna, toen die opluchting een beetje was gezakt, kreeg ik last van-'

'Schuldgevoel.'

Hij kijkt haar aan.

'Sorry dat ik je woorden in de mond leg,' zegt ze blozend en ze gaat weer rechtop zitten.

'Geeft niet.' Hij schudt zijn hoofd. 'Je hebt gelijk.'

Maar het is net alsof een of ander teer vlies is doorgeprikt, waardoor opeens allerlei geluiden tot haar doordringen. Inmiddels is het druk in de pub, het staat er blauw van de rook en aan de omringende tafeltjes zitten mannen luidruchtig te praten.

'Ik moet ervandoor,' zegt Robin en hij neemt nog een laatste slok uit zijn glas.

In een flits ziet ze hem in zijn huis. Woont hij alleen? Hoe ziet zijn huis eruit? Ze wil niet dat hij weggaat. 'Waar woon je?' vraagt ze.

'In Hampstead,' antwoordt hij een tikkeltje verbaasd. 'Het goedkope deel, niet in de buurt van de Heath.'

Ze knikt en ze weet niets meer te zeggen.

Ze trekken allebei hun jas aan. Hij laat haar voorgaan en ze lopen naar de deur. Buiten is het nu echt donker. In de lucht hangt de geur van bladeren en open haarden.

'Zo.' Hij glimlacht en zet zijn hoed op. 'Bedankt voor het biertje.'

'Graag gedaan.' Terwijl ze haar jas tot haar kin dichtknoopt, wordt ze weer overvallen door dezelfde gierende paniek als op kantoor. Is het de angst om alleen te zijn? Hoe komt ze aan die angst? Het is de schuld van haar broer, denkt ze, door de dingen die hij die middag heeft gezegd. 'Robin?'

'Ja?' Hij kijkt haar aan.

'Die Dixie-band waar je het over had. Dat was toch donderdag? Ben je nog steeds van plan om te gaan?' Ze staat ervan versteld dat ze dit allemaal zegt. Ze kan bijna niet geloven dat dit uit haar mond komt. 'Of heb je al iemand die met je meegaat?'

'Ja, ik ga ernaartoe.' Hij kijkt blij verrast. 'En nee, ik heb niemand die met me meegaat.'

'Nou, zou je… Mag ik dan misschien toch met je mee?'

❖

Ada loopt in het park tussen de platanen door en dan langs het cricketveld. De grasmat is afgezet voor de winter en wanneer ze bij de brokkelige muur in het noordelijk deel komt, draait ze zich om en loopt weer terug. Haar gedachten dreunen mee met haar voetstappen.

Ivy is een egoïst. Met haar papiertjes en plattegronden van begraafplaatsen. Dat zijn dingen voor mensen met geld. Ivy is rijk. Het kost ettelijke ponden om naar Frankrijk te gaan, maar als *zíj* wist dat haar zoon daar ergens begraven lag, zou ze echt niet over geld zeuren. Ze zou net zo lang sparen tot ze ernaartoe toe kon gaan en er alles voor overhebben om naast dat stukje gras te kunnen zitten en haar handen erop te leggen.

Het is het gemis van een lichaam.

Als ze dat nou maar zou hebben.

Haar vader stierf toen Ada acht was. Ze weet nog dat ze in de deuropening stond van de kamer beneden waar ze hem naartoe hadden gebracht. Hij was een forse man, maar toen ze hem zo op zijn rug op de tafel zag liggen, leek hij heel klein, alsof de dood niet alleen zijn leven had meegenomen. Haar moeder liet Ada een teiltje met gekookt water en een washandje naar de kamer brengen. 'Ga nu maar,' zei ze zacht, terwijl ze even over Ada's hoofd streek en toen de deur dichtdeed. Maar Ada bleef staan en hield haar oor tegen de deur. Ze hoorde het washandje dat in het water werd gedoopt en haar moeder die zachtjes snikte. Toen haar moeder weer naar buiten kwam, had haar gezicht iets sereens en kalms, alsof dat ook was gewassen. Zelfs op die leeftijd kon Ada begrijpen dat dit ritueel zin had.

Heel anders dan deze... afwezigheid. Geen lichaam en geen graf.

Een windvlaag dreigt haar hoedje een zwiep te geven, en ze drukt het stevig op haar hoofd terwijl om haar heen vochtige bladeren opwervelen en dansen. Hier en daar ziet ze gestalten in de schemering: mensen die hun hond uitlaten of uit hun werk komen. Misschien loopt Jack daar wel tussen. Ze draait zich om en loopt naar de overkant van het grasveld waar niemand is, alleen de bomen.

Als ze Michaels lichaam thuis had gehad, zou ze het ook gewassen hebben. Hoe gewond en verminkt hij ook was geweest, ze had hem zorgvuldig gewassen, net als toen hij een baby of nog een klein jongetje was. En als dat niet mogelijk zou zijn, als dit laatste ritueel haar niet was vergund, en met haar al die moeders, vrouwen, zusters en geliefden – dan zou ze toch in ieder geval willen weten in welke grond hij rustte.

De wind blaast haar haren in haar gezicht.

Waarom hebben Ivy's dochters geen ticket naar Frankrijk voor haar gekocht, in plaats van dat stomme, niet passende gebit? Waarom gaan ze donderdag niet met haar mee naar de begrafenis als ze dat zo graag wil? Wat zijn het toch domme, zelfgenoegzame meisjes.

Ze weet best dat ze onredelijk is en dat ze het moet laten rusten. En dat Ivy gelijk heeft. Dat Jack gelijk heeft, dat ze niet steeds de wond moet openrijten. Maar haar zoon staat dit niet toe. Het is alsof hij aan haar mouw trekt, net als toen hij nog een klein ventje was.

Ze blijft staan, een eenzame gestalte op dit grasveld met bomen die paars afsteken tegen de hemel. In de huizen langs het park gaan de eerste lichtjes aan, schaduwen bewegen voor de ramen, vrouwen die bezig zijn in de keuken en het avondeten bereiden voor hun gezin – voor hun kinderen, voor hun man. Het is heel vreemd om vanaf hier te kijken naar het ritme van de dagelijkse beslommeringen. Plotseling is alles zo duidelijk. Er is een overeenkomst verbroken. Er is iets verstoord. Hoe bestaat het dat al die mensen hebben besloten om gewoon door te gaan?

Eigenlijk zou ze zelf ook naar huis moeten gaan. Iets te eten maken, want anders komt er voor de tweede achtereenvolgende avond niets op tafel. Maar ze kan wel gillen bij het idee dat Jack en zij straks zwijgend tegenover elkaar aan de keukentafel zitten. Waarom doen ze er allebei niets aan? Al stond een van hen maar op om gewoon in het wilde weg te schreeuwen: 'Hou op! Ik stop ermee!'

Om het onzegbare te uiten, zich te ontladen, de hele boel op te blazen.

Maar wat gebeurt er dan daarna? Wat moet ze dan? Waar moet ze naartoe? Ze kan geen kant op.

In het donker zoekt Ada haar weg en slaat linksaf. Elke stap kost haar moeite. Eenmaal in de keuken veegt ze met haar mouw het zweet van haar voorhoofd. Ze pakt een stuk of wat aardappelen uit de voorraadkast en boent ze schoon.

Er wordt op de voordeur geklopt. Ze doet niet open. Maar dan wordt er weer geklopt, harder. Nu kan ze het niet langer negeren en ze loopt naar de gang.

Het is Ivy, ze staat helemaal verwaaid op de stoep. 'Mag ik binnenkomen?'

'Hoezo?'

'Het spijt me heel erg, Ada.'

'Laat maar. Je had niet hoeven komen om me dat te vertellen.' Ze wil de deur dichtdoen.

Ivy steekt haar hand uit om de deur tegen te houden. 'Ze woonde in Walthamstow. Een heel gewoon huis. Gewone straat. Mag ik binnenkomen, Ada? Alsjeblieft?'

Ze gaan naar de keuken. Ada slaat haar armen over elkaar.

'Vertel maar. Wat heeft ze gedaan en hoe deed ze het?'

'Dat weet ik niet precies meer.' Ivy is duidelijk nerveus. 'Ze vroeg me alleen om iets mee te nemen – een foto van Joe, en ook iets waar hij aan gehecht was. Ik wist niet wat ik moest pakken. Ik piekerde me suf en uiteindelijk herinnerde ik me een oud lapje dat hij jarenlang overal mee naartoe sleepte toen hij nog klein was.'

'Dat lapje herinner ik me nog.'

'Echt waar?' Ivy's gezicht ontspant. 'Als ik het wel eens in de was deed, moest hij vreselijk huilen. Ik durfde het echt niet van hem af te pakken. Maar goed, ik had dat lapje al die jaren bewaard, in de bijbel.' Ze lacht schamper. 'Daar las ik toch nooit in, dus wat gaf het. Ik voelde me echt een beetje mal toen ik bij haar in de kamer zat en dat ding uit mijn tas haalde.'

'En wat deed ze ermee?'

'Ze hield het alleen een poosje vast en toen begon ze allemaal dingen te zeggen.'

'Wat voor dingen?'

Maar het is net alsof alle energie die Ivy bij elkaar heeft geschraapt voor dit bezoek in één klap uit haar wegvloeit. 'O, jeetje, Ada. Dat weet ik niet. Dat kan ik me echt niet meer herinneren. Hier.' Ze loopt naar Ada toe en geeft haar een papiertje.

Ada pakt het aan. Er staat een adres op geschreven in een klein, zorgvuldig handschrift.

Bij de deur draait Ivy zich om. 'Ik wil nog één ding zeggen,' zegt ze. 'Nadat ik daar was geweest, kreeg ik de week erop een brief waarin stond dat ze Joe's lichaam hadden gevonden en waar hij toen was.'

Ada's hart gaat wild tekeer.

'Ze hadden hem geïdentificeerd aan het plaatje om zijn hals.'

Ada knikt. 'Dank je.'

'Kom hier.' Ivy beent op Ada af en drukt haar in een onhandige omhelzing tegen zich aan. Ada ruikt de natte wollen stof van haar jas en de zachte, schone huid van haar vriendin. Ivy doet een stapje terug en pakt haar handen vast. 'Ga donderdag met me mee. Dat zal je goed doen. Ons allemaal. Misschien kunnen we dan een paar dingen laten rusten.'

'Het spijt me, Ivy.' Ze trekt haar handen terug. 'Ik... ik kan het niet.'

'Geeft niet.' Ivy knikt. 'Je past toch wel goed op jezelf?'

'Ja hoor.' Ada voelt het papiertje in haar hand. 'Dat zal ik doen.'

❖

Ondanks de baret op haar hoofd voelt Hettie zich anders, alsof haar hele lijf tintelt. Het komt door de jurk, ook al heeft ze haar jas eroverheen. Het geeft haar op de een of andere manier zowel meer zelfvertrouwen als een onveilig gevoel. Ze kan nog steeds niet geloven dat ze hier is, en als die rare blauwe lamp en de bronzen plaquette naast de deur er niet waren, zou ze zo kunnen denken dat ze in een heel andere straat was.

Ze hoopt dat ze het juiste moment heeft uitgekozen.

Na het bezoek aan de kapper is ze niet naar huis gegaan, maar linea recta naar Di. Die begon meteen enthousiast te gillen, deed de gordijnen open en zei dat ze in de rondte moest draaien zodat ze haar van alle kanten kon bewonderen. Di vond haar kapsel heel machtig. Ze hielp Hettie met het omzwachtelen van haar borsten zodat die nu zo plat als een plank zijn. Omdat haar vriendin naar haar werk moest, bleef Hettie in haar eentje in Di's flat wachten. Ze had schandalig veel van Di's sigaretten opgerookt terwijl ze voortdurend met haar hand over de korte haren in haar nek streek. Om de vijf minuten stond ze op om zichzelf in de spiegel te bewonderen en haar jurk te fatsoeneren. Om negen uur trok ze haar oude jas aan, zette ze haar oude baret op en ging op weg naar de metro.

Maar toen ze op Leicester Square uitstapte was het kwart voor tien. Veel en veel te vroeg, want Di en zij hadden afgesproken dat ze juist een beetje te laat moest komen.

Je wilt toch niet in je eentje in die club zitten wachten? Je weet wat mensen dan van je zullen denken.

Daarom is ze vanaf de metro nog een eindje gaan lopen. Ze voelde zich een beetje opgelaten tussen al die babbelende mensen die uit het theater kwamen en zich over de trottoirs verspreidden. Uiteindelijk is ze maar een theesalon binnengelopen en heeft ze een kop thee besteld. Een kelner met treurige ogen poetste vingerafdrukken weg op de glazen vitrines en zette taartbordjes in de gootsteen. Om tien voor half elf sprak hij haar aan: 'Sorry, meisje,' zei hij terwijl hij zijn schort met een vermoeid gebaar opvouwde. 'Ik moet nu echt naar huis.'

Toen ze haar lege kopje en schotel naar hem toe bracht, zag ze zichzelf weerspiegeld in de glazen toonbank. Ze leek wel een spook.

'Gaat het een beetje? Je ziet zo bleek.'

Ze slikte. 'Ja, hoor ik voel me prima.'

Maar ze voelde zich absoluut niet prima toen ze de lichtjes van Charing Cross Road achter zich liet en alleen door deze straat liep. Hoewel het vroeger was dan de vorige keer, was het hier helemaal uitgestorven. De griezelige blauwe lamp boven de deur was het enige teken van leven.

En nu staat ze hier.

Ze haalt even diep adem en klopt aan. Het luikje gaat open en ze ziet een lange rij lampjes. 'Ja?' zegt iemand.

Ze schraapt haar keel en probeert haar stem in bedwang te houden. 'Ik heb met Ed afgesproken.'

Een korte stilte en dan: 'Welke Ed?'

O god. Hier had ze niet op gerekend. Wat stom van haar.

Niettemin gaat de deur open en wanneer ze naar binnen stapt, staat daar een andere portier dan de vorige keer. Hij is ouder, achterdochtig en heeft een mager ratachtig gezicht. 'Hoe oud ben je?' Hij laat zijn blik over haar dwalen.

'Eh... tweeëntwintig.'

De man snuift. 'Als jij tweeëntwintig bent, dan ben ik veertig.'

Vol verlangen denkt Hettie aan Graham, die vanuit zijn hokje naar haar grijnst. Ze zou er heel veel voor over hebben om hem nu te zien, ze zou zelfs met liefde een van zijn vleespastilles opeten.

'Je mag alleen naar binnen in gezelschap van een lid. Er komen hier genoeg meisjes die...' Hij buigt zich naar haar over, 'die hier hun geluk willen beproeven.'

Ze trekt haar ceintuur wat strakker omdat ze weet wat hij denkt. Ze dacht nog zo dat zich hiertegen had gewapend, maar het ziet ernaar uit dat ze het toch verkeerd heeft aangepakt. De avond is voorbij voordat hij zelfs maar is begonnen.

Dan krijgt ze een idee. 'Mag ik even in het boek kijken?' vraagt ze.

De man verwacht er duidelijk niet veel van, maar hij legt het toch voor haar neer.

Ze voelt dat hij haar in de gaten houdt terwijl ze met haar vinger langs de handtekeningen gaat. Geen Ed of Edward, of een andere naam die erop lijkt. Het zweet staat in haar handen. Was dat wel zijn echte naam? Ze kijkt de portier weer aan. 'Neem me niet kwalijk. Maar weet u misschien hoe laat het is?'

Hij kijkt op zijn horloge. 'Het is half elf.' Hij draait het boek naar zich toe. 'Sorry, mop, zo te zien heb je geen geluk.'

Achter haar gaat de deur open, met kloppend hart draait ze zich om. Het is slechts een paartje, de vrouw is in bont gehuld en haar mond vormt een brede rode streep. De man buigt zich voorover om hen in te schrijven en dan lopen ze met klikkende hakken de trap af.

'Ben je er nou nog?' De portier schudt zijn hoofd. 'Luister, mop, doe jezelf een plezier en ga naar huis.'

Met gebalde vuisten doet ze een stap naar voren. 'Zou het kunnen dat hij hier al eerder op de dag is geweest?' Ze heeft geen idee hoe ze het voor elkaar krijgt om zoiets brutaals te vragen.

De man strijkt zijn snor recht. 'Nou, je weet in ieder geval van volhouden. Dat moet ik je nageven. Wat is er dan zo bijzonder aan die Ed?'

Ze geeft geen antwoord, maar blijkbaar ziet hij iets aan haar gezicht, want hij wordt opeens een stuk toeschietelijker.

'Goed dan,' zegt hij met een zucht. 'Laten we eens kijken.' Hij likt aan zijn vinger en slaat de pagina's van het boek om. 'Kijk hier maar. Dit is van vanmiddag. Maar tegen niemand zeggen dat je dit van mij mocht doen, want anders vlieg ik eruit.'

Ze buigt zich voorover en bekijkt de lijst met namen. Halverwege de pagina ziet ze het: *Edward Montfort. Tijd van aankomst: twee uur* – en daaronder, bij de kolom met *Tijd van vertrek* staat niets. 'Dat moet hem zijn.' Met bonzend hart schuift ze het boek weer terug naar de portier.

De man tuurt naar de handtekening. 'Zo te zien is hij hier al de hele dag.' Hij gaat rechtop staan en zegt bezorgd: 'Denk je dat het verstandig is om naar hem toe te gaan?'

Na alles wat ze heeft ondernomen, kan ze nu niet naar huis gaan.

'Ga maar,' zegt hij en hij gebaart met zijn hoofd. 'Stuur hem maar naar boven om me te vertellen dat alles goed met je is. Als hij tenminste nog op zijn benen kan staan.'

Op de trap hangt dezelfde bedompte lucht die ze zich van de vorige keer herinnert, maar wat zaterdag in gezelschap van Di nog zo opwindend was, is nu bedreigend, ranzig. Hoe bestaat het dat ze net nog zo zeker van haar zaak was? Ze zou nu thuis kunnen zijn, lekker luieren op haar enige vrije avond deze week, in plaats van hier de trap af te lopen naar een...

Mafketel

Limehouse

Handelaar in blanke slavinnen
Jij
dom
dom
meisje.

Ze hoort geen gejuich als ze de deur opendoet en er komt haar geen hitte of lawaai tegemoet. De club is half leeg. Op het podium speelt een andere band. Geen negerzanger deze keer, maar een schriele blanke man met een gekunsteld vibrato en een paar vage stelletjes die de tijd doden op de dansvloer. Ed is nergens te bekennen en plotseling slaat Hettie de angst om het hart als ze beseft dat ze zich niet eens zijn gezicht kan herinneren. Met haar handen in haar zakken blijft ze bij de deur staan. Net op het moment dat ze zich wil omdraaien om weg te gaan, komt er beweging in een groepje mensen dat bij de bar staat. En dan ziet ze hem in zijn eentje aan een tafeltje in de hoek zitten, niet ver van de band, een beetje onderuitgezakt met zijn hand om zijn glas, alsof hij zich daaraan vastklampt.

Ze loopt naar hem toe, maar halverwege aarzelt ze en blijft midden op de dansvloer staan.

Hij ziet er zo treurig uit.

En dan kijkt hij op. Zodra hij haar ziet verandert de uitdrukking op zijn gezicht en hij steekt zijn handen in de lucht. 'Mijn anarchistje!' Hij schiet overeind en komt achter zijn tafeltje vandaan. 'Je bent er!'

Hij heeft geen avondkleding aan. Zijn overhemd is gekreukt en hij ziet er moe uit. Maar verder is hij het helemaal. En nu hij voor haar staat, weet ze niet wat ze moet zeggen.

'Ben je hier gekomen om de boel op stelten te zetten?' zegt hij met een flauwe glimlach.

'Ik...' Ze schudt haar hoofd. Ze heeft een droge mond. 'Nee, dat ben ik niet van plan.'

'Jammer.' Hij recht zijn schouders en drinkt zijn glas leeg. 'Een beetje commotie zou wel leuk zijn. Het is hier vanavond een dooie boel.'

Ze volgt zijn blik. Hij heeft gelijk. Zelfs de bandleden kijken verveeld.

Hij leunt op de tafel. 'Zullen we een luchtje gaan scheppen? Ik ben hier echt al uren,' zegt hij hoofdschuddend. 'Ik heb de hele tijd op je zitten wachten.'

'Maar je zei in je berichtje dat ik om tien uur moest komen.'

'Heb ik dat gezegd?' Hij pakt zijn jas en trekt die een beetje afwezig aan. 'Nou... dan heb ik me vergist.'

Ze kan wel door de grond zakken.

Heeft hij zich vergist in de tijd?

Of is het een vergissing dat hij me gevraagd heeft hier te komen?

Ze lopen de trap op, hij vlak achter haar terwijl hij steunt zoekt bij de leuning. Hettie ontwijkt de blik van de portier, maar op weg naar de uitgang salueert Ed naar de man en zegt sergeant tegen hem. Opeens staan ze met z'n tweeën buiten in de donkere straat. Het is doodstil, dan het geluid van een lucifer die wordt afgestreken. Zijn ijle stem die onvast zingt: '*While you've a Lucifer...*' en zijn vertrokken gezicht, van onderaf belicht. 'Wil je er ook een?' vraagt hij met de sigaret tussen zijn tanden geklemd.

'Nee, dank je.'

Hij is dronken. Nogal wiedes, hij heeft immers de hele middag in de club gezeten.

Haar hart slaat een slag over. Ze moet hier weg.

Hij wappert het vuurtje uit en het is zo stil dat ze de lucifer op de grond hoort vallen. 'Mooie avond,' zegt hij, terwijl het puntje van zijn sigaret rood opgloeit.

Hettie kijkt naar de hemel. Het is inderdaad een mooie avond, dat was haar eigenlijk nog niet opgevallen. Het ruikt lekker fris, naar pas gevallen regen. De maan wordt omringd door wolkenflarden.

'Zin in een wandelingetje? Ik wel. Ik heb daar úrenlang op je zitten wachten.'

Ze is niet gekleed op een wandeling. Straks krijgt ze het koud en dan wordt het effect van haar jurk en haar nieuwe kapsel helemaal tenietgedaan.

'Ik heb een pesthekel aan die afgrijselijke club.'

'Goh,' zegt ze. Want wat moet ze anders zeggen? Bovendien kan ze zich maar beter op de vlakte houden.

Ze lopen de donkere straat uit en gaan terug naar Charing Cross Road, waar het nog steeds een levendige boel is met de lichtjes van de restaurants en de theaters. Ed loopt snel, alsof hij haast heeft, en ze moet grote stappen nemen om hem bij te kunnen houden. Maar wanneer ze bij de ingang van de metro komen blijft hij abrupt staan. 'Moet je horen,' zegt hij. 'Ik heb hier echt geen zin in. Jij wel?'

Het is alsof hij haar een klap in haar gezicht heeft gegeven. 'Hoezo?' ze schudt haar hoofd. 'Ik weet niet wat je bedoelt.'

'Al dat voorwerk. Die flauwekul waar je doorheen moet. Ik bedoel... Kan jij dat wel?'

'Ik snap het niet.'

Hij doet een stap naar haar toe. 'Die dingen die tussen ons in staan. Vind je ook niet dat we eindelijk eens een keer de waarheid moeten zeggen? Alleen zeggen wat we echt menen.'

Ze geeft geen antwoord, en haar hart gaat tekeer.

'Sorry.' Hij gooit zijn sigaret weg. 'Het was een beetje een rare dag.' Hij strijkt met zijn handen door zijn haar en steekt dan meteen nog een sigaret op. 'Mag ik je iets vragen?' zegt hij. 'Zullen we afspreken dat we vanavond alleen maar eerlijk tegen elkaar zijn. Ja? Alsjeblieft?'

'Goed.'

'Fijn.' Hij knikt. 'Ik begin. Daarna ben jij aan de beurt.'

Hettie heeft het gevoel dat ze in een draaimolen op de kermis zit. Van tevoren verheug je je erop, maar als hij eenmaal begint te draaien, krijg je zo'n raar gevoel in je buik en vraag je je af waarom je er zo graag in wilde.

'Je doet me denken aan iemand die ik ooit heb ontmoet,' zegt hij. 'En vanaf het moment dat ik je die avond in de club zag, wilde ik je kussen.'

Hettie zit in de draaimolen.

'Mag ik je nu kussen?' vraagt hij. 'Alsjeblieft? Ik kan me namelijk geen beter moment voorstellen.'

Hij doet nog een stap naar haar toe en ze sluit haar ogen als zijn lippen de hare raken. Hij smaakt naar whisky en het is een heerlijke, tedere kus.

'Dank je,' zegt hij zacht als hij zich van haar losmaakt.

Wanneer ze haar ogen opendoet, ziet ze dat hij naar haar staat te kijken, maar de uitdrukking op zijn gezicht is zachter, alsof er een last van hem is afgevallen. 'Nu moet jij wat zeggen,' zegt hij. 'Iets wat waar is. Ik wil alleen dingen horen die je meent.'

Ze weet niet of ze wel iets over haar lippen kan krijgen, nu die net door deze man zijn gekust. Het liefst wil ze nog een keer gekust worden. Ze probeert na te denken, maar haar gedachten vliegen alle kanten op. 'Ik... ik weet het niet,' zegt ze.

'Dat bedoel ik dus,' zegt hij.

'Wat?'

'Datgene wat je net niet van jezelf mocht zeggen. Zeg dat tegen me.'

Hettie moet even slikken. 'Goed dan... Ik wilde zeggen dat ik het leuk vond wat je de vorige keer in de club zei. Dat je dingen wilde opblazen.'

'O jee. Je denkt vast dat ik kierewiet ben.'

Ze denkt aan Fred die wegkwijnt in de stoel van hun vader, de afschuwelijke geluiden die hij 's nachts voortbrengt. Ze denkt aan haar moeder, die zich woedend en eenzaam steeds meer in zichzelf terugtrekt. Ze schudt haar hoofd. 'Ik wil ook dingen opblazen.'

Hij gooit zijn hoofd in zijn nek en lacht. 'Bedankt.' Hij klapt in zijn handen en kijkt om zich heen. 'Het is behoorlijk kil, vind je niet?'

Ze had het niet gemerkt, maar het is wel zo. Er zijn nu ook minder mensen op straat. Iedereen is naar huis.

'Ik heb zin in een borrel. Jij ook? Ik weet iets, het is hier niet zo gek ver vandaan.' Plotseling grijnst hij schaapachtig. 'Nou ja, het is eigenlijk mijn flat, als we toch eerlijk zijn. En dat zijn we. Heb je zin om iets bij mij thuis te komen drinken?'

Als ze aarzelt steekt hij zijn handen op. Het is hetzelfde eigenaardige gebaar dat hij zaterdagavond in de club maakte. Alsof hij laat zien dat hij ongewapend is.

'Ik zweer het je,' zegt hij. 'Ik ben een door en door fatsoenlijk iemand.'

Een enorme vloer, donkere panelen langs de wand, de geur van boenwas en oud, kostbaar hout.

Hij is dus inderdaad rijk.

Hettie staat aan de rand van de parketvloer alsof het de oever van een diep, koud meer is. De woonkamer van haar ouderlijk huis in Hammersmith past met gemak vijf keer in deze zaal.

Ed loopt door de kamer en doet de lampen aan. 'Sorry voor

de ongezelligheid, maar ik heb de hele middag in dat ellendige hol gezeten.' Hij kijkt haar aan. 'Kom hier staan. Over een paar minuten heb ik het warm gemaakt.'

Nu hij hier is, lijkt het wel alsof hij niet meer zo dronken is.

Ze loopt naar de open haard waar hij nog wat kooltjes uit de kolenkit op gooit. Naast de schoorsteenmantel staat een deur open naar een andere kamer. Ze kan nog net de hoek van een bed zien.

Een man. Een meisje. Een bed.

'Ziezo,' zegt hij wanneer het vuur eindelijk flink brandt. Hij loopt naar een salontafel waar flessen met een glazen stop fonkelen in het licht. 'Ik heb whisky, gin en... wodka!' Hij houdt een fles met een heldere vloeistof omhoog en draait zich naar haar om. 'Heb je wel eens wodka gedronken?'

'Nee.' Ze heeft zelfs nog nooit van wodka gehoord, maar ze heeft geen zin om dat te zeggen.

'Alle anarchisten moeten aan de wodka. Die Russen weten wel wat ze doen. Laten we wodka drinken.' Hij gaat naar het dressoir, pakt daar neuriënd twee glazen uit en schenkt ze vol.

Hettie houdt haar handen bij het vuur. Op de schoorsteenmantel staan twee foto's. Op de ene staat Ed, strak in het uniform. De tweede foto is heel anders; hierop is hij jonger, zijn haar is langer en hij heeft een cricket-trui aan. Naast hem staat een beeldschone jonge vrouw die lachend in de lens kijkt. Hettie voelt een klein steekje in haar hart.

'Mijn zus.' Ed komt achter haar staan en gebaart met zijn glas.

'O.' Ze ontspant als hij haar een glas met drank en ijs aanreikt.

'Dat was waarschijnlijk de laatste keer dat ik haar heb zien lachen.' Hij neemt een slok en kijkt naar de foto. 'Ze is er verdomd ellendig aan toe. Al heel lang. Hoe zit het met jou?'

'Wat bedoel je?'

'Heb je broers, zussen?'

'Eén broer.' Ze neemt een slokje wodka. Het is koud en puur.

'En is hij er ook verdomd ellendig aan toe?'

Ze schiet in de lach. 'Ja, ik denk eigenlijk van wel.'

Hij steekt een sigaret op en biedt haar er ook een aan. 'Heeft hij gevochten?'

'Ja.' Ze buigt haar hoofd als hij haar een vuurtje geeft.

'Waar?'

'In Frankrijk.'

'Weet je ook waar in Frankrijk?'

Ze pijnigt haar hersens, maar ze kan het zich niet herinneren, als hij het haar al heeft verteld. Zelfs tijdens de oorlog spraken ze nooit over Frankrijk. Ineens vindt ze zichzelf een monster. Dit hoort ze toch te weten? Maar Ed knikt alleen.

'Nou zeg.' Hij zet zijn glas neer. 'Het lijkt net alsof je op het punt staat ervandoor te gaan. Laat me je even uit je jas helpen.'

Hij pakt haar jas aan en legt die over een stoelleuning. En eindelijk, nu ze bijna was vergeten wat ze aanheeft, mag haar jurk zich in zijn volle glorie tonen. De stof ruist en de kraaltjes glinsteren in het gedempte licht. Haar huid, die voor haar gevoel op veel te veel plekken onbedekt is, kleurt door de warmte van het vuur.

'Mijn hemel,' zegt hij.

Ze doet haar baret af en houdt die voor haar japon. Als ze haar blik naar hem opslaat, ziet ze dat hij volkomen verrast is.

'Je hebt je haar geknipt,' zegt hij.

'Ja.'

'Waarom heb je dat gedaan?' Zijn stem klinkt vlak.

'Omdat...' Ze voelt aan de korte lokken in haar nek. 'Ik wilde dat al heel lang en ik...' Ze komt niet verder. Achter haar knettert en vonkt het vuur.

Er valt een stilte. 'Staat je goed,' zegt hij uiteindelijk, op dezelfde matte toon.

Je liegt.

'Niet waar.' Haar hart bonst.

'Pardon?'

Heel even ziet ze iets van woede op zijn gezicht. Het is maar een flits en dan is het weer weg.

'Je zei dat we eerlijk tegen elkaar moesten zijn,' werpt ze aarzelend tegen.

'Prima.' Hij wijst met zijn sigaret naar haar. 'Je hebt gelijk. Dat heb ik gezegd. Maar toch meen ik het echt als ik zeg dat je er prachtig uitziet. Ik ben alleen...'

'Alleen wat?' Ze snapt niks van deze man.

'Niets.' Hij draait zich om en gooit zijn sigaret in de open haard. 'Let maar niet op mij.'

Ze lacht. Het klinkt schel en gekwetst.

'Kijk eens wat ik heb.' Hij rommelt in zijn zakken en haalt een klein kartonnen doosje tevoorschijn. 'Weet je wat dit is?' fluistert hij geheimzinnig.

Ze heeft geen flauw idee.

'Cocaïne,' zegt hij. Wanneer ze nog steeds niet reageert loopt hij naar een bank waar een lage houten tafel voor staat. 'Kom hier zitten.'

Ze verroert zich niet en ziet dat hij een hoopje wit poeder op een schaakbord uitstrooit en er twee lange lijnen van maakt.

'Hier knap ik vast wel van op. Dan ben ik een beetje aangenamer gezelschap.' Hij haalt een zilveren buisje uit zijn zak. 'Hier.' Hij houdt het naar haar op. 'Probeer jij het maar eerst.'

Ze herinnert zich vaag een artikel in de krant van twee jaar geleden. Het ging over een jonge actrice die dood werd aangetroffen in haar slaapkamer in West End.

'Toe maar. Misschien bevalt het je. Je weet maar nooit.'

Ze loopt naar hem toe. 'Kun je er dood aan gaan?'

'Vast wel, als je er maar genoeg van neemt.' Hij kijkt geamuseerd. 'Er gaan bovendien de hele tijd mensen dood. Aan allerlei stomme dingen.'

Hoe haalt iemand het in zijn hoofd om zo te denken? Om zulke dingen te zeggen? Alles zo lichtzinnig op te vatten?

Zijzelf in elk geval niet.

En hetzelfde geldt voor haar moeder, haar vader en haar broer, en de mensen in de Palais. Niet iemand die zij kent. Zelfs Di niet. Ze hebben het allemaal veel te druk met zichzelf bij elkaar te houden, zorgvuldig alles te vermijden, niet links of rechts te kijken, voor het geval de wereld om hen heen zou instorten.

Ze gaat op het puntje van de bank zitten. 'Hoe moet ik dat dan doen?'

'Je moet het opsnuiven.'

'Opsnuiven?'

'Kijk, ik zal het je laten zien.' Hij buigt zich voorover, zet het buisje op een van de lijntjes en snuift. Dan drukt hij met zijn duim op zijn neusvleugel. 'Je moet in één keer doorgaan, niet stoppen,' zegt hij.

Hettie pakt het buisje van hem over. Met bonzend hart buigt ze zich over de tafel, drukt met haar vinger één neusgat dicht en doet hem na. Het komt hard aan en haar keel brandt. 'Jemig.' Ze gaat weer rechtop zitten, haar ogen prikken en de helft van haar lijntje ligt nog op het bord.

'Neem een slok wodka.' Ed schuift het glas naar haar toe en snuift vervolgens de rest van het poeder op.

Ze neemt een slok. De combinatie prikkelt haar zintuigen.

'Het lijkt hier wel een dodenhuis,' zegt hij als hij weer rechtop zit. 'Waar is de muziek!' Hij staat op en loopt naar een kast. Opeens ziet ze een prachtige Victrola-koffergrammofoon van donker hout en een glimmende goudkleurige slinger, net zo een als waar Di en zij altijd van dromen. 'Van welke muziek houd je?' vraagt hij, terwijl hij het apparaat opwindt.

'Eh...'

'Wacht eens even. Ik vergeet helemaal dat ik gisteren iets voor je heb gekocht.' Hij pakt een grammofoonplaat van de plank eronder. 'The Original Dixies!' Hij houdt de plaat als een trofee omhoog.

'Echt waar?'

'Deze plaat hebben ze opgenomen toen ze de vaste spelers van de Palais waren. Wist je dat niet?'

Ze loopt naar hem toe en hij laat haar de hoes zien. De Dixies staan er allemaal op. Nick LaRocca in het midden, met een brede grijns om zijn lippen en een trompet in zijn hand. Het is alsof ze een oude bekende ziet. Van het ene op het andere moment voelt ze zich stukken beter en plotseling lijkt de avond weer vol beloftes. 'Wat machtig!' zegt ze. Ze lacht naar hem en geeft hem de plaat terug.

'Wat je zegt.' Hij haalt de plaat uit de hoes, balanceert hem op zijn middelvinger en geeft nog een paar slagen aan de slinger.

De met groen vilt beklede draaischijf maakt zijn toeren. Hij legt de glanzende plaat erop en laat de arm zakken. Er volgt wat geknars en dan vult het onmiskenbare geluid van Nick LaRocca de kamer.

Hettie krijgt de slappe lach, ze kan er niets aan doen. In haar binnenste begint zich iets te roeren, alsof het eruit wil. Die poeder. De wodka. Ze móét gewoon bewegen.

'Help me even dit weg te zetten,' zegt Ed. Ze tillen de lage tafel op en zetten hem opzij, dan rollen ze op handen en knieën het vloerkleed op. De vloer ligt er glanzend bij, ze beginnen alle twee als een bezetene te dansen. Hettie is nog net genoeg bij haar positieven om te beseffen dat dit het gevoel is dat de mensen in Dalton's hadden. Hier was ze naar op zoek, zo voelt het om vrij te zijn, buiten jezelf te treden en te bewegen alsof niets je meer kan schelen. Wanneer het nummer is afgelopen zoeken ze hijgend en lachend steun bij elkaar.

'Dat was verdomd snel,' zegt Ed hoofdschuddend.

'Live speelden ze nog sneller.'

Met een glimlach om zijn mond kijkt hij haar aan. 'Weet je wel dat er niet veel meisjes zijn die in muziek geïnteresseerd zijn. En maar heel weinig die weten wat jazz is.'

In de Palais weet ik zo tien meisjes.

'Ik ben er dol op,' zegt ze.

De naald blijft krassend in de groef steken.

'Je bent echt ontzettend leuk, wist je dat?' Hij buigt zich naar haar over, en deze keer is de kus anders: geladen, aandachtig en vol beloften.

'Kom,' zegt hij en hij pakt haar bij de pols. 'Ga je met me mee?'

Dag vier

Woensdag, 10 november 1920

Evelyn wordt bezweet wakker, helemaal verstrikt in de lakens. Ze heeft dorst. Blijkbaar is ze met haar kleren aan in slaap gevallen en ze ligt dwars over het bed, haar kussen is op de een of andere manier ergens aan het voeteneind terechtgekomen. Met een vloek komt ze overeind en trekt haar trui uit, haar hemdje en onderbroek houdt ze aan. Ze staat op en loopt naar de gang. Wanneer ze ziet dat de deur van Doreen op een kier staat, blijft ze even staan en luistert. Geen geluid. Gisteravond heeft ze haar ook niet thuis horen komen. Doreen zal ongetwijfeld bij die man zijn blijven slapen.

Die twee gaan vast snel trouwen, gaat het door haar heen.

In de keuken is het donker en de kraan knarst moeizaam als ze hem opendraait. Ze laat een glas vollopen en drinkt het gulzig leeg. Dan zet ze theewater op en doet de gordijnen open om naar de hemel te kijken. De maan is bijna vol, er ontbreekt nog maar een heel smal randje. Het licht valt op de rijen schoorstenen die zich helemaal naar het oosten uitstrekken, tot Camden Town. Nog suffig van de slaap slaat ze haar armen om zich heen en kijkt ernaar. Achter zich hoort ze de ketel fluiten.

Is de maan wassend of afnemend? Dit soort dingen wist ze tot kort geleden altijd precies. Aan het begin van de oorlog, toen Fraser nog leefde, werd ze vaak om deze tijd wakker, in het holst van de nacht, nog lang geen ochtend, terwijl haar nachtjapon aan haar vochtige huid kleefde. Omdat je tijdens de verduistering geen licht aan mocht hebben, kon ze zichzelf niet afleiden met het lezen van een boek. Het enige wat haar wat rustiger maakte, was naar de keuken gaan, een ketel water opzetten en de gordijnen opendoen om naar de lucht te kijken. Afstanden vervaagden in die kleine uurtjes en als het een heldere nacht was, keek ze altijd of de maan aan de hemel stond.

Het wordt steeds moeilijker om nog in iets te geloven, schreef Fraser die eerste winter. *Alles is hier grauw van de modder, het enige wat kleur heeft, is bloed. Hier is geen God, alleen de maan en de lucht.*

Daarom heb ik een verbond met de maan gesloten. Op heldere nachten brengt ze mij naar jou.

Beneden op straat wordt zacht iets geroepen. Evelyn ziet de melkkar de hoek om komen en onder de gaslantaarn aan de overkant van de straat halt houden. De voerman stampt met zijn voeten en zijn adem maakt wolkjes in de lucht. Haar blik valt op het raam van het huis aan de overkant, waar de man met de rolstoel woont. Zoals het er nu uitziet, nietszeggend en met de gordijnen dicht, is het net alsof ze zich die alcoholroes van gisteren maar heeft verbeeld.

Op heldere nachten brengt ze mij naar jou.

Bij de gedachte hieraan krimpt ze ineen. De maan kijkt met haar spierwitte licht tot in elke krocht van haar smoezelige wezen.

Wat is er van haar geworden?

De man in de rolstoel. Wat ze gisteravond tegen Robin zei: *mag ik dan misschien toch met je mee?*

Ze leunt tegen de kast en laat haar adem ontsnappen. Op dit soort momenten, in de kleine uurtjes van de nacht, mist ze Fraser ontzettend. Aan wie moet ze nu vertellen wat ze voelt? Ze kan hem niet eens meer schrijven wat ze denkt of met een kop thee weer naar bed gaan en dan in de verduisterde kamer bij kaarslicht aan hem denken. Ze kan niet fantaseren over waar hij is en wat hij ziet, want hij is nergens, hij is niets. Alle kleine dingen waaruit hij bestond, de manier waarop hij zijn hoofd draaide om haar aan te kijken, het langzame doorbreken van zijn glimlach, zijn uitgelatenheid, de klank van zijn stem, de manier waarop hij haar geruststelde – dat is allemaal verdwenen. Dat is allemaal dood. Al het leven dat in hem was, het leven dat ze samen hadden kunnen leiden. Weg.

Haar hart bonst traag in de stilte. Haar gebroken hart, het klopt nog steeds.

En zij leeft. Waarvoor? Ze heeft het volgehouden. Ze houdt nog steeds vol. Ze doodt de tijd. Net als al die andere zielige vrouwen met hun advertenties in de kranten, met hun opgewekte toon waar de wanhoop vanaf druipt.

Oude vrijster van 38. Zacht karakter. Wil heel graag corresponderen.

Oude vrijster.

Oude vrijster.

Ze is inmiddels een van hen. Het is heel geleidelijk gegaan en opeens was het zo. Ze is een van de vrouwen met wie andere vrouwen medelijden hebben. Deze bofferds – met een ring aan hun vinger en achter een kinderwagen – steken de straat over om haar te ontlopen. Ze ruiken het aan haar. Ongeluk.

En wat heeft het leven voor hen nog in petto? Wat heeft het leven voor haar nog in petto?

Robin?

Mag ik dan misschien toch met je mee?

En zou dat nou zo erg zijn?

Ze schudt haar hoofd. Ze gaat niet met hem mee. Het is bespottelijk. Zwak. Het leven heeft haar zwak gemaakt.

Achter haar fluit en danst de ketel op het fornuis. Ze haalt hem van het vuur, zet thee, neemt een kop mee naar de slaapkamer en stapt weer in bed.

Toen ze in de munitiefabriek werkte was ze te moe om 's nachts wakker te worden. In het begin werd ze aangesteld als machinebankwerker. Het gaf haar een eigenaardig bevredigend gevoel om de hele tijd gaatjes in metaal te ponsen. Vijf gaten in elke plaat. Ongeveer twintig platen per uur. In de eerste week ging ze van vierentwintig naar dertig platen. Van acht tot vijf uur werkte ze samen met vijftien andere vrouwen aan een lange werkbank. Het was vermoeiend, maar ze zorgde ervoor dat ze nooit tegen de bank leunde, uit angst dat ze haar een doetje zouden vinden. Om tien uur gingen ze allemaal naar beneden om een glas melk te drinken. Er waren altijd twee lange rijen, de ene bestond uit machinebankwerkers, zoals zij, in de andere rij stonden de vrouwen die uit andere sectoren van de werkplaatsen kwamen. De eerste dag viel het haar al meteen op dat de huid van hun gezicht, armen en handen felgeel was.

'Kanaries,' fluisterde een vrouw die achter haar in de rij stond. 'Sommigen van hen hebben niet lang meer te leven.'

Evelyn draaide zich om. 'Hoe kom je daarbij?'

'Ze zijn toch ziek? Zie je dat niet?'

De kanaries zaten apart aan de overkant van de ruimte.

Aan het eind van haar tweede week sloeg ze de lunch over en ging naar het kantoor van de opzichter. 'Ik wil naar een andere werkplaats,' zei ze. 'Ik wil graag met TNT werken.'

De man staarde haar vanachter zijn bril aan. Hij had een

milde afstandelijke blik in zijn ogen. Hij zag eruit als iemand die voor de oorlog onderwijzer was geweest.

'Vrouwen zoals jij werken niet met granaten.'

'Wat bedoelt u met vrouwen zoals ik?'

De man zette zijn bril af. Hij had kleine oogjes met dikke wallen en zijn rechteroog was rood en geïrriteerd. Hij zuchtte. 'Mejuffrouw...?'

'Montfort'

'Mejuffrouw Montfort. De TNT-werkplaatsen verschillen nogal van de rest van de fabriek.'

'Dat begrijp ik.'

'O ja?'

'Ja. Daarom wil ik daar graag werken.'

Hij keek haar aandachtig aan. 'Waarom bent u hier, mejuffrouw Montfort?'

'Waarom is iedereen hier?'

'Voor het geld, mejuffrouw Montfort. Voor het geld.'

'Dan ben ik hier ook voor het geld.'

Hij leek niet overtuigd.

'Ik zou graag met TNT willen werken,' zei ze kordaat.

'Goed,' zei hij en hij zette zijn bril weer op en wuifde met zijn hand ten teken dat ze kon gaan. 'Zoals je wilt.'

Het meisje naast wie ze aan de werkbank stond, zag eruit als vijftien, met een rond, kinderlijk gezicht en volle lippen. Op Evelyns eerste ochtend liet het meisje haar een of ander stompje zien. 'Cordiet,' zei ze. 'Je mag het eigenlijk niet eten. Maar het is heel lekker zoet.' Ze sliste een beetje.

Evelyn proefde even. Het klopte. Het was zoet.

'Het is heel lekker als je erop zuigt,' zei het meisje.

De TNT-gebouwen waren aan de eind van de fabriek. Om er te komen moest je door de andere werkplaatsen, waar oudere vrouwen, mager en blootsvoets, zich over potten met gesmolten lood bogen en de schilferige vloeistof eruit lepelden. Met hun lange, loshangende haren leken het net zigeunerinnen of heksen.

Toen de klok een uur vooruit werd gezet en het nog eerder donker werd, meldde Evelyn zich aan voor de nachtdienst. Overdag slapen was in ieder geval weer eens iets anders en vanaf dat moment leefde ze in het donker. De vrouwen die tijdens de verduistering naar hun nachtdienst gingen, liepen vanaf het treinstation hand in hand in een lange ketting naar hun werkplaatsen om niet te struikelen of ergens tegenaan te botsen.

Evelyn werd aangesteld als controleur van de met TNT gevulde calicot zakken, waarvan er per dag ongeveer honderd door haar handen gingen. Na twee weken had haar haar een feloranje gloed gekregen. De weinige keren dat ze overdag op straat liep werd ze door mensen verontrust nagestaard, maar ook wel toegeknikt, alsof ze haar hun dankbaarheid wilden betuigen.

Eerst werd haar gezicht geel en toen de rest van haar lichaam.

Met een soort perverse fascinatie bekeek ze de geleidelijke verkleuring van haar handen. Haar oogwit had inmiddels de kleur van brons gekregen en als ze in de spiegel keek, herkende ze zichzelf nauwelijks. Als ze uit bad stapte had het water de kleur van bloed. Maar toch bezorgde dit ondergrondse leven haar een vreemd soort gevoel van macht. Ze had het gevoel dat ze dichter bij iets wezenlijks kwam en misschien wel in een soort heks veranderde.

Maar toen werd ze ziek. Na het eten had ze een vreemde smaak in haar mond, die verdween als ze had overgegeven, wat steeds frequenter gebeurde. Haar urine had de kleur van sterke thee. Ze begon af te vallen, had verhoging en kreeg uitslag over haar hele lichaam. Toen ze op een keer tijdens het werk flauwviel, werd ze naar buiten gebracht en vervolgens naar huis gestuurd. De dokter kwam bij haar thuis en maakte nadat hij haar had onderzocht een paar aantekeningen op zijn blocnote. Lusteloos luisterde ze naar het gekras van zijn pen en staarde naar het vervaagde bloemetjespatroon op het behang.

'Mejuffrouw Montfort,' zei hij.

'Ja?'

'Weet u dat u zwanger bent?'

Ze keek hem aan.

'Nee?' Hij schudde zijn hoofd en stopte zijn blocnote in zijn tas. 'U moet het bed houden en herstellen van de TNT-vergiftiging. Ik betwijfel ten zeerste of u het kind zult kunnen behouden.'

Volgens doktersvoorschrift bleef ze inderdaad een week in bed. Ze vertelde aan niemand dat ze zwanger was, zelfs niet aan Doreen. Dat kostte haar weinig moeite omdat iedereen toch dacht dat ze ziek was. Ze sliep lang uit, droomde veel, en als ze laat op de ochtend wakker werd, legde ze haar handen op haar buik en dacht aan dat nietige leventje dat daar aan het groeien was. Ze herinnerde zich de laatste ochtend dat Fraser en zij samen waren geweest, de hitte en zijn lippen die een beetje zout smaakten. Binnen in haar borrelde iets van vreugde. Wat de consequenties ook mochten zijn, opeens leek het alsof alles wat er was gebeurd een bepaalde zin had gekregen.

Maar na een week kreeg ze bloedingen. Eerst een beetje bruinige afscheiding, maar al snel werd het helderrood. Na nog een week hield het bloeden op. Het kleine sprankje leven had haar verlaten en zich gevoegd bij de overvolle gelederen van de doden.

Toen ze weer hersteld was, ging ze terug naar de fabriek om te kijken of ze weer aan de slag kon. Er was nog plek aan de machinedraaibank waar ze was begonnen. Twee weken later kreeg ze dat ongeluk en raakte een vinger kwijt.

Toen het verband eraf ging, moest ze bijna glimlachen. Dat gladde roze stompje was zo veelzeggend. Duidelijker kon het gevoel van gemis en amputatie niet worden verbeeld.

Ze wrijft met haar duim over het stompje. In het donker kan ze net de contouren zien van haar tas die aan haar slaapkamerdeur hangt. Daarin zit haar notitieboekje met het adres van Rowan Hinde. Vandaag is het woensdag. Zoals gewoonlijk gaat het kantoor om twaalf uur dicht en heeft ze 's middags vrij. Donderdag is het Wapenstilstanddag, een nationale feestdag, dus als ze Rowan Hinde wil treffen, moet ze na het werk naar Poplar. Morgen zal dat niet lukken, want dan is het een drukte van belang op straat en is hij vast niet thuis.

Ze trekt haar knieën op en slaat haar armen eromheen.

Ze heeft dus afgesproken dat ze met haar broer meegaat om op het balkon van Anthony's vriend naar de ceremonie voor die Onbekende Soldaat te gaan kijken. En dan moet ze zeker aanhoren hoe Lottie en de anderen staan te blaten bij de *show*.

Wat is ze toch blij met de kruimeltjes die Ed haar toewerpt.

Ze beelden zich van alles in en komen geen steek vooruit.

Je moet je er niet mee bemoeien, Eves.

Haar kleine broertje valt haar af. Vroeger keek hij tegen haar op, luisterde naar wat ze te zeggen had.

Ze gaat gewoon niet. Ze heeft trouwens toch een hekel aan Wapenstilstanddag, deze nieuwe opgeklopte traditie. De zoveelste gelegenheid voor mensen met bloed aan hun handen om zich in hun moordenaarskleren te hullen en met hun paarden en affuiten achter zich aan door de straten van Londen te paraderen. Alsof er geen andere manier bestaat om de doden te eren.

Iemand zou hier een eind aan moeten maken en een van die grote kanonnen die ze voor deze gelegenheid van stal halen richten op al die hotemetoten bij de Cenotaph in Westminster Abbey – op de koning en Lloyd George en Haig, de hele mikmak – en ze neerschieten terwijl ze daar zitten, met hun oude hoofden gebogen in gebed. Biddend voor de zielen van de doden. Stelletje vuile vieze huichelaars.

Door al die benen kan ze bijna niets zien. Er zijn ook zo veel verschillende soorten benen: in zwarte broeken, bruine broeken en geruite broeken, en vrouwenbenen in zwarte en blauwe kousen. Er hangt een muffe lucht, net als bij haar oma thuis, alleen nog sterker.

Het meisje trekt aan haar vaders hand.

'Wat is er?' Zijn grote gezicht kijkt op haar neer.

'Mag ik weer op je nek, pap?'

'Goed hoor, konijntje.' Hij glimlacht. 'Kom maar.' Met één soepele beweging van zijn sterke armen tilt hij haar op en zet haar op zijn schouders. Ze legt haar handje op zijn hoofd, want dat heeft hij haar zo geleerd, om haar evenwicht te bewaren. Nu heeft ze een goed uitzicht en geen last meer van de drukte. Onder haar ziet ze haar twee oudere zusjes, en aan de andere kant van haar vader staat haar moeder. Honderden mensen staan daar op de kliffen, die vandaag niet wit zijn maar grijs. De hemel is ook grijs en de zee is grijsgroen. Helemaal beneden is Dover, de stad waar ze wonen en daar ziet ze nog veel meer mensen. Ze heeft geprobeerd ze te tellen, maar daar is ze mee gestopt omdat ze het er warm van kreeg en duizelig werd. Haar vader zei dat het er duizenden en nog eens

duizenden zijn. Het zijn er natuurlijk zo veel omdat alle kinderen vandaag niet naar school hoeven en alle vaders hebben vrij van hun werk.

Het kleine meisje tuurt naar de horizon.

Ze weet dat ze op een schip wachten. Een schip met een soldaat aan boord. Maar ze staan hier nu al zo verschrikkelijk lang en er is nog steeds niets te zien.

Opeens ziet ze iets op de vage lijn waar de lucht en de zee elkaar raken. Het meisje knijpt haar ogen samen. Ze kijkt even weg en dan kijkt ze weer. Er is echt iets. Een donkere vorm in de nevel. 'Pappie!' roept ze opgewonden en ze trappelt met haar hakken tegen de borst van haar vader. 'Kijk!'

Haar vader strekt zijn nek en slaakt zacht een kreet. Het meisje ziet dat er beweging komt in de menigte.

Nu verschijnen er lichtjes. Lichtjes van een schip, en dan... een schip, een groot, donker schip en zes kleinere schepen aan iedere kant. Haar grote zussen springen op en neer en roep dat ze ook willen worden opgetild zodat ze het beter kunnen zien. Maar haar vader luistert niet naar ze en ze blijft op zijn nek zitten terwijl de schepen naderbij komen. Haar vader geeft een klopje op haar been. 'Knappe meid,' zegt hij. 'Knappe meid.' Haar hartje bonst en ze ontploft bijna van trots, omdat ze de eerste was, ze was de eerste die het zag.

Poplar is nog verder dan Evelyn had gedacht.

Om één uur is ze weggegaan van kantoor, zonder te lunchen, en nu is het al bij tweeën. Ze zit op de onderste verdieping van de omnibus, ingeklemd tussen het raampje en een dikke, zweterige vrouw. Het is tjokvol in de bus, zelfs in het middenpad staan mensen en ook op de trap naar boven. Ze wrijft met haar mouw over het raam en tuurt naar buiten. Ze herkent niets van de omgeving, want ze rijden al uren door onbekende buurten. Hier zijn de littekens van de oorlog duidelijk zichtbaar: in de straten met rijtjeshuizen zijn hele gaten gevallen, gevuld met puin en overwoekerd door onkruid. Zo-even stopte de bus bij een half verwoest huis en ze kon zo in een slaapkamer op de eerste verdieping kijken. Het behang met rode bloemen was vervaagd en zat vol roest- en watervlekken. Het was zo'n treurig en ook veel te intiem tafereel dat ze blij was toen de bus weer verder reed.

De conducteur komt langs en ze buigt zich langs de vrouw en trekt aan zijn mouw. 'Mag ik u iets vragen?'

'Ja, mevrouw?'

'Ik moet naar Poplar High Street. Zij we er bijna?'

'De volgende halte.'

Ze gaat weer rechtop zitten. Poplar. Het klinkt zo landelijk. Pissarro schilderde toch altijd populieren? Aan het begin van de oorlog had Fraser haar een brief geschreven, waarin hij de route beschreef die hij had gelopen.

Het is net een schilderij van Pissarro, een lange rechte weg met aan weerszijden populieren. Je kon je totaal geen voorstelling maken van wat er dertig kilometer naar het noorden gebeurde.

'Pardon.' Ze wurmt zich langs haar medepassagiers en zodra de bus snelheid mindert, springt ze er aan de achterkant af. Ze geniet van de frisse lucht na die bedompte overvolle bus. Links van haar ziet ze haveloze winkeltjes en straatventers met handkarren. Ernaast heeft zich een rij van in het zwart geklede vrouwen gevormd, die haar aanstaren als ze langs loopt. De handkarren zijn maar half gevuld met verpieterde waar: grijze aardappels, wortels, knollen met aarde eraan en rimpelige koolrapen. Vanuit de verte klinkt het gestamp en gehamer van zware machines, en boven de daken en het braakliggende land ziet ze de kranen van de scheepsdokken.

Ze loopt verder door een brede hoofdstraat waar afval en dode bladeren in de goot drijven. Aan beide kanten van de straat zitten mannen op banken verveeld te roken. Ze ontwijkt hun blikken, want die kent ze maar al te goed, het is de blik van werkeloosheid, woede en apathie, een licht ontvlambaar mengsel. Iets verder heuvelopwaarts komt ze langs twee pubs waar dokwerkers in en uit lopen. Een paar van hen roepen haar halfslachtig iets na. Ze buigt haar hoofd en doet haar kraag omhoog.

Twee straten verderop is Grafton Street met aan weerskanten rijtjeshuizen en een smalle strook aarde ertussen. Geen bestrating, geen bomen, alleen een stuk of wat kinderen die een luidruchtig en ruzieachtig spelletje spelen. Ze kijkt of ze huisnummers op de deuren ziet, maar die zijn er niet, dus begint ze maar bij het begin te tellen. Als ze één kant heeft gehad en zich omdraait ziet ze dat de kinderen opgehouden zijn met spelen en haar aanstaren. Nu pas valt haar op dat het groepje bestaat uit kinderen van diverse leeftijden, van kleuters tot jongens en meisjes van een jaar of tien.

'Mag ik jullie wat vragen?' Dat verdomde accent van haar, denkt ze terwijl ze naar ze toe loopt. 'Ik zoek de familie Hinde. Ze moeten op nummer elf wonen, maar ik weet niet vanaf welke kant ik moet tellen.'

Als de tentakels van een smoezelige zeeanemoon klitten de kinderen samen en dan wordt er een klein meisje naar voren geduwd. Hoewel het koud is, heeft ze geen schoenen aan. Met kleine, aarzelende stapjes komt ze naar Evelyn toe.

'Nummer elf?' Evelyn houdt haar een papiertje voor en wijst op de cijfers.

Het meisje kijkt ernaar zonder een spier te vertrekken.

'Hinde?' Evelyn buigt zich voorover. 'Rowan Hinde?'

'Dat is mijn vader,' fluistert het meisje. Met een ruk draait ze zich om, rent weg en verdwijnt als een schim achter de huizen.

Evelyn kijkt haar na. Verdomme. Ze had iets moeten zeggen om dat kind gerust te stellen, nu denkt dat meisje vast dat haar vader in moeilijkheden is. Alle kans dat hij is afgeschrikt en geen zin heeft om haar te ontvangen.

De andere kinderen staan nog steeds naar haar te kijken, argwanend en op hun hoede. Ineens krijgt ze zin om iets heel mals te doen, een gek gezicht te trekken of een dansje te maken. Maar daar ziet ze toch maar van af. Ze vouwt het papiertje op, stopt het weer in haar tas en loopt langzaam weg, in de richting van de werven. Onder het lopen pijnigt ze haar hersens. Ze kan de deuren langsgaan en naar de familie Hinde vragen, maar dat zou alleen maar achterdocht wekken. Dan zullen ze zo zeker als wat denken dat ze hier is gekomen om problemen te veroorzaken.

En hebben ze dan soms ongelijk?

Ze schudt haar hoofd. Verdomme, verdomme.

Rechts van haar gaat een deur open en er stapt een knappe vrouw naar buiten. Evelyn ziet nog net dat het kleine meisje van daarnet zich half achter haar rokken verstopt.

'Mevrouw Hinde?'

De vrouw is hoogzwanger en ze ziet er vermoeid uit. Lichte ogen, fijn blond haar in een staartje.

'Wie bent u?'

Evelyn loopt naar haar toe en steekt haar hand uit, zelfverzekerd, terwijl ze zich helemaal niet zo voelt. 'Ik ben Evelyn Montfort. Ik werk op een uitkeringsbureau in Camden Town.' Ze doet een poging tot een glimlach, maar dat lukt niet erg. 'Uw man was twee dagen geleden bij me op kantoor. Ik zei toen dat ik hem niet kon helpen, maar ik ben tot andere gedachten gekomen.'

De vrouw zwijgt. Evelyn kijkt langs haar heen, een donkere gang in.

'Is hij thuis?'

De vrouw schudt haar hoofd. 'Hij is aan het werk.'

'Ach.'

'Hij is vertegenwoordiger,' zegt ze met iets van trots. 'Hij gaat de deuren langs.'

Evelyn knikt. 'Dat is waar ook. Wat dom van me om zo vroeg te komen.'

De vrouw laat haar blik over Evelyns gezicht glijden. 'Er is toch niet iets vervelends, hè?'

'Nee hoor, geen sprake van,' zegt Evelyn geruststellend. 'Ik weet dat het nogal vreemd lijkt dat ik zomaar bij u op de stoep sta, maar ik zou heel graag uw man willen spreken. Kunt u me zeggen wanneer hij klaar is met werken?'

'Om vier uur.' De vrouw knijpt haar ogen tot spleetjes. 'Ongeveer.'

'Is het goed dat ik dan om vier uur terugkom?'

Stilte.

'Mevrouw Hinde?'

De vrouw knikt en doet de deur dicht.

Als Evelyn aan het eind van de straat is, draait ze zich om in de verwachting dat de kinderen nog steeds naar haar kijken, maar ze zijn haar al helemaal vergeten en gaan weer totaal op in hun luidruchtige spelletje.

❖

Twee uur nadat het anker is gelicht, komt het schip in beweging. Het laat de torpedoboten achter zich en stoomt langzaam langs de hoge steile kliffen naar de oostelijke ingang van de haven van Dover.

Op de achtersteven staat een jonge marineofficier. De kist voor hem is bedekt met grafkransen en eromheen liggen er nog meer. Hij heeft geholpen deze kransen aan boord te brengen. Sommige moesten door vier man worden opgetild. Hij vraagt zich af of dit iets typisch Frans is. In ieder geval hebben die iets met bloemen.

Hij staat daar met zijn benen lichtjes gespreid en zijn handen op zijn rug. Nu komt de mensenmenigte in zicht, ze staan tot diep in de haven en ook boven op de kliffen, met hun gezichten strak op het schip gericht. Op de kantelen van het kasteel ziet hij de kanonnen die in gereedheid worden gebracht voor het salvo.

Het geluid van de kanonschoten weerkaatst en dondert door de stille haven, en veroorzaakt kleine rimpelingen op het water. Een saluut van negentien kanonschoten. Het welkom voor een veldmaarschalk.

Als de kanonnen zwijgen wordt het adembenemend stil, door geen enkel geluid verstoord. Dan klinkt een korte stoot van de scheepshoorn en loopt de jonge officier naar de trossen.

Hettie draait zich om in bed.

Rock-a-bye your rock-a-bye-ba-by
With a Dixy melody

De muziek klinkt van ergens dichtbij en iemand zingt zachtjes mee. Omdat het donker is en ze niks kan zien, denkt ze in haar slaapdronken toestand dat haar broer Fred de deur uit is gegaan en een grammofoon heeft gekocht. Maar zodra ze haar benen strekt, weet ze dat het niet klopt, want het bed waarin ze ligt is gigantisch. Ze komt overeind en slaat in een reflex haar armen om zich heen. Ze heeft nog steeds Di's jurk aan en de kraaltjes hebben putjes in haar arm achtergelaten. Ze wordt bijna misselijk als ze zich plotseling weer alles herinnert.

Het is totaal niet zo gegaan als ze had gehoopt.

Toen ze eenmaal in de slaapkamer waren, leek het erop dat het ervan zou komen. En op het moment dat ze Eds lippen in haar hals voelde en ze naast elkaar lagen, was ze er helemaal klaar voor...

Maar opeens was hij van haar weggeschoven en aan de andere kant van het bed gaan liggen.

'Sorry,' zei hij met zijn hand voor zijn mond geslagen.

'Hoe bedoel je?'

'Ik...' Hij mompelde iets. Het was nauwelijks verstaanbaar, maar ze kon er nog net uit opmaken dat het ging over iets verliezen en iemand kwijtraken. Hettie zat vol verbijstering naar hem te kijken tot hij weer een beetje bij zijn positieven kwam en zijn hoofd optilde. 'Blijf in ieder geval totdat de metro weer rijdt.'

'Nee.' Ze moest er niet aan denken. 'Ik ga weg.'

'Alsjeblieft!'

Hij deed een halfslachtige poging om haar weer op bed te drukken. 'Blijf alsjeblieft. Ik wil zo graag dat je blijft. Er gebeurt je niks. Dat beloof ik.' Hij streek wanhopig door zijn haar. 'Blijf nou, er gebeurt je niks,' zei hij weer.

Toen knipte hij het licht uit en deed de deur op slot. Met bonzend hart lag ze daar maar in het donker. Ze wilde weg, maar dat ging niet. Ze hoorde hem rondlopen en tegen zichzelf praten. Voor haar gevoel duurde het uren voordat hij zijn mond hield en toen is ze blijkbaar in slaap gevallen, want van wat er daarna is gebeurd, herinnert ze zich niets meer.

De muziek is opgehouden. Hettie glipt uit bed en loopt over het vloerkleed naar het raam waar een streepje licht door de gordijnen kiert. Ze doet de gordijnen open en legt haar vingers tegen het koude vensterglas. Het huis waarin ze zich bevindt maakt deel uit van een rij crèmekleurige huizen en ze moet zich op de vijfde verdieping bevinden. Ze kijkt uit op een park met bijna kale bomen, dat zich rechts van haar over een heuvel uitstrekt. Zo te zien is het koud buiten en de lichtval duidt erop dat het al in de middag is. Ze heeft een gat in de dag geslapen. Om half acht moet ze op haar werk zijn. Ze moet naar huis.

Zo stil mogelijk maakt ze gebruik van de wc en dan pakt ze haar schoenen en loopt op haar tenen naar de deur. Ze probeert er niet bij na te denken, want ze is bang dat ze gaat huilen als ze het tot zich door laat dringen.

Ze loopt de woonkamer in. De gordijnen zijn open en in een hoek brandt een lamp. De tafel is opzij geschoven, het vloerkleed is opgerold en het doosje met poeder staat nog op het schaakbord. De grammofoonnaald is in de groef van de plaat blijven hangen en maakt een krassend geluid.

Tsjjj da, tssjj da, tssjj da.

Voor haar staat een grote oorfauteuil en iets verder is de bank waar Ed haar jas en baret heeft neergelegd. Ze loopt ernaartoe.

'Môge.'

Ze schrikt zich suf en draait zich om. Met een rimpel in zijn voorhoofd kijkt Ed om de hoek van de fauteuil.

'Je was toch niet van plan om weg te gaan zonder gedag te zeggen?'

Ze drukt haar schoenen tegen zich aan en schudt haar hoofd.

'Gelukkig.' Hij knikt. 'Heb je lekker geslapen?'

Ze staart hem aan. Hij glimlacht en doet net alsof er vannacht niks vreemds is gebeurd. 'Ik... ik heb geen idee,' weet ze uit te brengen. 'Hoezo? Jij wel?'

Hier moet hij blijkbaar even over nadenken. Zijn witte overhemd staat open en hangt uit zijn broek, zijn boord heeft hij afgedaan en ligt naast zijn stropdas op de vloer. Op de salontafel bij de bank staat een karaf met whisky en hij heeft een halfvol glas in zijn hand. 'Volgens mij heb ik helemaal niet geslapen,' zegt hij uiteindelijk. 'Misschien dat ik heel even ben weggedoezeld. Er stond muziek op, die is nu wel afgelopen.' Hij heft zijn glas. 'Wil je iets drinken? Nu je toch hier bent, neem ik er ook nog eentje.' Hij doet zijn best om zijn woorden goed te articuleren, maar het is duidelijk te horen dat hij alweer gedronken heeft.

Haar maag krimpt samen. Ze wil helemaal geen drank, en ze wil ook helemaal niet in deze donkere kamer zijn, met deze man van wie ze niks begrijpt. Ze is moe en ze zou zo in tranen kunnen uitbarsten. Ze wil naar huis. 'Weet je hoe laat het is?'

'Hoe laat het is?' Hij schudt zijn hoofd. 'Maak je niet druk over de tijd. Tijd is zoiets waardeloos.'

Ze wordt kwaad. 'Ik moet zo naar mijn werk.'

'Het is half vier,' zegt hij terwijl een klok op een zijtafel tingelt en het halve uur slaat. 'Nog steeds vroeg.' Met een vage glimlach zwaait hij met het glas naar haar. 'Kom hier en neem een borrel.'

'Ik moet gaan.' Ze bukt zich, trekt haar schoenen aan en maakt de gespjes vast.

'Whisky?'

'Nee, dank je.'

'Wodka?'

Ze schudt haar hoofd en komt overeind.

Hij heeft zijn wenkbrauwen opgetrokken. 'Thee?'

Stilte. De grammofoon kraakt. Ze kijken elkaar aan.

'Thee,' zegt hij gedecideerd. 'Echt iets voor de namiddag.'

Hij hijst zich uit de stoel en loopt licht zwalkend naar een deur waarachter zich een keukentje bevindt. 'Kom eens hier,' zegt hij en hij draait zich om. 'Wil je me niet even gezelschap houden?'

De manier waarop hij dit zegt, klinkt zo hulpeloos dat ze zich laat overhalen en achter hem aan loopt. Ze heeft het koud en met haar armen om zich heen geslagen blijft ze in de deuropening staan, terwijl hij een ketel met water opzet.

De luiken blijven dicht en hij knipt alleen een klein lampje aan. Dan maakt hij een paar blikjes open en ruikt eraan. Het lijkt erop dat hij nog nooit thee heeft gezet. En alsof hij haar gedachten heeft geraden zegt hij: 'Meestal heb ik hulp bij dit soort dingen.'

'O. Ja.' *Ongetwijfeld.*

Hij rommelt wat in een kast. 'Maar ik heb mijn mannetje vanochtend vrij gegeven. *Aha*!' Blijkbaar heeft hij het juiste blikje gevonden want hij doet thee in de pot en giet er kokend water op. 'Ik weet niet waar hij de theelepeltjes heeft opgeborgen,' zegt hij verontschuldigend en hij begint met een mes in de pot te roeren. 'Ziezo. Zullen we naar de kamer gaan?'

Hij neemt de pot en een kop en schotel mee naar de woonkamer en zet alles op tafel 'Neem een stoel, alsjeblieft,' zegt hij. Hij gaat tegenover haar zitten en staart peinzend naar de theepot alsof zich daar een geheimzinnig proces in afspeelt. 'Volgens mij moet je thee altijd even laten staan voordat je inschenkt.'

Het vuur in de haard is uit en er ligt alleen nog een hoopje as op het rooster. Hettie heeft kippenvel op haar armen en ze kijkt naar haar jas die op de bank ligt. Zou het erg onbeleefd zijn als ze die nu aantrok? Hoewel, om dat soort beleefdheidsvormen hoeft ze zich nu niet meer druk te maken, dus pakt ze haar jas en doet hem over haar schouders.

Ed glimlacht wazig in haar richting. 'We kunnen wel een beetje muziek gebruiken, vind je niet? Wacht even.' Een beetje onvast loopt hij naar de grammofoon en windt hem op. Het gekras stopt en er klinkt hetzelfde liedje dat ze hoorde toen ze wakker werd. Ed zingt zachtjes mee.

Rock-a-bye- your baby with a Dixie melody
When you croon a tune from the heart of Dixie

'Ken je dat liedje?' Hij draait zich naar haar om.

'Nee.'

'Het is al twee jaar oud. Een slaapliedje.'

Hij strekt zijn armen en beweegt met een onzichtbare partner over de vloer. 'Kom hier,' zegt hij na een poosje.

Hettie blijft zitten.

'Kom op, zeg. Je bent helemaal niet leuk.'

Leuk?

Was wat er gisteravond is gebeurd dan leuk?

Toch staat ze op en loopt naar hem toe. Hij legt zijn handen op haar schouders, leunt zwaar op haar en dan maken ze wat onbeholpen danspassen.

'Dit is fijn,' zegt hij met zijn ogen halfdicht. Hij stinkt naar drank. Als hij probeert te draaien stoot hij tegen de lage tafel en begint vervaarlijk te zwaaien. Om niet mee te worden gesleurd in zijn val stapt ze achteruit. Met een klap komt hij op de grond terecht.

'Goddomme.' Hij slaat zijn handen voor zijn gezicht.

'Heb je je pijn gedaan?' Ze knielt naast hem neer.

'Welnee. Geen sprake van. Ik wou dat ik verdomme niet zo zat was,' zegt hij. 'Ik ben echt hartstikke toeter.' Hij doet zijn ogen dicht. 'Volgens mij ben ik ook moe. Ik weet het niet meer.'

Het liedje is afgelopen en het gekras begint weer. Ed grijnst. 'Kun je me alsjeblieft helpen met opstaan?'

Ze pakt zijn hand vast en kukelt bijna voorover als hij zich overeind hijst. 'Zo gaat-ie weer.' Hij klopt op zijn benen. 'Niks gebroken. Zullen we even gaan zitten?'

Hij ploft op de bank neer, houdt zijn hand boven zijn ogen, en knijpt dan één oog dicht alsof hij tegen de felle zon inkijkt. 'Hèhè, dat is beter. Nu zijn jullie met z'n tweeën. Kom nou even hier.'

'Ik moet weg,' zegt ze kribbig.

'Toe nou.'

Ze gaat op het puntje van de bank zitten, vlak bij de deur, en kijkt hem niet aan.

'Heb ik je al verteld dat je me aan iemand doet denken?'

Ze vouwt haar handen in haar schoot. 'Jawel.'

'En heb ik ook verteld wie dat was?'

'Nee.'

Er valt een stilte. 'Hoe oud ben je?' vraagt hij dan.

'Negentien.'

'Negentien?'

Ze kijkt hem aan en ze ziet dat zijn blik minder wazig is, eerder teder. Het ontroert haar. Het is net alsof hij door de val opeens niet meer zo dronken is. Haar hart maakt een sprongetje: hij is nog steeds de man die ze bij Dalton's heeft ontmoet. De man die zo anders is dan alle andere mensen die ze kent. 'Hoezo?' vraagt ze. 'Hoe oud ben jij?'

'Zevenentwintig.' Hij kucht. 'Bijna achtentwintig. Een ouwe lul.' Hij haalt een sigarettenkoker uit zijn broekzak en steekt een sigaret op. 'Weet je nog dat we gisteravond hadden afgesproken dat we elkaar de waarheid zouden vertellen?'

'Ja.'

'Nou, dat heb ik dus niet gedaan. Ik ben een leugenaar.'

Hij kijkt haar in de ogen. Haar hart bonst.

'En ik moet je nu iets vertellen.'

'Ik moet echt weg,' zegt ze.

'Blijf nog heel even. Alsjeblieft.' Hij produceert een flauw glimlachje. 'Kijk niet zo bang.'

'Ik ben niet bang.'

'Daar is dan ook geen enkele reden voor. Ik breng er toch niets van terecht, zelfs al zou ik het willen.'

'Wat bedoel je?'

'Al dat gepruts.' Hij wappert met zijn hand. 'Hier beneden.'

Ze slikt.

'Dat is nou de waarheid.' Hij leunt achterover en spreidt zijn handen. 'Ziezo.' De blik in zijn ogen heeft iets smekends, alsof hij wil dat ze reageert op hetgeen hij heeft gezegd. Hem ervan verlost.

Maar dat wil ze niet.

Ze wil dat hij ophoudt.

En dat doet hij dus niet.

'Het overkwam me voor het eerst in Frankrijk,' zegt hij. 'Een van die meisjes achter de linie.'

Hettie slaat haar armen om zich heen.

'Boerenmeisjes. Hun vaders gaven thuis gelegenheid aan mannen.'

Even denkt ze dat ze het verkeerd heeft verstaan. 'Hun váders?'

Hij knikt. 'Om het geld, uit pure wanhoop. Iedereen leed honger. Als je het in een huis deed, moest je meer betalen, dus dat bracht meer op. Maar die meisjes waren wel gezond en bij hen liep je minder kans om een druiper op te lopen.'

Ze vindt het onvoorstelbaar. Ze heeft allerlei verhalen gehoord, zoals over Duitse soldaten die Belgische vrouwen verkrachtten, maar dit is heel wat anders. Haar vader zou zoiets nooit gedaan hebben. Hij zou haar toch zeker hebben beschermd?

Maar het is wel een griezelig fascinerend idee. Stel je voor: oorlog in Londen, in Hammersmith. Soldaten in de straten.

Sommige vaders zouden daar inderdaad toe in staat zijn.

En hoe wanhopig en hongerig zou ze zelf moeten zijn om dit soort dingen te doen?

'Wat is er gebeurd?' vraagt ze. 'Ik bedoel hoe ging dat dan in die huizen?'

'Je ging gewoon in de rij staan en wachtte op je beurt...'

'Met z'n hoevelen stond je dan in de rij?'

'Dat hing ervan af.' Hij haalt zijn schouders op. 'De door het leger geronselde hoeren waren soms dagen achtereen in touw. Vaak genoeg stonden er wel zestig mannen te wachten tot ze mochten. Maar die vrouwen hielden het niet lang vol. Meestal liepen ze op hun laatste benen. Het huis waar ik het over heb was voor officieren, en de meisjes waren gezond en fris. Ik was al na twee of drie mannen aan de beurt.' Hij laat even een stilte vallen. 'Dat meisje was jong.'

'Hoe oud was ze?'

'Ongeveer net zo oud als jij. Misschien iets jonger.' Hij staart voor zich uit. 'Ik ging de kamer binnen en waste me bij een wasbakje in de hoek. Toen ik me naar haar omdraaide zat ze naar me te kijken. Dat was bijzonder, want dat deden die meisjes nooit. Ze had zo'n ontzettend mooi gezichtje. Terwijl er van die vreselijke dingen gebeurden.' Zijn gezicht vertrekt. 'Ze was zo... fris. Toen ging ze liggen en ik kwam boven op haar, en...' Hij trekt met zijn vlakke hand een streep. 'Niks.' Hij lacht schor. 'Ik kreeg het niet voor elkaar.' Hij kijkt Hettie aan. 'Ze had net zulk lang bruin haar als jij. Toen ik jou in die afgrijselijke club zag, was ik net van plan om naar huis te gaan. En ik dacht, misschien kan ik weer terugkrijgen wat ik kwijt ben. Misschien kon jij me helpen het terug te krijgen.'

Ze snapt er niets van.

'Je hebt je haar afgeknipt,' zegt hij. Zijn gezicht krijgt een gekwelde uitdrukking. 'Waarom heb je dat gedaan?'

Hettie schudt haar hoofd. Ze voelt woede in zich opborrelen. Ze is kwaad op hem en op al die mannen die wachten tot ze aan de beurt zijn bij die jonge meisjes. En die vrouwen die 'op hun laatste benen lopen'. Wat is er daarna met hen gebeurd? Waar zijn ze terechtgekomen?

'Maakt dat wat uit?' vraagt ze. 'Wat doet het ertoe dat ik mijn haar heb afgeknipt?'

'Omdat je het niet over kunt doen,' zegt hij.

'Haar groeit weer aan.'

'Dat weet ik ook wel,' zegt hij treurig. 'Maar sommige dingen kun je niet overdoen.' Hij buigt zich voorover en verbergt zijn hoofd in zijn handen.

Ze hoort hem hortend ademen.

Eigenlijk moet ik zijn hand vastpakken, denkt ze. Hem strelen. Iets zeggen waardoor hij weer tot zichzelf komt. Zijn mannelijkheid weer opwekken. Dat denkt ze allemaal, maar ze is kwaad en die woede is zo overheersend dat ze niets doet.

'Ik had dat verhaal helemaal niet willen horen,' zegt ze.

Hij kijkt haar aan. 'O god.' Al het bloed trekt uit zijn gezicht. 'Het spijt me. Maar het kwam omdat... Ik heb sindsdien nooit meer geprobeerd om met iemand samen te zijn.'

'Ik wil naar huis.' Ze staat op en trekt haar jas aan. 'Ik moet naar mijn werk en ik wil naar huis.'

'Je hebt gelijk. Hoe haal ik het in mijn hoofd om zulke afschuwelijke dingen te vertellen. Jezus,' zegt hij hoofdschuddend. 'Wat ben ik toch een idioot.'

En dan slaat hij zichzelf keihard tegen zijn slaap. Het is zo'n harde dreun dat ze geschrokken haar hand voor haar mond slaat. Even blijft hij als verdoofd zitten en dan tilt hij zijn hand weer op.

'Nee!' Ze pakt zijn pols vast om hem tegen te houden. 'Alsjeblieft, niet doen.'

Ed kalmeert en laat zijn hand zakken. 'Sorry,' zegt hij zacht. 'Ik weet niet wat me net bezielde.'

Hij staat op en trekt zijn broek recht. Hij is niet meer dronken, alleen maar uitgeput. Hij klopt op zijn zakken en haalt wat munten tevoorschijn. 'Heb je genoeg geld om thuis te komen?'

'Ja. Ik neem de metro. Maar nu moet ik echt weg.'

'Okiedokie.' Tot haar opluchting stopt hij het geld terug in zijn zak. 'Je muts,' zegt hij. Hij pakt de baret op en als hij die aan haar geeft, raken hun handen elkaar even. Dan loopt hij met haar naar de deur en stappen ze de groen betegelde gang in. Hij drukt op het knopje van de lift.

Hij kijkt de liftschacht in alsof die hem plotseling hevig interesseert. Het duurt ongeveer een eeuwigheid voordat de lift boven is en al die tijd staan ze daar maar zonder een woord tegen elkaar te zeggen. Wanneer de lift stopt, trekt hij het hekwerk opzij. 'Sorry dat ik zo ontzettend saai was,' fluistert hij.

'Dat was je helemaal niet, hoor,' piept ze.

Hij schudt zijn hoofd. 'Je bent heel lief,' zegt hij met een klein ondeugend glimlachje. 'Maar ik weet dat je jokt.'

Hettie stapt in de lift en hij trekt het hekwerk dicht.

Als de lift met een schok in beweging komt en rammelend naar beneden gaat, vangt ze door het raster nog net een glimp op van zijn vertrokken, wanhopige gezicht.

❖

Ada had het zich totaal anders voorgesteld. Ze had gedacht dat ze in een donkere kamer met een ronde tafel zou komen, zoiets als uit een film of een komische sketch, waarin mensen met de doden praten. Daar heeft ze er de afgelopen jaren genoeg van gezien. Maar deze kamer is een heel gewoon, licht vertrek in een straat die inderdaad precies zo gewoontjes is als Ivy had gezegd. En de vrouw die tegenover haar zit, ziet er op het eerste gezicht ook heel gewoontjes uit. Toch heeft ze tegelijkertijd iets ondefinieerbaars. Om te beginnen is haar leeftijd moeilijk te schatten. Ze zou een jaar of vijfenveertig kunnen zijn, net als Ada, maar het zou ook best kunnen dat ze tien jaar ouder is. Ze heeft een rimpelloze, zachte huid en zo te zien heeft ze ook nog al haar tanden.

De vrouw was niet erg toeschietelijk toen ze de deur opendeed. Ada had het meteen in de gaten toen ze vroeg naar ene mevrouw Kempton en haar het briefje liet zien, met de mededeling dat ze het adres van een vriendin had gekregen die tijdens de oorlog hier op bezoek was geweest. De vrouw keek de straat door, knikte en vroeg of ze binnen wilde komen. Maar ze zei nog wel dat ze 'dit soort dingen niet meer deed'.

Ze ging Ada voor door een gang waarin het naar gebraden vlees rook, langs de openstaande deur van een zitkamer met een piano tegen de muur en toen kwam ze in deze kamer, aan de achterkant van het huis met alleen een tafel en twee stoelen als meubilair en niets aan de muur. Door het raam ziet ze een kleine tuin met een rozenstruik waaraan nog een paar late rozen zitten.

'Hebt u iets van hem meegenomen?' vraagt de vrouw.

Ada's hart gaat sneller slaan. Ze hebben het nog niet over geld gehad. Hoeveel zou deze vrouw hiervoor vragen?

Ze pakt het verfomfaaide konijn met één oog uit haar tas. Ze had heel lang moeten nadenken over wat ze zou meenemen. Het speelgoedkonijn heeft ze zelf gemaakt als cadeau voor Kerstmis toen Michael nog een peutertje was en hij had het jarenlang overal met zich meegesleept. Ze zet het konijn op tafel. Het ziet er zielig en onooglijk uit met die sleetse plekken en dat ene bruine oog.

De vrouw neemt het konijn in haar handen. Ada hoort ergens in het huis een klok tikken. 'Hebt u niets anders van hem?' vraagt de vrouw.

Ada heeft een droge mond. 'Is dit niet goed?'

'Jawel, het is wel goed.' De vrouw legt het konijn terug op tafel. Ze heeft bleke handen met lange vingers. 'Ik vroeg me alleen af of we misschien iets nodig hebben van iets minder lang geleden. Hebt u soms een foto?'

De meest recente foto die ze heeft, is de wazige foto uit de doos en ze had gehoopt dat ze die niet tevoorschijn hoefde te halen. Ze pakt hem uit haar tas en geeft hem aan de vrouw.

'Het spijt me,' zegt ze. Het zweet breekt haar uit en ze voelt het zo over haar rug lopen.

'Waarom?' De vrouw kijkt op.

'Het is geen erg goede foto.'

De vrouw houdt de foto nog even vast, dan knikt ze en legt hem op tafel. Vervolgens staat ze op en sluit de dunne groene gordijnen, waardoor het vertrek in een groenige gloed wordt gehuld. 'Ik hoop dat u het niet erg vindt dat ik de gordijnen dichtdoe, maar ik wil niet dat we gestoord worden.'

Ada vraagt zich af wie of wat hen zou kunnen storen in deze stille achterkamer. De vrouw gaat weer zitten en met gesloten ogen raakt ze afwisselend het konijn en de foto aan.

Hoewel er helemaal niets grappigs aan is, krijgt Ada bijna de slappe lach.

De vrouw opent haar ogen. 'Ik doe niet aan seances,' zegt ze. Haar stem is veranderd en klinkt nu licht en helder.

Ada schrikt.

'Dat soort trucjes en spektakel zijn niets voor mij.' De vrouw legt haar handen in haar schoot. 'Ik heb geprobeerd te luisteren,' zegt ze.

'Naar wat?'

'Naar uw zoon.'

Er loopt een koude rilling over Ada's rug en ze wordt een beetje misselijk. Ze doet haar ogen dicht en wacht tot het gevoel zakt.

'Is alles goed met u?'

Ada opent haar ogen weer en concentreert zich op het rimpelloze gezicht van de vrouw. 'Ja hoor.'

'Eigenlijk had ik dit van tevoren moeten zeggen,' zegt de vrouw. 'Als u op een gegeven moment wilt stopen, dan moet u dat zeggen.' Ze spreidt haar handen op het tafellaken. 'Ik heb geprobeerd te luisteren,' zegt ze weer. 'Maar het is heel lastig.'

'Wat bedoelt u daarmee?'

'Uw zoon is dood. Zonder twijfel. Ik kan hem hier niet voelen.'

De kamer begint te draaien.

'Gaat het?'

Ada vermant zich. Ze knikt.

'Fijn,' zegt de vrouw op vlakke toon. 'Uw zoon is dood. Maar u bent niet hiernaartoe gekomen om dat te horen.' Ze praat kortaf, zakelijk.

O nee?

Ada merkt dat ze deze directheid prettig vindt.

Misschien ook niet, uiteindelijk.

'Vertel me iets over hem.' De vrouw legt haar vinger op de foto. 'Kunt u me zeggen wanneer deze foto is genomen?' Ze schuift de foto over tafel.

Ada werpt er een zijdelingse blik op. 'Dat weet ik niet precies.'

'Waarom hebt u die foto bij u als u er niet naar wilt kijken?'

'Ik hou niet van die foto.'

'Waarom niet?'

'Zijn gezicht is wazig.'

'Ja, dat is zo.' De vrouw kijkt haar aan. 'Maar als u het een nare foto vindt, waarom hebt u dan uitgerekend deze foto bij u?'

'Ik heb hem nooit bij me.'

De vrouw trekt haar wenkbrauwen op.

Ada gaat verzitten, het lijkt alsof ze op de proef wordt gesteld en nu door de mand is gevallen. 'Ik heb een ingelijste foto van hem in de huiskamer hangen, maar het leek me niet verstandig om die mee te nemen in de bus.'

Er verschijnt een glimlachje op het gezicht van de vrouw. 'Weet u wat?' zegt ze. 'Stopt u die foto maar weer weg.' Ze geeft de foto aan Ada. 'En als u er zo akelig van wordt, dan zou ik u aanraden er niet meer naar te kijken.'

Ada stopt de foto in haar tas en ze voelt zich plotseling reuze opgelucht.

'Misschien kunt u hem aan me beschrijven.'

'Pardon?'

De vrouw kijkt haar aan. 'Ik weet zeker dat u een veel beter beeld van hem kunt geven dan een foto.'

Dit lijkt wel weer een test, nog erger dan daarnet.

'Maakt u zich geen zorgen,' zegt de vrouw zacht. 'Het gaat er niet om dat u iets perfect moet doen. Kijk maar wat u te binnen schiet.'

Ze probeert na te denken, maar haar hoofd is leeg, of eigenlijk is het helemaal niet leeg, eerder wattig en warrig. Ze kan hem niet zien. Ze kan zijn gezicht niet voor de geest halen. Ze kan het niet, de foto is wazig en haar zoon is dood. Ze staat op en wanneer ze met haar handen op de tafel steunt lijkt het net alsof ze van iemand anders zijn. Het bloed suist in haar oren. Opeens staat de vrouw naast haar en legt een koele hand op de hare. Het gevoel zakt. Stilte.

'Ik zal een glaasje water voor u halen.'

Ada gaat weer zitten en hoort uit de keuken het geluid van een lopende kraan. De vrouw komt terug met een glas water en zet het voor Ada neer. 'Wilt u liever ophouden?'

'Nee.' Ze heeft dorst, verschrikkelijke dorst en ze drinkt het glas in één teug leeg. 'Ik wil doorgaan.' Ze zet het lege glas neer op tafel. 'Drie jaar lang heeft niemand, zelfs mijn man niet, me gevraagd om over mijn zoon te praten.'

De vrouw knikt. 'Vertel maar aan mij.'

Ada sluit haar ogen. 'Hij was... heel gewoon. Een gewone jongen.' Dan herinnert ze zich plotseling iets waaraan ze al heel lang niet heeft gedacht. 'Hij was geestig. Hij vertelde rare grapjes.'

'Wat was zijn favoriete grap?'

'Er was één nogal erge grap.' Ze trekt een gezicht.

'Vertel maar.'

'Die ging over India, over Indiaas eten en dat je daar indiagestie van kreeg.'

De vrouw glimlacht en Ada ook. 'Hij vertelde wel meer van dat soort moppen.' Ze schudt haar hoofd. 'Hij speelde urenlang buiten met zijn voetbal, net zo lang tot ik hem binnen moest halen. Van jongs af aan ging hij samen met zijn vader naar voetbalwedstrijden. 's Zomers zwom hij altijd in het kanaal, ook al mocht hij dat niet van mij, maar hij deed het toch. En ik wist altijd meteen als hij dat had gedaan.'

'Hoe dan?'

'Dan stonk hij een beetje.' Ze trekt haar neus op. 'Dat kon hij niet verdoezelen. Ik was altijd bang dat hij er ziek van zou worden. Maar dat is gelukkig nooit gebeurd.'

De vrouw knikt weer. 'Wilde hij zelf in het leger?'

Het is een eenvoudige vraag, maar op de een of andere manier schrikt Ada van de directheid.

'Aanvankelijk wel.' Ada knikt. 'Toen alle jongens uit zijn team zich aanmeldden. Maar op dat moment was hij nog te jong. In 1917 ging hij vlak na zijn verjaardag in dienst.' Ze zwijgt. 'Maar toen voelde het... anders.'

'Op wat voor manier?'

'Alsof ze allemaal... nou ja, alsof ze allemaal hun dood tegemoet gingen. En ik denk dat hij dat wist.'

'Waarom zegt u dat?'

'Hij zei een keer tegen me dat niets veilig was en dat veiligheid niet bestond. Ik kon het maar niet uit mijn hoofd zetten. Nog steeds niet. Ik denk dat ik... dat ik hem tegen had kunnen houden.'

'Op welke manier?'

'Ik had hem kunnen laten onderduiken.' Ada's hart klopt zo snel en luid dat ze het idee heeft dat de vrouw het wel moet horen, dwars door haar korset en haar jurk heen.

'Maar hoe had u dat dan moeten doen?' vraagt de vrouw zacht.

'Mijn man werkte in een fabriek en hij kende iemand bij de vakbond die voor onderduikadressen zorgde. Het ging vaak met twee jongens tegelijk.' Ze heeft dit nog nooit aan iemand verteld, en ze kan bijna niet geloven dat ze het nu wel zegt. 'Jack wilde het wel. Maar ik niet.' Ze schudt haar hoofd. 'Ik zei dat Michael in dienst moest gaan.'

'Is Jack uw man?'

'Ja.'

'Het had heel verkeerd kunnen aflopen met uw man als hij dat had gedaan.'

'Dat weet ik.'

'En met u ook.'

Ada's keel is dichtgesnoerd van de spanning. Ze kan bijna niet slikken. Dan begint ze snel te praten, de woorden tuimelen uit haar mond. 'Ik dacht dat als mijn zoon onderdook en het werd ontdekt, hij nog veel slechter af zou zijn. Dat ze hem dan toch wel de oorlog in zouden sturen. Ik heb verhalen gehoord over mannen met wie dat is gebeurd. Bovendien,' ze schudt haar hoofd, 'zou Michael er nooit in hebben toegestemd. Maar nu denk ik steeds maar dat als ik Jack zijn gang had laten gaan, Michael er misschien nog was geweest.'

Het is doodstil, alleen buiten in de tuin ritselt iets.

'Voelt u zich schuldig?'

Ada kijkt op. Plotseling stelt de vrouw haar teleur. Wat kan dat mens eigenlijk, als ze zo naar de bekende weg moet vragen? En wat doet zij zelf hier in deze kale kamer. Waarom zit ze hier met een wildvreemde vrouw te praten over de meest intieme dingen? 'Natuurlijk voel ik me schuldig.'

'Schuldgevoel is een heel krachtig iets.'

'Wat wilt u daarmee zeggen?'

'Ziet u hem?'

'Wie?'

'Uw zoon.'

Ada voelt haar hoofdhuid prikken, alsof er insecten tussen haar haren kruipen. 'Ja.'

'Bent u daarom hier?'

De insecten beginnen te bijten en te steken. 'Ja.'

'Vertel eens.' De vrouw houdt haar blik vast.

Ada verschuift op haar stoel. 'Ik zie hem op straat lopen.'

'Ga door.'

'In het begin zag ik hem voortdurend. Toen jarenlang niet. En opeens zag ik hem vorige week weer.'

Het gezicht van de vrouw vertoont geen enkele emotie. 'Praat hij tegen u? Wanneer ziet u hem?'

Ada trekt haar schouders op.

'Ziet u zijn gezicht wel eens?'

'Nee. Hij heeft altijd zijn hoofd afgewend.'

De vrouw knikt en laat haar adem ontsnappen. Het is alsof dit haar allemaal niet verbaast. 'Ik wil u iets vertellen,' zegt ze. 'Ik weet niet of het zal helpen.' Ze staat op. 'Maar goed, als puntje bij paaltje komt helpt toch eigenlijk niks?

Ik krijg zo veel vrouwen hier. En ze klampen zich allemaal vast aan hun zonen of hun geliefde, hun man of hun vader. Net zoals ze zich vastklampen aan de foto's die ze bewaren of de kinderspeeltjes die ze meebrengen.' Ze gebaart naar de tafel. 'Ze zijn allemaal verschillend, en toch ook weer hetzelfde. Ze zijn allemaal bang om ze te laten gaan. Als we ons schuldig voelen, is het nog moeilijker om de doden los te laten. We houden ze dicht bij ons. We koesteren ze. Ze waren van ons. We willen dat ze van ons blijven.' Haar stem klinkt steeds zachter. 'Maar ze zijn niet van ons,' zegt ze. 'En in wezen waren ze dat ook nooit. Ze zijn van zichzelf, net zoals wij van onszelf zijn. Aan de ene kant is dat verschrikkelijk, maar aan de andere kant kan dat ons bevrijden.'

Ada neemt dit allemaal stilzwijgend in zich op. 'Waar zijn ze denkt u?' vraagt ze uiteindelijk.

'Wie?'

'Al die dode jongens. Waar zijn ze? Ze zijn toch niet in de hemel? Dat bestaat niet. Het ene moment zijn ze jong en vol leven het volgende moment zijn ze dood. Binnen een paar uur zijn er niet meer. Waar zijn ze naartoe?'

'Gelooft u in God?'

'Vroeger wel.'

De uitdrukking op het gezicht van de vrouw verandert. Ze lijkt ineens een stuk ouder. Onzekerder. 'Ik weet niet waar ze zijn,' zegt ze. 'Ik kan luisteren met de voorwerpen die ik in handen krijg en proberen ze te horen. En af en toe lijken sommigen van hen... vredig. Dat kan ik voelen en dat kan ik doorgeven. Dat helpt, denk ik tenminste.'

Ada strijkt met haar tong over haar droge, gebarsten lippen. 'En hoe is het dan met Michael?' vraagt ze. 'Hoe zit het met mijn zoon?'

De vrouw fronst haar wenkbrauwen en dan schudt ze haar hoofd, alsof ze zich van een last wil bevrijden. 'Ik denk dat u moet leren om hem te laten gaan.'

Ada zwijgt.

'Uw man heet toch Jack?'

'Ja.'

'Hij is toch gezond?'

Ada vindt het een rare vraag. 'Ja, volgens mij wel,' zegt ze.

'Mag ik u een goede raad geven?'

Ada knikt.

'Kijk naar uw man,' zegt de vrouw. 'Ontdek wat hij u te bieden heeft. Hij leeft. Hij wil gezien worden.'

❖

Om kwart voor vier begint een vrouw de stoelen op de tafeltjes te zetten. Evelyn is de enige klant in de theesalon, ze zit aan een tafeltje bij een smoezelig raam en voor haar staan de restanten van haar derde kop thee en een sandwich met bacon. Ze slaat haar boek dicht en trekt haar jas aan. 'Bedankt!' roept ze naar de vrouw als ze weggaat. De vrouw steekt even haar hand op als groet.

Buiten wordt het al donker, de contouren van de gebouwen vervagen en ze lijken uit te dijen. Maar verderop is de hemel nog lichtblauw, alsof die op het punt staat zich los te maken en de aarde aan de duisternis wil overlaten. Heel even wordt ze weer overvallen door een vlaag van paniek, iets wat haar inmiddels om de haverklap overkomt, en ze moet tegen de muur leunen om een beetje bij te komen.

Het is twee minuten over vier als ze bij Rowan Hinde aanklopt. Niets dan stilte binnen. Het dalen van de temperatuur ging gelijk op met het verdwijnen van het licht. Ze voelt zich ellendig, een parasiet. Wat doet ze in godsnaam helemaal hier, mensen in hun huis lastigvallen?

Ouwe vrijster.

Bemoeizieke ouwe vrijster.

De deur gaat open en daar staat het kleine meisje, met een schortje voor en een gerafeld blauw lint in haar haar. Ze wrijft met haar ene been over de achterkant van het andere. Ze is weer op blote voeten. 'Mijn vader is er nog niet.'

'O. Zou ik dan misschien binnen mogen wachten tot hij komt?'

Het meisje draait zich om en verdwijnt in de paarsachtige duisternis aan het eind van de gang. Er klinken gedempte stemmen. Dan komt ze terug. 'Ze zegt dat u hier moet wachten.' Ze doet een deur open en Evelyn loopt met haar mee een kleine salon in. In de hoek staat een leunstoel en langs de muur een bultige tweezitsbank. Het ziet eruit alsof er al in geen jaren vuur in de open haard heeft gebrand. Het meisje en Evelyn kijken elkaar even aan in de schemering.

'Prima,' Evelyns adem maakte wolkjes. 'Maar heb je misschien een kaars?'

'Ik zal even lucifers halen.'

'Wacht maar. Die heb ik, kijk.' Ze haalt een doosje lucifers uit haar zak.

Het meisje pakt een kaarsstompje van de schoorsteenmantel en houdt het naar haar op. Evelyn buigt zich om het aan te steken. 'Zo, dat is beter,' zegt ze als de kaars ophoudt met flakkeren en rustig brandt. 'Nu kan ik je mooie lint tenminste zien.' Ze glimlacht. 'Wat een prachtige kleur.'

Het meisje kan haar ogen niet van Evelyns gezicht afhouden.

'Hoe heet je?' vraagt Evelyn.

'Dora.'

Ze heeft een lage, hese stem, zoals kinderen wel vaker hebben.

'Leuk om je te ontmoeten, Dora. Ik ben Evelyn.' Ze steekt haar hand uit.

Dora kijkt naar Evelyns hand en dan weer naar haar gezicht. Er slaat een deur dicht en uit de keuken komt gemompel. Evelyn herkent de stem van Rowan Hinde.

'Dat is mijn vader,' zegt het meisje.

Evelyn steekt haar hand in haar jaszak.

'Waarom komt u hem opzoeken?' Het meisje knijpt haar van de spanning wit geworden lippen samen.

'Stil maar. Ik beloof je dat er niets naars is.'

Het meisje kijkt haar aan alsof ze wil inschatten of Evelyn

de waarheid spreekt. 'Ik ga wel even vragen of hij hier komt,' zegt ze en ze geeft de kaars aan Evelyn.

Evelyn loopt naar de schoorsteenmantel, zet de kaars neer en gaat op de leuning van de stoel zitten. Ze staat weer op en loopt naar het raam, waar tot halverwege een stuk vergeelde vitrage hangt. Geen lantaarns op straat, het is vrijwel pikdonker. Ze heeft zin in een sigaret.

Achter haar gaat de deur open en Rowan Hinde staat in de deuropening.

'Meneer Hinde.' Ze loopt met uitgestoken hand op hem af. 'Ik ben Evelyn Montfort. Ik werk op de afdeling pensioenen in Camden Town. U kwam maandag bij me op kantoor.' In haar haast struikelt ze bijna over haar woorden.

Hij beweegt zijn hoofd lichtjes van links naar rechts, hetzelfde onwillekeurige gebaar dat ze zich herinnert van de vorige keer. In de landerige sfeer van de namiddag maakte het toen een beetje een zielige indruk, maar nu ze zijn gezicht niet goed kan zien, vindt ze het eng.

'Dat weet ik heus nog wel,' zegt hij. 'Ik ben niet achterlijk. Ik weet wie je bent.'

Ze drukt haar nagels in haar handpalm. 'Nou, dat is dan mooi. Ik wilde niet-'

'Munitie.'

'Dat klopt.'

'Geen vinger.' Hij wijst naar haar hand.

'Ja.'

'Wat doe je in mijn huis?'

Er klinkt zo veel vijandigheid in zijn stem door dat ze een stap achteruit doet en met haar hak tegen het rooster van de open haard aan komt. Heel even heeft ze het afschuwelijke gevoel dat ze gaat vallen, maar ze weet zich nog net op tijd aan de schoorsteenmantel vast te houden.

'Voorzichtig,' zegt hij.

'Sorry.' Ze recht haar rug. 'Ik ben hier omdat je op zoek was naar iemand. Kapitein Montfort. Klopt dat?'

Hij zwijgt.

'Heette hij Edward Montfort? Kapitein Edward Montfort?'

Terwijl ze dit zegt, is het alsof de temperatuur in de kamer verandert.

'Dat is mijn broer,' zegt ze. 'Ik kan je helpen als je me vertelt waarom je naar hem op zoek bent.'

Hij draait zich om en doet de deur dicht. 'Waarom ben je hier helemaal naartoe gekomen?' vraagt hij achterdochtig.

'Omdat ik dacht dat je dat wilde. En het spijt me dat ik tegen je heb gelogen.'

Hij staart haar aan.

'Ik had ook net zo goed niet hoeven komen, hoor.'

Zodra ze dit heeft gezegd, beseft ze dat dit niet waar is. En ook hoe kribbig dit klinkt. Ze moest wel hiernaartoe. Ze kon niet anders.

Hij haalt een verfrommelde sigaret uit zijn binnenzak, buigt hem recht en wrijft dan met twee vingers over het plekje tussen zijn ogen.

'Heb je vandaag gewerkt?' vraagt Evelyn zacht.

'Ja.'

'En nog iets verkocht?'

Hij schudt zijn hoofd en gaat op de bank zitten. 'Niks. Het was verdomme veel te koud.'

'Je zou toch denken dat mensen je wel binnenlaten als het zo koud is.'

'Nou, blijkbaar is dat dus niet zo.' Hij steekt de sigaret op en pulkt een tabaksslier tje van zijn lip.

'Vind je het goed als ik er ook een opsteek?'

'Je gaat je gang maar.'

Ze pakt een sigaret uit haar pakje en geeft zichzelf een vuurtje. 'Wat heeft hij gedaan?' vraagt ze.

'Wie bedoel je?'

'Mijn broer.'

Hij heeft zijn ogen neergeslagen, maar hij luistert wel, dat kan ze aan zijn houding zien. Hij is gespannen en het lijkt wel alsof hij een beetje naar haar overhelt. Dan maakt hij een vreemd geluidje en begin te trillen. Eerst denkt ze dat hij het koud heeft, maar het is dezelfde huivering als laatst op kantoor, die voorafging aan zijn aanval. Er wordt zacht op de deur geklopt. Ze schrikt, maar het is Rowans dochtertje maar. Ze heeft een dienblad in haar handen met een theepot, twee kopjes, een suikerpotje en een melkkannetje. Met een ernstige en geconcentreerde uitdrukking op haar gezicht zet ze alles op een tafeltje voor de open haard.

Evelyn ziet hoe Rowan met zichzelf worstelt, ze ziet dat de spasmen hem de baas dreigen te worden, zijn voet tikt een onbeheerst ritme op de vloer. Haar blik schiet naar het meisje. Ze zou dat kind moeten beschermen tegen wat er gaat gebeuren. Een hand over haar ogen leggen. Maar het meisje loopt al naar haar vader toe. 'Papa? Pappie?' Hij heeft inmiddels hevige spasmen, maar toch klimt ze op zijn schoot en slaat haar armen om zijn nek. Ze blijft net zo lang zitten tot haar vader ophoudt met schokken.

Evelyn wordt bevangen door een felle jaloezie terwijl ze naar dit innige tafereeltje kijkt. Ze wil ook op die bank zitten met dat meisje op haar schoot. Haar warmte voelen, die magere armpjes om haar heen. Ze leunt achterover in haar stoel. Haar armen zijn koud en haar schoot is leeg. Ze moet aan Robin denken, hoe hij met zijn hand over Rowans rug streek, hem kalmeerde, en dat ze naderhand zo pinnig tegen hem had gedaan. Reginald Yates, die afschuwelijke vent, had gelijk. Ze is echt een sadistisch rotwijf.

Als Rowan eindelijk helemaal is gekalmeerd, legt zijn dochtertje heel even haar hand tegen zijn wang en laat zich dan van zijn schoot glijden om de thee in te schenken. Ze geeft Evelyn een kopje.

Evelyn kan het meisje bijna niet aankijken.

Als het kind de kamer uit is, zet Evelyn haar kop en schotel op de grond. 'Ik vind het heel erg dat ik je van streek heb gemaakt. Ik ga nu.' Ze staat op en trekt haar handschoenen aan. Het was een grote fout om hiernaartoe te gaan. Ze heeft deze arme mensen overstuur gemaakt en ze is blij dat ze weg kan.

'Blijf nog even,' zegt Rowan. Zijn stem klinkt anders, rustiger. 'Drink je thee op. Het is reuze onbeleefd om weg te gaan als je thee aangeboden krijgt.' Hij kijkt haar aan, met een kalme, uitdagende blik.

Ze doet wat hij zegt.

'Je broer,' zegt hij na een korte stilte.

'Ja?'

'Wat heeft hij je ooit aangedaan?'

'Hij...'

Hij zorgde ervoor dat ik me klein voelde. Een domme oude vrijster. Hij is in staat om gelukkig te zijn. Hij is in staat de oorlog te vergeten.

'Hij heeft me voorgelogen,' zegt ze.

Rowan knikt en lijkt tevreden met dit antwoord. 'Goed,' zegt hij. 'Ik zal vertellen wat ik weet.' Hij steekt nog een sigaret op en wijst naar haar. 'Maar onthoud goed dat je er zelf om hebt gevraagd.'

Ze zwijgt.

'Zeg het dan,' zegt hij.

'Wat moet ik zeggen?'

'Dat je erom hebt gevraagd. Ik wil dat je het hardop zegt.'

'Ik heb erom gevraagd,' zegt ze braaf.

'Goed dan.' En hij steekt van wal.

'Ik had een maat. We leerden elkaar kennen in een rustkamp achter de linies. Ze noemden het een rustkamp, maar dat klopte niet. Je moest allerlei soorten klussen doen en je kreeg alleen maar rust als het donker werd en je naar bed ging. Er waren ook nog een heleboel andere soldaten bij onze compagnie gevoegd, maar dat viel me niet op. Ik bemoeide me met niemand.

Op een dag kwamen die knul en ik in dezelfde ploeg terecht. We moesten rollen prikkeldraad naar de linie brengen en we raakten aan de praat. Ik hoorde meteen dat hij bij mij uit de streek kwam. Hij bleek in Hackney te wonen, een paar kilometer ten noorden van hier.

Inmiddels waren alle regimenten opgesplitst. Het was niet meer zo dat jongens uit dezelfde streek in dezelfde ploeg zaten. Daar waren er toen al te veel voor gesneuveld. Inmiddels zaten mensen uit Yorkshire tussen kerels uit Londen en Wales. Na een veldslag werden degenen die nog konden vechten bij elkaar gezet. Het kwam niet vaak voor dat je iemand ontmoette die bij je uit de buurt kwam.'

'Hoe heette hij?' Evelyn gaat op het puntje van haar stoel zitten.

'Michael,' zegt Rowan. 'Michael Hart. Hij maakte deel uit van een compagnie waarvan bijna alle manschappen waren omgekomen. Ze hadden het zwaar te verduren gehad en er waren nog maar een stuk of veertig man over.'

'En uit hoeveel bestond de compagnie dan oorspronkelijk?'

'Een paar honderd.' Hij haalt zijn schouders op. 'Daarom werden ze bij ons gevoegd. Ook al praatten ze nooit over wat er was gebeurd, we kregen het toch te horen. Ze waren allemaal in de modder verdronken.'

'Verdrónken?'

'Het is bijna niet te geloven, en toch is het waar.'

Er valt een stilte terwijl ze het probeert te bevatten. Het lukt haar niet. Dit soort dingen gaat haar verstand te boven. Ze schudt haar hoofd.

'Wat was die Michael voor iemand?' vraagt ze.

Hij leunt achterover, krabt aan zijn nek en denkt na. 'Ik zal je iets vertellen,' zegt hij. 'Als we in het kamp klaar waren met het werk gingen de meeste mannen kaarten en een sigaret roken. Maar hij kaartte niet. Hij zei dat hij niet wilde weten hoeveel geluk hij nog over had.'

'Wat bedoelde hij daarmee?'

'Er werd om geld gekaart. En als je aan de winnende hand was, werd je zenuwachtig, bang dat je geluk je in de steek zou laten. Dat geluk eindig was en op kon raken. Omdat hij aan de dood was ontsnapt, dacht hij volgens mij dat zijn portie geluk op was. Dat wilde hij niet bevestigd zien, dus leek het hem beter om maar niet te spelen. Hij wilde het gewoon niet weten.'

'Ik begrijp het.' En dat is ook zo, het klinkt plausibel.

Het puntje van Rowans sigaret gloeit rood op. 'Hij praatte niet veel met anderen. Trouwens niemand van die nieuwe ploeg bemoeide zich met de rest. Wij waren een paar weken achter de linies en elke keer moesten we in ploegen naar het front.'

'Wat hield dat in?'

'Van alles en nog wat. We transporteerden onder andere ammunitie, zandzakken, loopgraafmortieren, prikkeldraad. Dat laatste was nog het zwaarste. Je droeg het samen met iemand anders aan een stok en voordat je was waar je moest zijn, had je jezelf al helemaal opengehaald. Het was meestal een kilometer of vijf lopen en je moest goed uitkijken om niet in de modder te vallen. Alle opdrachten die we kregen, deden Michael en ik samen.

Zijn moeder had hem een keer een cake gestuurd. Een grote vruchtencake.' Hij geeft met zijn handen de grootte van de cake aan. 'We kregen allemaal een stuk. Ik weet nog dat ik me afvroeg hoe het kwam dat die cake zo lekker smaakte. Ze had vast wekenlang suiker opgespaard. Hij kreeg ook regelmatig brieven van haar. Ik kreeg nooit een brief van mijn moeder.'

'Waarom niet?'

Hij lacht smalend. 'Ze kon niet eens haar naam schrijven.'

'O,' zegt ze. *Dat had ik kunnen weten.*

'Na een paar weken werden onze rantsoenen verdubbeld. We wisten dat dit een teken was dat we weer naar de linies moesten. Zodra we meer te eten kregen, werd iedereen altijd zenuwachtig. Een gevulde maag was fijn, maar toch ook weer niet, als je snapt wat ik bedoel. Niemand wist waar we naartoe gingen, maar toch sloten we weddenschappen af op waar we terecht zouden komen. Het enige waar we op konden hopen was dat het niet al te zwaar zou worden.

Op een morgen kwam kapitein Montfort naar ons toe en zei dat we de volgende ochtend vroeg zouden vertrekken. Hij was zenuwachtig. Ik had meteen een voorgevoel dat er ons iets ellendigs te wachten stond.'

Ze schrikt als ze de naam van haar broer door deze man hoort uitspreken. *Kapitein Montfort.*

'Hoe was hij als kapitein?' vraagt ze.

Hij haalt zijn schouders op. 'Niks mis mee, behalve op het laatst.'

'Op het laatst?'

'Ja.'

Hij gaat er niet op door en ze weet dat ze niet moet aandringen. Het is heel dubbel wat ze voelt: ze wil voor haar broer in de bres springen en tegelijkertijd staat dat haar tegen. Ze hoopt maar dat Ed zijn werk goed deed.

'Op een gegeven moment wilde ik iets tegen Michael zeggen,' gaat Rowan verder, 'en toen zag ik dat hij zo wit als een doek was geworden.

We waren ingekwartierd in een boerderij, en na zonsondergang mocht er geen vuur meer worden gemaakt. Je mocht eigenlijk helemaal niks, alleen naar bed gaan. Die avond lagen we in het donker op onze britsen en ik was klaarwakker. Ik hoorde dat Michael ook nog niet sliep.

"Ben je wakker?" vroeg ik.

"Ja," zei hij.

"Ik heb er geen goed gevoel over."

"Nee," zei hij. "Ik ook niet."

"Wil je me iets beloven?" zei ik.

"Wat dan?"

"Als er iets met me gebeurt, wil jij het dan aan mijn vrouw vertellen?"

"Natuurlijk."

"Vertel maar precies hoe het is gegaan. Zonder poespas. Ik wil niet dat ze zo'n brief krijgt waarin allemaal flauwekul staat. Ik wil dat ze de waarheid weet."'

'En wat zei hij toen?' Evelyn steekt nog een sigaret op.

'Hij beloofde dat hij dat zou doen. Toen vroeg hij of ik hetzelfde voor hem wilde doen. Omdat hij geen vrouw had, moest ik zijn moeder opzoeken.

Ik vroeg hoe zijn moeder heette.

"Ada" zei hij.

Ik maakte nog een grapje dat ik haar voor de cake zou bedanken. Hij moest erom lachen. De volgende dag heb ik haar adres opgeschreven.'

Hij slaakt een zucht.

'Ik heb het adres uit mijn hoofd geleerd, voor het geval ik het papiertje kwijtraakte. Ook al was hij dood, ik ben dat verdomde adres nooit vergeten.'

'Heb je haar opgezocht?'

'Nee.'

'Waarom niet?'

'Ik kon het haar gewoon niet vertellen. Heel laf, maar ik durfde niet.'

'Wat kon je haar niet vertellen?'

Hij geeft geen antwoord. En dan pakt hij de draad weer op. 'Een paar weken geleden liep ik over straat om mijn borstels, zeep en dat soort rotzooi aan de man te brengen. Opeens zag ik het bordje met de straatnaam die hij voor me had opgeschreven. En ik stond ook nog pal voor zijn deur. Terwijl ik daar sta gaat de deur open en komt zijn moeder naar buiten.

'Zag ze je?'

Hij schudt zijn hoofd. 'Ze was in gedachten en liep straal langs me heen naar de heuvel. Toch kon ik haar gezicht even zien. Ze leek sprekend op hem, alleen natuurlijk wat kleiner. Ik dacht nog: dit is de vrouw die de cake heeft gestuurd waarvan ik heb gegeten. Dit is de vrouw die al die brieven heeft geschreven. En zomaar midden op straat begon ik te trillen. Ik dacht: hij weet dat ik me niet aan mijn belofte heb gehouden. Hij wil dat ik het haar nu vertel. Er zijn drie jaar voorbij gegaan en nu sta ik hier.' Hij heeft een felle blik in zijn ogen, alsof hij Evelyn uitdaagt hem tegen te spreken. 'Ik wist dat hij me naar zijn huis had gebracht.'

Evelyn moet even slikken. 'En wat heb je toen gedaan?'

'Afgelopen zondag ben ik teruggegaan. Ik nam mijn tas mee en deed net alsof ik iets wilde verkopen. Het was zondag, maar zijn moeder maakte daar geen opmerking over. Ze liet me binnen.

Ik wist meteen dat ik het niet zou kunnen. Ik zag haar daar in die keuken staan en dacht: ik kan aan je zien dat je verdriet hebt. En ik weet waarom. Ik weet waarom je zo verschrikkelijk verdrietig bent.' Hij zwijgt even en kijkt haar dan in de ogen. 'Heb je wel eens een geest gezien?'

'Nee,' liegt ze en ze neemt snel een trek van haar sigaret. 'Eén keer,' zegt ze dan.

'Wat zag je?' vraagt hij.

'Dat kan ik niet zeggen.' Ze schudt haar hoofd. 'Het spijt me, ik kan het gewoon niet.'

'Vertel op.' Het klinkt als een bevel

Ze laat haar adem ontsnappen. Ze heeft dit nog nooit aan iemand verteld. 'Ik werd een keer 's nachts wakker en toen zag ik een klein meisje in de hoek van mijn slaapkamer staan. Ze zag er zo eenzaam uit dat ik haar wilde troosten. Ik ging mijn bed uit en toen ik naar haar toe liep wist ik...' Ze aarzelt. 'Ik wist dat ze van mij was. Mijn dochter. En dat ze wilde dat ik haar vasthield. Maar toen ik zo dicht bij haar was dat ik haar bijna kon aanraken, verdween ze.' Ze trilt. *Niet huilen. Ga verdomme niet janken.*

'Was je bang?'

Ze knikt. 'Ja, ik was bang.'

Hij buigt zich naar haar over. 'Ik heb er ook een gezien,' fluistert hij. 'Michael. Hij stond in de keuken van zijn moeder, naast haar. Net zo duidelijk als ik jou nu zie.'

Haar hart klopt in haar keel.

'Hij wees met zijn vinger naar me en zijn mond bewoog, maar ik kon niet horen wat hij zei. Het was net als in de film, als er geen woorden onder staan, weet je niet wat er wordt gezegd, maar je kunt wel zien dat iemand razend is. Ik kon alleen maar denken dat ik daar zo snel mogelijk weg moest. Ik wilde weggaan, maar zijn moeder voelde dat er iets was en liet me niet gaan.'

'Hoezo voelde ze iets?'

Hij spreidt zijn handen 'Dat weet ik niet. Maar ze noemde zijn naam. Michael.'

Evelyn hoort het gekletter van pannen in de ruimte ernaast. De gedempte stemmen van de moeder en haar dochtertje.

'Ik dacht bij mezelf: ik hoef haar alleen maar de waarheid te vertellen. Want ik kon zo zien dat ze van niks wist. Ik durf te wedden dat je broer in die brief die hij haar heeft gestuurd niet heeft geschreven hoe het is gegaan.'

'Wat bedoel je?'

Rowans gezicht vertrekt. 'Ik heb hem doodgeschoten,' zegt hij. 'Ik heb haar zoon doodgeschoten.' Hij kreunt en houdt zijn slappe arm vast. 'En jouw broer heeft me ertoe gedwongen.'

Heel even lijkt het alsof de tijd stilstaat. Dan lacht ze, een vreemd geknepen lachje. 'Dat is bespottelijk. Hij... Ed zou zoiets nooit doen.'

'Hoe weet je dat?'

'Hij... deugt.'

'O ja? Hoe weet je dat zo zeker?'

Ze doet even haar ogen dicht. Wat moet ze hierop zeggen? *Hij heeft altijd van me gehouden. Hij keek tegen me op. Hij was mijn bondgenoot. Hij gaf me het gevoel dat ik een dapperder en betere deel van hem was.*

'Ik weet het gewoon.'

'Waarom ben je dan hier als je dat zo zeker weet?' Rowans stem slaat over.

Ze dwingt zichzelf hem aan te kijken. 'Het spijt me. Ik... ik weet het niet zeker.'

Ze wil het niet horen, ze wil niet horen wat deze man haar wil vertellen.

En toch weet ze dat ze moet blijven luisteren, ze weet dat ze met z'n tweeën iets hebben ontketend en nu door moeten gaan totdat het achter de rug is. Rowan steekt nog een sigaret op, hij zit in elkaar gedoken en de woorden komen staccato uit zijn mond.

'Zodra we bij de linie in de buurt kwamen, wist ik dat ik het goed had gevoeld. We zouden het heel zwaar krijgen. We kwamen door Albert. Alle huizen waren dichtgespijkerd. Alsof de pest er huis had gehouden. Aan een kerk hing een engel met een kind in haar armen. Het leek net een vrouw die op de boeg van een zinkend schip stond.

We kregen opdracht bij die kerk te blijven wachten. Het ging niet goed met Michael, hij trilde over zijn hele lijf. Ik ging naast hem zitten en toen begon hij tegen me te praten. Ik denk dat hij wilde vertellen wat er daar was gebeurd. Dat ze op weg naar het front hier langs waren gekomen. Maar hij was zo in de war dat ik er geen touw aan vast kon knopen.

De anderen uit onze ploeg viel het ook op dat er iets met hem aan de hand was en ze stoorden zich aan het geraaskal van hem. Niemand zat erop te wachten dat een van ons doordraaide en liet zien dat hij bang was, dus zeiden ze tegen mij dat ik moest zorgen dat hij zijn bek hield. Je merkte dat ze het benauwd kregen. En dus zei ik tegen hem dat hij moest ophouden, dat we verder moesten en dat hij het later maar allemaal aan me moest vertellen. Hij hield inderdaad op en ik dacht dat het wel weer met hem ging. We kregen thee uit een van de veldkeukens en ook iets te bikken. En een peuk. Michael was rustig. We wachtten tot het donker werd en toen gingen we naar de linie. Er stond geen maan aan de hemel, dat was in ieder geval een meevaller.'

'Hoezo?' vraagt ze.

Hij kijkt haar aan alsof dat een ontzettend domme vraag is. 'Dan kan de vijand je zien, snap je? Zeker met volle maan.'

Ik heb een verbond met de maan gesloten. Op heldere nachten brengt ze mij naar jou.

Evelyn huivert. *Stom.*

'Na een lange mars – het was al een uur of twee, drie 's nachts – roken we dat we in de buurt kwamen.'

'Hoe kwam dat?'

'Vanwege de stank. Die was verschrikkelijk. En overal was modder. We liepen over loopplanken en als je daar vanaf viel, verzoop je. Mannen en paarden zaten vast in de modder en je hoorde ze schreeuwen en krijsen, maar je kon niks doen, alleen maar voetje voor voetje doorlopen en je vasthouden aan de man voor je. Op een gegeven moment wisten we dat we in de buurt van de linie waren, want we werden bijna van de loopplanken geduwd door de soldaten die we gingen aflossen en niet wisten hoe snel ze daar weg moesten komen.

We vroegen aan ze hoe het was geweest, want we wilden natuurlijk weten wat ons te wachten stond. Het enige wat ze zeiden was: "Een makkie, kerel, een makkie."' Hij lacht schor. 'Dat was trouwens altijd wat je te horen kreeg.

In het donker kon je elkaar natuurlijk niet goed zien, maar van tijd tot tijd schoten de Duitsers lichtkogels af om te kijken waar wij waren. Net rood vuurwerk. Michael liep vlak achter me. Op het moment dat er weer een lichtkogel werd afgeschoten, keerde ik me toevallig om en zag Michael staan. Hij staarde naar een hand die uit de wand van de loopgraaf stak. Ik was er zelf net langs gelopen, maar het was me niet opgevallen.'

'Hoe kwam die hand daar dan?' vraagt Evelyn.

'Op dat stuk werd al heel lang gevochten, en elke keer dat ze zich opnieuw ingroeven, stuitten ze op lijken en moesten daar dwars doorheen. Er zat niks anders op. Michael draaide helemaal door en begon te kermen, hij hield niet meer op.'

Evelyn kan het bijna niet meer aanhoren.

'Om ons heen fluisterde iedereen dat hij zijn kop moest houden, maar hij hoorde het gewoon niet en ging maar door met kermen. Toen kwam kapitein Montfort vanaf de voorkant van de linie aangestormd. Hij pakte Michael beet en zei dat als hij godverdomme zijn kop niet hield, hij zijn strot zou doorsnijden. Dat hielp, Michael was meteen stil. We liepen weer verder, maar ik hoorde dat hij trilde doordat het ransel op zijn rug rammelde. Alsof alles bij hem naar binnen was geslagen.

Toen we bij de linie aankwamen, lag die zwaar onder vuur. We meldden ons bij de sergeant en de taken werden verdeeld. Michael zat als een zoutzak op de grond, met een blik in zijn ogen alsof hij helemaal van de wereld was. Ik wilde iets tegen hem zeggen om hem gerust te stellen, maar ik kon niks verzinnen. De sergeant zei dat ik een bericht naar de schuilholte van kapitein Montfort moest brengen. Toen ik binnenkwam was hij door de telefoon tegen iemand aan het schreeuwen. *Godverdomme hier* en *godverdomme daar.* De klootzakken die we hadden afgelost waren er allemaal als een haas vandoor gegaan en niemand had informatie achtergelaten. Ze waren 'm gewoon gesmeerd.

"Hinde," zei hij tegen me. "Er liggen allemaal lijken achter de hulploopgraaf. Neem vijf mannen en spades mee en ga die arme drommels begraven. En zorg dat die klote Hart meegaat. Ik wil niet dat hij hier de boel bij elkaar schreeuwt."

Ik dacht, als we een tijdje bij de linie vandaan zijn, kan

ik Michael misschien weer een beetje in het gareel krijgen. Natuurlijk hadden we het allemaal wel eens te kwaad, maar je wilde niet iemand in je buurt die doordraaide. Dat was besmettelijk.

Ik wees Michael en vier andere mannen aan, we lieten onze ransels achter, en liepen terug door de loopgraaf. Kapitein Montfort had gezegd waar ik moest wezen, maar dat wisten we meteen toen we dichterbij kwamen. Het stikte er van de vliegen.'

Hij steekt een nieuwe sigaret met het stompje van zijn vorige aan.

'We klommen uit de loopgraaf, en moesten ons bukken want we waren nog steeds vlak achter de linie. Op die plek was de grond niet al te modderig. Ik weet niet hoe dat kwam. Anders waren de lijken gewoon daarin verdwenen en hoefden ze niet begraven te worden. Overal sloegen granaten in en het lawaai was oorverdovend, maar het gegons van de vliegen overstemde alles.' Hij staart voor zich uit. 'De laatste ploeg had hun maten gewoon open en bloot laten wegrotten.'

'We bonden sjaals om ons gezicht en begonnen vlak naast de lijken te graven. Het was te donker en te gevaarlijk om verder uit de buurt te gaan. We waren met z'n zessen en we werkten in ploegjes van twee. Ik was samen met Michael en ik vroeg af en toe of het wel ging. Hij zei steeds ja, maar hij moest wel de hele tijd kotsen. Dat was trouwens niks bijzonders, want dat deden we allemaal.

Om de zoveel tijd ging er een lichtkogel af en moesten we ons plat op de grond gooien. Het handigste was om gewoon maar in de graven te springen die we aan het delven waren. Ik dacht nog, dat komt mooi uit, als ons iets overkomt liggen we al in een graf. Ze hoeven alleen nog maar de aarde over ons heen te gooien. Maar ja, hoe moest het dan met die arme stakkers voor wie we aan het graven waren, waar moesten die dan blijven? En het leek me niks om samen met een van hen in een graf te liggen.

We probeerden hun naam op de plaatjes te lezen, dan konden we die op de kruizen zetten. Dat was standaard zodat ze later te vinden zouden zijn. Als ze tenminste niet waren opgeblazen. Michael probeerde een van die plaatjes te lezen, maar het viel steeds uit zijn handen. "Geef maar hier," zei ik. "Dan kijk ik er wel even naar." Ik bukte me en...'

Hij stopt.

'Ongeveer twintig meter van waar we stonden, sloeg een granaat in. Toen ik weer een beetje bij mijn positieven kwam, kon ik niks zien. Mijn neus en mond zaten vol aarde en het was nog donkerder dan daarvoor. Ik stond daar maar aarde uit te spugen en probeerde mijn zaklamp te pakken zodat ik iets kon zien.

Ik knipte mijn zaklamp aan. Iedereen was bezig aarde uit hun ogen en mond te halen. Maar Michael zag ik nergens. Ik riep hem en zocht zo goed en zo kwaad als het ging, maar geen Michael.

Ik schepte wat aarde over het lijk dat ik moest begraven en ging toen met de andere mannen terug naar het stuk loopgraaf dat als onze schuilholte moest dienen. Maar daar was hij ook niet. Uiteindelijk meldde ik me bij kapitein Montfort en vertelde hem dat soldaat Hart was verdwenen.

"Wat bedoel je met verdwenen?" vroeg hij.

"Er was een granaatinslag en daarna heb ik hem niet meer gezien."

"Ik weet verdomd goed dat er een granaatinslag was," zei hij. "Twee van de koks zijn omgekomen."

Ik had moeite om hem te verstaan want ik had een keiharde fluittoon in mijn oren.

"Je hebt bloed op je hoofd," zei hij. "Ga naar het veldhospitaal en laat ernaar kijken."

Dat deed ik en intussen keek ik overal of ik Michael soms zag.'

'Maar het had toch gekund dat hij bij die granaatinslag door aarde was bedolven. Heeft niemand daaraan gedacht?' zegt Evelyn.

'Nee. Ik wist gewoon dat hij niet dood was,' zegt Rowan. 'In het veldhospitaal waren heel veel gewonden, de ene was er nog erger aan toe dan de andere. Omdat mijn verwonding minder ernstig was, duurde het even voordat ik aan de beurt kwam om me te laten verbinden. Al die tijd keek ik of ik Michael soms zag, en stelde me voor dat hij misschien geraakt was en het hem gelukt was om hiernaartoe te komen. Toen ik eindelijk aan de beurt was en vroeg of er toevallig iemand van mijn compagnie was binnengebracht, kreeg ik te horen dat er inderdaad iemand van ons was geweest die wartaal uitkraamde en vreselijk trilde. Ze hadden hem op een stretcher gelegd, maar toen was hij opeens verdwenen. Er werd me gevraagd of hij zich weer had gemeld en ik zei dat ik dat niet wist. Toen voelde ik aan mijn klompen dat het foute boel was.

Eenmaal terug bij de linie zag ik hem nog steeds niet.

Het werd nacht en nog steeds geen Michael.

's Morgens hadden we appel. Ik had geen oog dichtgedaan en iedereen keek me aan alsof ik hoorde te weten waar hij was.

Ik werd bij kapitein Montfort geroepen. Hij zag eruit alsof hij ook niet had geslapen. Hij had gedronken. De officieren roken altijd naar whisky.' Rowan klinkt bitter. 'Dat was niet voor ons weggelegd. Alleen 's morgens een rantsoen rum voordat je de loopgraven uitging.

Hij begon meteen tegen me te schreeuwen. Of ik iets had gezien, of ik dacht dat Michael was omgekomen bij de granaatinslag en of ik überhaupt wel iets dacht.

En het enige waar ik aan kon denken, was wat de arts van het veldhospitaal me had verteld. Als het uitkwam dat hij dat tegen me had gezegd, dan hing ik. Dus zei ik tegen kapitein Montfort wat ik in het veldhospitaal had gehoord. Hij liep er meteen naartoe en bleef de hele ochtend weg.

Die ochtend zaten we alleen maar in de loopgraaf. Het was erger dan een slag leveren, omdat je geen kant op kon. Hier gebeuren de allerergste dingen, dacht ik bij mezelf, en wij zijn hier alleen maar om er ooggetuige van te zijn, alleen maar om vanuit dit gat naar al die verschrikkingen te kijken. Want als niemand dit zou zien, zouden de mensen nooit geloven dat dit mogelijk was.'

Hij maakt zijn sigaret uit. 'Niet dat iemand het wilde weten.'

'Ik wel,' zegt Evelyn zacht. 'Daarom ben ik hier.'

Maar het lijkt alsof hij haar niet hoort. 'Toch bleek dit uiteindelijk nog niet het allerergste te zijn,' zegt hij en hij steekt nog een sigaret op.

'Laat in de middag kwam kapitein Montfort weer terug. Hij liep langs mijn schuilholte. Ik was net aan de beurt om een uurtje te slapen, maar dat lukte me niet want ik had steeds maar zo'n rotgevoel. En ja hoor, Montfort riep me bij zich om te vertellen dat soldaat Hart was gearresteerd bij een boerderij, een paar kilometer achter de linie. Hij had een vuurtje gemaakt en de rook had de aandacht getrokken van een officier van een ander regiment. Die was op onderzoek uit gegaan en had hem gearresteerd.

Kapitein Montfort vroeg me de hemd van het lijf over Michael. Hij wilde alles over hem weten. Ik zei dat Michael een goede knul was.'

'En luisterde hij naar je?' vraagt Evelyn. Plotseling lijkt het haar ontzettend belangrijk dat haar broer heeft geluisterd.

Rowan haalt zijn schouders op. 'Hij stelde me alleen nog een paar aanvullende vragen en toen mocht ik gaan.'

Hij leunt achterover op de bank.

'Ik heb kerels gezien die waren vastgebonden aan de wielen van affuiten. *Veldstraf nummer een*, noemden ze dat. Zo met hun armen gespreid, leek het verdomme wel alsof ze aan het kruis hingen. Zo werden ze achtergelaten, op hun knieën, langs de kant van de weg. En wij waren verplicht ernaar te kijken. Maar dat verdomden we. We draaiden altijd ons hoofd weg als we erlangs liepen, uit respect voor die arme stakkers.'

Evelyn knikt. *Dat had ik ook gedaan.*

'Toen ik 's avonds mijn ogen dichtdeed zag ik Michael voor me: vastgebonden aan een wiel. Ik dacht echt dat dat zou gebeuren.

De volgende ochtend moest ik me weer bij kapitein Montfort melden. Hij zei dat Hart als deserteur voor de krijgsraad zou komen en dat hij iemand mocht uitkiezen om hem tijdens het proces te verdedigen. Dat heette een bajesvriend. En Hart had mij uitgekozen.

Ik vroeg Montfort wanneer het proces plaatsvond en hij zei donderdag. En toen ik hem vroeg wat voor dag het vandaag was, zei hij dinsdag.'

Er valt even een stilte waarna hij weer verder gaat.

'En op dat moment wist ik precies wat er ging gebeuren. Ik zweer het. Helemaal van begin tot eind. Alsof het zwart op wit stond. Zoals in de bijbel. Alsof je erdoorheen kon bladeren en de laatste bladzijde kon zien, de laatste zin.'

Evelyn drukt haar nagels in haar handpalmen. Haar vingerstompje doet pijn. 'En wat gebeurde er toen?' vraagt ze. 'Wat gebeurde er bij het proces?'

Hij staat op, loopt naar het raam en kijkt naar buiten. 'Ik had geen enkele macht. Ik mocht hem niet eens zien. Ik werd naar een kamertje gebracht waar twee heren zaten met iets roods op hun uniform. Het duurde al met al maar een paar minuten en ik kon niet goed uit mijn woorden komen. Ik wilde ze vertellen dat ze zich vergisten, dat het niet goed met hem ging na de laatste veldtocht waaraan hij had deelgenomen. Maar ik kreeg de kans niet. Ze bleven er maar over doorgaan dat hij tijdens de mars zo had geschreeuwd. Dat hadden ze al van je broer gehoord, en hun oordeel stond gewoon vast. Ik kon er niets tegenin brengen en dat was dat.'

Hij draait zich om, spuugt in de open haard en leunt tegen de schoorsteenmantel.

Ze kijkt naar hem zoals hij daar staat in het kaarslicht. Deze kleine man, met zijn hemd uit zijn broek en loshangende bretels.

'En je mocht hem ook niet zien?' vraagt ze.

Het blijft even stil. 'Toen niet.

Nadat we eindelijk uit die linie waren moesten we ons verzamelen en werd ons verteld dat soldaat Hart schuldig was bevonden en zou worden gefusilleerd. Ik hoorde alleen maar dat ene woord: *gefusilleerd*. Het was mijn schuld, vond ik. Ik had net zo lang naar hem moeten zoeken tot ik hem had gevonden en hem terug moeten brengen. En toen vroeg ik me af of ze hem al hadden verteld wat er ging gebeuren. En of ze het zijn moeder hadden verteld. Want een moeder die een cake bakt voor haar zoon, zou vast wel afscheid van hem willen nemen.'

Hij lacht kort en bitter.

'Mochten ouders dan afscheid komen nemen?' vraagt Evelyn ongelovig.

Rowan snuift en kijkt haar aan alsof ze niet goed snik is.

'Wat denk je? Dat ze daarnaartoe werden gehaald zodat ze hun jongens konden uitzwaaien voordat ze naar de loopgraven gingen? Denk je nou echt dat ze hen voor zoiets over lieten komen?'

Natuurlijk niet. Ze voelt zich opgelaten en steekt nog maar eens een sigaret op.

'Maar terwijl er van alles door mijn hoofd ging, was kapitein Montfort aan het woord en las een lijst met namen voor. Ik luisterde niet echt. Na afloop zeiden ze tegen me dat ik pech had gehad. En toen ik vroeg waarom, kreeg ik te horen dat het over de samenstelling van het vuurpeloton ging en dat het echt verdomd rot was als je een maat moest fusilleren. Pas toen drong het tot me door dat jouw broer mijn naam had opgelezen.'

Hij kijkt haar aan.

'Die kloteschoft had mijn naam opgelezen.'

Hij trilt.

Ze hoopt dat het geen voorbode van een toeval is.

'Ik kreeg toestemming om naar Michael toe te gaan. Dat zou hij misschien wel fijn vinden, werd gezegd. Alsof ze me een gunst verleenden. Alsof ze hém een gunst verleenden door mij afscheid van hem te laten nemen. *Goed, ouwe makker, vervelend dat we je gaan fusilleren. Pech dat ik het moet doen. Heb je misschien een laatste wens? Moet ik nog iets tegen je moeder zeggen?*

Om zeven uur mocht ik naar hem toe. Maar ik ben niet gegaan. Ik ging het bos in om na te denken. Ik vroeg me af wat er door hem heen zou gaan zo helemaal in zijn eentje. Ik wist dat ik naar hem toe moest gaan, maar ik kon het niet.'

Hij loopt naar Evelyn toe en met een van wanhoop vertrokken gezicht blijft hij voor haar staan. 'Kun je begrijpen waarom ik niet naar hem toe kon gaan?'

'Ja,' zegt ze. 'Dat begrijp ik.'

Hij verbergt zijn hoofd in zijn handen en hij zucht een paar keer heel diep. Dan gaat hij weer verder, hij praat snel, alsof hij zo vlug mogelijk zijn verhaal wil afronden. 'De volgende ochtend marcheerden we naar een verlaten plek. Ze hadden daar een paal in de grond geslagen en daar werden we in een rij voor opgesteld. En toen kwamen ze met Michael aan. Hij had een zak over zijn hoofd en hij kon niet op zijn benen staan, alsof hij dronken was. Misschien was hij wel echt dronken. Iemand vertelde me dat veroordeelden vaak dronken werden gevoerd zodat ze niet wisten wat er gebeurde. Twee mannen namen hem tussen hen in en sleepten hem voort.

Je broer inspecteerde het peloton. Ik had mijn geweer in mijn handen en ik dacht: ik zou je zo neer kunnen knallen.' Hij kijkt Evelyn aan. 'Geloof me maar, ik had het graag gedaan. Maar dan ging ik er zelf ook aan. En de kleine Dora was er toen al. Ik wilde naar huis.' Zijn stem breekt. 'Ik wilde alleen maar naar huis.

Ze bonden Michael aan die paal en ik zag dat hij in zijn broek had gepist. En hij had ook nog wat anders laten lopen. Je kon het ruiken, zo dichtbij stonden we. Er was ons van tevoren gezegd dat we stil moesten zijn zodat hij niet zou merken dat we er waren. Het was zo godskolere stil. En ik vroeg me af of Michael wist dat ik daar was.

Ik wilde iets tegen hem zeggen, hem vertellen dat hij er niet alleen voor stond. Maar ik kon het niet. Bovendien was dat een leugen geweest. Hij stond er namelijk wél alleen voor.'

Hij strijkt met zijn hand over zijn voorhoofd.

'Opeens mompelde Michael iets en toen riep hij om zijn moeder: *"Mama, mama, mama"*.'

Evelyn slaat haar hand voor haar mond.

'En ik begon te bidden. Op school bewoog ik altijd alleen maar mijn lippen als we moesten bidden. Ik heb nooit echt gebeden. Mijn hele leven niet. Maar op dat moment kon ik niet anders dan steeds maar herhalen: vergeef ons onze zonden. *Vergeef ons onze zonden.* Maar terwijl ik stond te bidden, vroeg ik mezelf af: *waar bid je voor, Rowan? Er luistert toch niemand naar je. Hou dus maar op.* En toen liep je broer naar voren en speldde een witte zakdoek op Michaels hartstreek.

Ik had al bedacht dat ik niet gericht zou schieten. Dan was ik in ieder geval niet zelf verantwoordelijk voor zijn dood. Maar naast me stond een soldaat die duidelijk voor het peloton was gekozen omdat het een gevoelloze klootzak was en die fluisterde tegen me: "Je moet op de zakdoek richten. Daar doe je hem alleen maar een plezier mee."' Rowan schudt zijn hoofd.

'Toen klonk het bevel. Ik richtte mijn geweer en schoot.

Michael klapte voorover. Zijn hoofd hing naar beneden. Je broer liep naar hem toe en het was duidelijk te zien dat hij zelf ook nauwelijks recht kon lopen. Hij moest Michael het genadeschot geven voor het geval hij niet dood was. Hij haalde de zak van Michaels hoofd.'

Stilte. Rowan huivert.

'Ik wendde mijn blik af, maar ik hoorde geen schot, dus Michael was echt dood.

Toen we wegliepen begon ik te trillen, en het hield niet meer op. En ik had ook geen gevoel meer in de arm waarmee ik had geschoten. Mijn arm hield ermee op, en dat is niet meer veranderd.'

Hij doet zijn mitella af waardoor zijn arm nutteloos en slap langs zijn lijf bungelt. En met een machteloos gebaar geeft hij er een harde klap op. En nog eens, en nog eens.

❖

Ada draait zorgvuldig meelballetjes met haar handen en neuriet een liedje dat ze vroeger graag zong. Ze licht het deksel van de pan. De stoofpot staat al uren te pruttelen en de saus is mooi glanzend en donkerbruin. Er zit een lekker stuk suddervlees in, een paar wortelen van het volkstuintje, en de pompoen die Jack haar zondag heeft gegeven. Het was echt een genot om de pompoen te snijden, om door de oranje schil te gaan en het nog feller oranje gekleurde vruchtvlees eronder te zien verschijnen. Ze voegt de knoedels een voor een toe aan de stoofpot en zodra ze aan de oppervlakte van de saus verschijnen doet ze het deksel weer op de pan en veegt het meel van haar handen. Alles gaat haar gemakkelijk af, het lijkt wel alsof ze zich lichter voelt, meer zichzelf en ook juist weer niet.

Eerder op de dag heeft ze water gekookt, haar haar gewassen en opgestoken toen het nog vochtig was. Als ze het vanavond los doet, valt het in golfjes over haar rug. Jack vond het altijd zo mooi als ze het los liet hangen. Ze steekt een kaars aan en zet hem op tafel. Op het aanrecht staan een paar flessen bier die ze heeft gekocht. Ze maakt er eentje open en schenkt zichzelf een glas in om haar gezelschap te houden terwijl ze wacht.

Voor een open raam staat een gezin: vader, moeder, een meisje en twee kleine jongetjes. De moeder kijkt naar beneden waar de tuin in de schaduw ligt, maar de zon zijn stralen giet over de iep aan het eind van het gazon en de schommel waar de kinderen altijd zo veel plezier mee hebben. Daarachter loopt de spoorbaan. De vrouw is in dit dorp opgegroeid, in een huis om de hoek, dat nog steeds door haar ouders wordt bewoond.

Tijdens de oorlog stond ze vaak in de tuin met haar dochtertje, dat toen nog een peuter was, om te kijken naar de treinen die de troepen naar de kust vervoerden. In het begin was het opwindend, dan hield ze op met waarmee ze bezig was – de was ophangen of spelen met haar kind – en dan zwaaide ze vanuit haar lommerrijke tuin naar de soldaten. De jongens vonden het fantastisch, ze zwaaiden uitbundig terug, joelden en gaven kushandjes; hun gezichten gespannen van opwinding. Als de trein stopte, tilde ze haar dochtertje op om madeliefjes en paardenbloemen te geven, die de soldaten door de openstaande ramen aanpakten en achter hun oor stopten.

Er reden ook treinen in omgekeerde richting. Treinen met gewonde soldaten die naar de ziekenhuizen in Londen werden vervoerd. Als er een ziekentrein langsreed dan haalde ze haar kindje altijd snel binnen. Ook al voelde ze zich schuldig, ze kon de gedachte niet verdragen dat al die gewonden en stervenden zo dicht langs haar huis kwamen.

Zevenentwintig mannen uit haar dorp zijn omgekomen. Voor de kerk is een gedenkteken opgericht. Daarop staan zevenentwintig namen in steen gebeiteld.

Maar haar man is veilig teruggekeerd. Ze heeft zichzelf nooit als een bevoorrecht iemand beschouwd, maar nu beseft ze dat ze geluk heeft gehad. Ze ontkomt er niet aan. Op zondagen voelt ze in de kerk de blikken van die andere vrouwen op haar gericht en ze weet wat ze denken: waarom zij wel? Waarom hij wel? Wat is er zo bijzonder aan hen?

De vrouw verstijft. Ze kan de trein nog niet horen, maar ze merkt dat hij eraan komt door het zachte geklik van de bedrading. Klik klik klik klik klik.

'Hij komt eraan,' fluistert ze.

Haar dochter pakt haar hand beet en haar beide zoontjes houden zich vast aan haar rok. Haar man komt achter hen staan.

Ineens is er een chaos van stoom en ratelende wielen. Eerst twee gewone wagons en dan in het midden eentje met een wit geverfd dak. Ze kunnen net een glimp opvangen van de kist, de paarse bekleding van de wagon en de enorme rouwkransen aan weerskanten van de kist. Dan is het voorbij.

De vrouw ontspant, ze drukt haar kinderen tegen zich aan en voelt de sterke armen van haar man om zich heen.

❖

Pas anderhalf uur later hoort Ada het hekje achter het huis open- en dichtgaan en Jacks voetstappen over het pad. Ze staat op, fatsoeneert haar rok en strijkt over haar haar. Dan gaat de deur open en daar staat haar echtgenoot, hij ruikt naar de pub, sigarettenrook en koude buitenlucht. Het is net alsof ze hem voor het eerst ziet. Hij beneemt haar de adem.

Jack doet de deur achter zich dicht, zet zijn pet af en stopt die in de zak van zijn jasje. 'Wat is er aan de hand?' vraagt hij terwijl hij zijn blik door de keuken laat gaan.

'Ik zat op je te wachten.' Het klinkt kinderlijk, onnozel. 'Ik bedoel om te gaan eten,' zegt ze. Omdat ze zich geen houding weet te geven loopt ze maar naar het fornuis. 'Ik heb stoofpot gemaakt.'

'Stoofpot?' Hij gaat zitten en kijkt argwanend om zich heen, alsof hij het niet vertrouwt.

'Met knoedels.' Ze probeert zo opgewekt en luchtig mogelijk te klinken. Ze is een beetje tipsy van het bier, ze is niet gewend aan alcohol. 'Heb je honger?'

'Ja.'

Ze schept het eten op de borden en zet ze op tafel.

'Wat is dit allemaal?' vraagt hij.

'Wat bedoel je?' Ze schenkt een glas bier voor hem in.

'Dit.' Hij gebaart naar het eten. 'Wat heeft dit te betekenen? En wat is er met jou? Er is iets anders aan je.'

'O ja?'

Hij knijpt zijn ogen samen. 'Iets met je haar.'

'O, dat... Ik heb het alleen maar opgestoken.' Ze voelt dat ze een rood hoofd krijgt.

Hij neemt aarzelend een hap van zijn eten en kijkt haar aan. 'Waarom heb je dat dan gedaan?'

'Ik had gewoon zin in een beetje verandering.'

Hij knikt. Na die eerste hap gaat hij steeds sneller eten. Blijkbaar bevalt het hem, want gretig en zonder iets te zeggen eet hij zijn bord leeg. 'Lekker,' zegt hij en hij veegt zijn mond af. 'Heb je nog meer?'

Ze loopt naar het fornuis en schept nog een keer voor hem op. Hij kijkt haar aan als ze weer bij de tafel staat. Ze heeft haar eigen bord nauwelijks aangeraakt.

'Er is iets,' zegt hij. 'Ik voel het.'

'Ik wilde iets maken om onze trouwdag te vieren.'

'Dat was maandag.'

'Dat weet ik. Maar vandaag kwam ik langs de slager en toen dacht ik, kom, ik haal wat vlees en dan maak ik iets lekkers.'

'Ik dacht dat je het vergeten was.' Het doet hem duidelijk goed.

'Nee hoor.' Ze gaat weer zitten.

Kijk naar je man.

Hij wil gezien worden.

Ze kijkt naar zijn brede handen en de donkere schaduw van de haartjes op zijn vingers.

Plotseling heeft ze zin om de knokkels van zijn hand te kussen. Als hij zijn lepel optilt. Hij zit vlakbij. De gedachte doet haar glimlachen en blozen. Hij ziet dat ze naar hem zit te staren.

'Wat is er?'

Ze schudt haar hoofd. Maar blijkbaar voelt hij waar ze aan dacht, want het is net alsof er een zindering in de lucht hangt. Ze ziet dat hij ook een kleur krijgt en haar vragend aankijkt. Hij legt zijn lepel neer en zegt: 'Je ziet er leuk uit.' Zijn stem klinkt hees.

'Dank je.'

Hij houdt haar blik vast en bekijkt haar alsof ze een prooi is. Het geeft haar een eigenaardig gevoel van macht. Ze blijven even zo zitten en dan zegt hij: 'Kom eens hier.'

Wanneer ze bij hem staat pakt hij haar hand en wrijft met zijn duim over haar pols.

'Wat heb je vandaag nog meer gedaan behalve koken?' vraagt hij zacht.

'Ik was...'

'Ja?'

Ze gaat niet verder.

'Vertel maar.'

Hij blijft zachtjes met zijn duim over haar pols wrijven en ze wordt helemaal week. Ze leunt tegen de tafel.

'Ik heb Ivy gesproken.'

'O?'

'Ze vroeg of ik morgen met haar meega naar de Abbey.'

'Om naar die begrafenis te kijken?' Hij drukt iets harder tegen haar pols en ze voelt haar hart tegen zijn duim kloppen. 'En wat heb je gezegd?'

'Ik...' Plotseling vindt ze het niet in de haak om het voor hem te verzwijgen. Ze pakt zijn hand vast. 'Jack, ik was vandaag bij een vrouw op bezoek.'

'Welke vrouw?'

'Iemand bij wie Ivy tijdens de oorlog een keer op bezoek is geweest.'

'O?'

'Ze kan...' Ze lacht even. 'Ze kan met de doden praten.'

De lucht zindert niet meer, in plaats daarvan hangt er een onplezierige spanning tussen hen. Ze voelt de greep van zijn hand verslappen en hij laat haar los.

'Ze woont in Walthamstow. In een heel gewoon huis. Je zou absoluut niet denken dat-'

'Wat zou je niet denken?'

'Nou ja... dat iemand zoals zij daar woont.'

Hij zegt niets en legt zijn handen in zijn schoot.

'Is er iets?' vraagt ze zacht.

'Ga verder. Je was bij die vrouw en wat gebeurde er toen?'

Ze voelt zich akelig. Wat gebeurde er toen? Ze weet het niet meer. Ze heeft klamme handen. 'Ik had een foto meegenomen.'

'Wat voor foto?'

'Van Michael. Ik had een foto van hem meegenomen om aan haar te laten zien.'

'Heb je echt een foto van Míchael meegenomen?'

'Ja.'

'En wat zei ze?'

'Dat ik er niet meer naar moest kijken.'

'Waarom niet?'

'Ze zei dat het niet goed voor me was.'

De afkeuring op zijn gezicht is zo groot dat er niets meer overblijft van het fijne gevoel dat ze de hele middag had.

'Het was alsof er iets van me afviel,' zegt ze zwakjes. 'Ik voelde me echt een stuk lichter.' Ze hoort zelf hoe dom en idioot dit klinkt.

Stilte. De zitting van zijn stoel kraakt als hij achterover leunt.

'Hoeveel heb je haar betaald?'

'Ik...'

'Zeg op. Hoeveel?'

Ze moet even slikken 'Tien shilling.'

Hoofdschuddend staat hij op. 'Je bent gek,' zegt hij. Hij gaat voor haar staan en heel even denkt ze dat hij haar een klap zal geven, maar dat doet hij niet. Hij tikt met het topje van zijn wijsvinger tegen haar voorhoofd. 'Je bent al jaren gek. Je leeft met die verdomde doden. Denk je dat jij je als een vrouw gedraagt? Denk je dat je een echte vrouw bent?'

Ze wil er iets tegenin brengen, maar ze doet haar mond weer dicht.

'Zeg op!'

'Ik wilde net...'

Hij haalt zijn vinger weg, maar ze voelt hem nog steeds branden op haar huid. Hij pakt zijn pet en zet hem op.

'Je bent helemaal geen echte vrouw,' zegt hij. 'Je bent een geest. Je bent goddomme gewoon een geest.'

❖

Victoria Station. Een moeder staat tegen de dranghekken, haar kleine zoontje staat naast haar. Ze staat hier al vanaf vanmorgen acht uur omdat ze het allemaal goed wil zien. En het is haar gelukt een mooi plekje te bemachtigen. Ze heeft uitzicht op het verlaten perron waar de trein straks zal stoppen. Perron acht bij Buckingham Palace Road.

Vanaf het moment dat ze het in de krant las, heeft ze zich voorgenomen om hiernaartoe te gaan, om haar zoontje zijn papa te laten zien. Het jongetje is bijna vier en hij lijkt sprekend op zijn vader. Dezelfde blauwe ogen, hetzelfde brede voorhoofd.

Ze leerde haar man kennen toen ze vijftien was. Twee jaar later trouwden ze. En twee maanden na hun huwelijk vertrok hij. Hun zoon is geboren toen haar man in Frankrijk zat. Ze heeft een foto laten maken van haar met de baby die ze voor de camera houdt. Ze weet dat hij die foto bij zich droeg toen hij stierf, want die zat bij zijn bezittingen die ze kreeg toegestuurd. De postbode kwam een pakket afleveren waarin een bebloed uniform zat en in de binnenzak van het jasje vond ze een bundeltje brieven die ze hem had gestuurd en de foto van haar met hun zoontje. Ze was verbijsterd en totaal van de kaart. Ze had de baby in bed gelegd en daarna meteen het bloed uit het uniform gespoeld, maar niet al te grondig. Ze wilde dat het nog naar hem bleef ruiken. Uiteindelijk heeft ze een paspop het uniform aangetrokken.

Die staat naast haar bed.

Het viel niet mee om haar zoontje bezig te houden tijdens het lange wachten. Ze hebben allerlei spelletjes gespeeld. Ook heeft ze hem alles over zijn vader verteld, alle verhalen die ze zich kan herinneren. Als het jongetje moest plassen, hield ze hem gewoon over het dranghek zodat hij het op het perron kon doen. Ze werd een beetje vreemd aangekeken, maar dat kon haar niet schelen want ze wilde haar plekje niet kwijtraken. In de loop van de dag deden de meeste mannen trouwens hetzelfde. Er was zelfs een vrouw die op de grond hurkte, met haar rok opbollend om haar heen, zodat ze wel een of ander vreemd zeedier leek.

Inmiddels voelt ze de spanning stijgen onder de mensen om haar heen. De trein komt eraan. Ze tilt haar zoontje op en hij slaat zijn armen om haar hals. 'Hij komt eraan,' fluistert ze in zijn oor. 'Daar komt papa.'

Het jongetje kijkt om zich heen. 'Waar is hij dan?'

'Ssst.' Ze strijkt hem over zijn bol. 'Hij komt met de trein.'

De trein rijdt het station binnen en er gaat een zucht door de omstanders. Achter in de menigte ontstaat gedrang en de vrouw wordt hard tegen het hek geduwd. Iemand roept: 'Hou op! Er zijn hier kinderen. Niet doen!'

De vrouw houdt haar kind goed vast. Er wordt nog harder geduwd. Aan de andere kant van de dranghekken lopen ordebewakers druk heen en weer. Op het moment dat de trein voor het perron stilstaat, vallen de hekken om en de menigte verspreidt zich over het perron. Aanvankelijk ziet ze niets, alleen rook en stoom die tegen het dak van het station opstijgt. Dan trekt de rook weg en kan ze de wagon zien. Binnen brandt elektrisch licht. Een paar jongens proberen op het dak van de wagon te klimmen. Het is één grote chaos en overal staan vrouwen luidkeels en onbeheerst te snikken.

'Daar is je vader,' zegt ze en ze wijst. 'Daar is hij.'

'Papa,' roept het jongetje. 'Papa!' Hij wurmt zich los en rent naar voren.

Steeds meer jongens stormen het perron op. Politieagenten rennen heen en weer en schreeuwen dat ze terug moeten gaan. De vrouw ziet opeens voor zich dat haar zoontje onder de voet wordt gelopen. Ze wil achter haar kind aan gaan, maar een boom van een agent houdt haar tegen. Ze roept de naam van haar zoon en ziet hem dan een meter of vijf verderop staan. Hij kijkt verwilderd om zich heen. Dan ontfermt een politieagent zich over hem. Hij pakt het kind bij de hand en brengt hem naar haar toe. De moeder tilt haar zoontje op en met een snik drukt ze hem zo stevig als ze kan tegen zich aan.

❖

Er is hier nergens straatverlichting, Evelyn ziet alleen de contouren van lage gebouwen en de schaarse gele lichtjes onder aan de heuvel. Ze weet niet meer vanaf welke kant ze is gekomen. Ze doet een paar stappen en dan schiet haar te binnen dat onder aan de heuvel de havenkades zijn.

Ze heeft nauwelijks nog gevoel in haar voeten. Bij Rowan thuis brandde geen kachel of open haard en heeft ze de hele tijd in de kou gezeten. Nu ze erover nadenkt, heeft ze trouwens geen idee hoe lang ze naar hem heeft zitten luisteren. Twee uur? Maar het kunnen er ook zes zijn geweest.

Ze loopt langs de theesalon waar ze haar broodje met bacon heeft gegeten. Ze ziet het tafeltje waaraan ze heeft gezeten, de stoel staat netjes op het tafelblad. Onder aan de heuvel komt ze langs de rij winkeltjes, die zijn nu allemaal dicht, de handkarren staan op slot en op de banken zitten geen sombere mannen meer. Ze loopt naar de bushalte. Er is in geen velden of wegen een bus te bekennen en in de verte sputtert slechts één gaslantaarn, verder is de straat pikkedonker.

Het komt in haar op dat ze vanavond misschien helemaal niet meer uit Poplar wegkomt. Zou ze dan doodvriezen? Zou ze dan teruggaan naar Rowans huis en vragen of ze binnen mag komen? Ze schudt haar hoofd. Het lijkt net alsof alles trager gaat, haar gedachten, het stromen van haar bloed. Natuurlijk zal ze niet doodvriezen. Als het eropaan komt kan ze best naar huis lopen, of anders onderweg de bus of een taxi nemen. Zo ver kan het niet zijn naar Primrose Hill. Nog geen tien kilometer.

Er komt iemand haar richting op. Een man, ineengedoken tegen de kou. Ze schiet een hoek om en weet niet of hij haar heeft gezien of niet. Hij kan nu elk moment voorbij lopen. Ze moet denken aan wat Rowan zei, en ze kan bijna horen hoe die soldaten in die vreselijke nacht tegen elkaar fluisterden: *Een makkie, kerel, een makkie.*

Zonder iets te zeggen loopt de man haar voorbij.

Ze probeert een sigaret aan te steken, maar het lukt niet omdat haar handen zo trillen. Hoe lang trilt ze al zo? Kwam het door daarnet of is het al aan de gang vanaf dat ze bij Rowan wegging? Of begon het soms toen Rowan aan het vertellen was? Ze heeft geen idee. Aan de overkant van de weg staan hoge pakhuizen met heel veel ramen. Het is stil op straat, maar het is geen knusse stilte, het is een stilte die voorafgaat aan het lawaai waarmee kolossale dingen als kranen en boten straks weer in beweging zullen komen.

Vlak voordat ze wegging, heeft ze nog gevraagd waar het graf van Michael was.

Ze hebben hem daar begraven.

'Bij de eerste de beste gelegenheid ben ik ernaartoe gegaan. Op een zondagochtend. Ik heb zijn graf gevonden, ergens op een hoek. Ik kon het aan de aarde zien, want die was nog rul.'

'Stond er een kruis op?'

'Nee. Maar omdat de begraafplaats midden tussen de weiden lag, mooie weiden met gras en bloemen, heel anders dan in de buurt van het front, ben ik daar een bosje bloemen gaan plukken om op zijn graf te leggen. Blauwe bloemetjes. Ik wist niet hoe ze heetten. Weet je wat zo eigenaardig was? Toen ik thuiskwam groeiden diezelfde bloemetjes in mijn tuin. Mijn vrouw had ze geplant, ze zei dat die plant bernagie heette en dat hij moed schonk. Ze had ze voor mij geplant om te zorgen dat ik sterk bleef en weer naar huis kwam. Wat vind je daarvan?'

Moed.

Ze wist niet wat ze ervan moest vinden.

Maar nu ze hier in deze koude straat staat, dringt er plotseling iets tot haar door. Ze heeft op deze ontmoeting gewacht, ze verlangde naar iemand die haar de waarheid zou vertellen. Na vier jaar oorlog en twee jaar dagelijks contact met voormalige soldaten, was dit wat ze wilde. Dat iemand van hen vertelde hoe het echt was geweest. Geen verhalen over bravoure, dapperheid, woede, geen leugens. Tijdens vier jaar oorlog en in de twee jaar daarna heeft nog nooit iemand – Fraser niet, haar broer niet – de waarheid aan haar verteld.

En nu kent ze die, nu weet ze dat iemand verderop in deze stad, haar broer, Rowan het bevel heeft gegeven om diens vriend neer te schieten. Nu de waarheid bezit van haar heeft genomen, deel van haar is geworden, is die niet onwrikbaar en onaantastbaar zoals de waarheid hoort te zijn, maar duister, bezoedeld met angst, zweet en vuiligheid. Deze waarheid kent geen verlossing, geen antwoorden, geen hoop.

Dag vijf

Donderdag, 11 november 1920

Als ze wakker wordt is Jack er niet. Ada weet het al voordat ze haar ogen opendoet en als ze overeind komt, kan ze zelfs in het donker zien dat zijn kant van het bed onbeslapen is. De vorige avond is ze zo lang mogelijk wakker gebleven. Ze stelde zich voor dat hij in de pub stond, zich helemaal blind zoop, sigaretten rolde en met andere mannen over haar sprak.

Mijn vrouw.

Dat knettergekke klotewijf van mij.

Of nog ergere dingen.

De lege plek naast haar maakt haar angstig. In al die jaren dat ze getrouwd zijn heeft hij niet één nacht buitenshuis doorgebracht.

Waar is hij heen gegaan toen de pub dichtging? Hij heeft vast wel ergens een bed gevonden. Dan komt er plotseling een afschuwelijke gedachte bij haar op. Stel je voor dat hij iemand anders heeft? Een vrouw die hem geeft wat zij hem niet kan of wilde geven. Ze denkt aan de manier waarop hij de vorige avond naar haar keek. De afkeer die uit zijn blik sprak. *Je bent geen echte vrouw. Je bent goddomme gewoon een geest.*

Ze weet dat mannen gemakkelijk aan een vrouw kunnen komen. Ze hoeven maar te kijken. Hoeveel zou het kosten?

Minder dan de tien shilling die ze heeft betaald om met de doden te kunnen spreken?

Gisteravond was ze wel in de stemming voor hem.

Maar toen was het te laat.

Ze slaat de dekens terug, staat op en doet de gordijnen opzij om naar de donkere straat te kijken. Voor de meeste ramen zijn de gordijnen dicht, en hoewel de hemel links van haar al iets lichter kleurt, lijkt de dageraad nog heel ver weg. De huizen zijn allemaal verduisterd, behalve dat van Ivy, waar een klein lampje brandt. De gordijnen zijn open. Ada ziet haar in haar slaapkamer heen en weer lopen. Vanuit deze hoek kan ze alleen een deel van Ivy's gezicht zien. Ze heeft één hand op haar rug om haar korset vast te maken. Als ze daarmee klaar is pakt Ivy iets van haar nachtkastje en stopt het in haar mond. Haar tanden. Ada gaat nog iets dichter bij het raam staan als Ivy uit het beeld verdwijnt. Ook al is het niet gepast dat ze Ivy zo bespiedt, Ada blijft toch staan, in de hoop dat Ivy terugkomt.

Als Ivy weer verschijnt beweegt ze zich stijfjes in een ouderwetse zwarte japon met een hoge hals.

Ada weet precies hoe die japon aanvoelt, hoe zwaar hij is en hoe hij ruikt. Ze heeft er namelijk net zo een, in een kist aan het voeteneind van haar bed. De laatste keer dat ze die aanhad was op begrafenis van haar moeder, twintig jaar geleden.

Ivy doet haar lange grijze haar los en begin het te borstelen. Dan draait ze het in een knotje en zet dat vast met een haarspeld. Haar gezicht is bleek, ze ziet er oud uit en ze is veel te zwaar, maar toch kan Ada nog steeds de jonge vrouw zien die ze ooit was: Ivy die lacht, zwanger is, Ivy met haar kleine zoontje op de arm, met haar dochtertjes die aan haar rokken hangen.

Ivy is klaar met haar haar en loopt naar het raam, ze kijkt naar de lucht alsof ze wil inschatten wat voor weer het zal worden. Met haar grijze haar en statige houding, haar zwarte jurk, in rouw gekleed vanwege haar zoon, is ze zo indrukwekkend dat Ada er kippenvel van krijgt.

Ada draait zich om, steekt de paraffinelamp naast haar bed aan en loopt ermee naar het raam. Ivy ziet haar, blijft staan en de twee vrouwen kijken elkaar over de straat aan. Ada tilt de lamp op zodat die haar gezicht beschijnt. *Wacht op me.* Ze vormt de woorden met haar lippen. *Wacht op me.*

Nog wat laatste mistflarden drijven door de straat wanneer Evelyn de flat verlaat, maar er vertonen zich nu al stukjes blauw aan de hemel en de zon laat zich af en toe zien. Ze is op weg naar haar broer en ze is vroeg opgestaan om er zeker van te zijn dat ze hem thuis zal treffen.

Maar ook al is het nog zo vroeg, er zijn al heel wat in het zwart geklede mensen op de been, op weg naar het centrum van de stad. Die willen vast allemaal een goed plekje hebben, denkt ze. Nou, van haar mogen ze, als zij maar niet hoeft. Toch hangt er een soort nieuw elan over de stad, iets van hoop. De paden in Regent's Park lijken wel schoongespoeld. Als ze bij het huizenblok komt waar haar broer woont, breekt de zon door waardoor het crèmekleurige stucwerk een gouden glans krijgt in het ochtendlicht. Ze neemt de rammelende lift naar de vijfde verdieping, en Jackson, de bediende van haar broer, doet de deur open.

'Goedemorgen, juffrouw Evelyn.' Hij is duidelijk verrast haar te zien. 'Komt u voor kapitein Montfort?'

'Jazeker.'

'Hij is zich net aan het kleden.'

Ze loopt de schemerige vestibule in. 'O ja? Dan kan ik beter hier wachten.' Voordat Jackson de kans krijgt de deur naar de woonkamer voor haar open te houden, doet ze het zelf en gaat naar binnen. De gordijnen zijn open en het heldere ochtendlicht stroomt de grote kamer binnen. Op de een of andere manier heeft ze er de pest over in dat haar broer al op is. Het is net alsof hij haar heeft verslagen bij een van de spelletjes die ze speelden toen ze nog klein waren. Toen vond ze het ook al zo erg om te verliezen. De kamer ligt een beetje overhoop, het tapijt is opgerold en de tafel staat aan de kant, alsof iemand de vloer gaat aanvegen. De deur naar de slaapkamer van haar broer is dicht.

'Ed?' roept ze.

'Eves? Ik kom er zo aan.'

Ze loopt om de lage tafel heen. Ze heeft deze flat eigenlijk nooit prettig gevonden. Vroeger was hij van hun vader, die hier zijn intrek nam wanneer hij in de stad was. Als kind kwamen Ed en zij hier bij hem op bezoek als ze met hun kinderjuf naar de dierentuin gingen. Ze waren dan verplicht om hun opwachting te maken en midden in de kamer te blijven staan terwijl hun vader opmerkingen maakte over hun lengte of het weer. Alsof zijn kinderen verre familieleden waren bij wie hij zich nauwelijks betrokken voelde. Destijds kwam de lage tafel tot haar middel. Inmiddels is de flat al jarenlang van Ed, al vanaf halverwege de oorlog toen hun vader met pensioen ging.

De deur van de slaapkamer gaat open en daar verschijnt Ed. Zijn haar is gepommadeerd en hij heeft een eenvoudig zwart kostuum aan. Op zijn borst prijken twee medailles, met elk drie strepen. 'Eves.' Hij loopt naar haar toe 'Fijn dat je bent gekomen.' Hij ziet er zoals gewoonlijk vermoeid uit, met donkere kringen onder zijn ogen. Als hij haar een zoen geeft, ruikt ze een mengeling van alcohol en tandpasta. Vreemd, denkt ze terwijl ze zich van hem losmaakt. Hij ruikt al jaren zo en toch heeft ze hem nog nooit dronken gezien.

Ongeduldig schudt ze haar hoofd. 'Ik ga niet met je mee.'

'O?' Hij trekt de knoop van zijn stropdas aan. 'Waarom niet?'

'Ik kan me niks ergers voorstellen.'

'Echt?'

'Ja, ik meen het.'

Hij laat zijn das los en steekt zijn handen op. Ze ziet dat ze een beetje trillen. 'Wat jammer nou. Maar laten we vandaag nou geen ruzie maken.'

'Wat bedoel je?'

'Je ben nogal kortaangebonden.'

'Ik word kotsmisselijk van dat hele gedoe.'

'Kotsmisselijk? Je drukt je wel heel heftig uit.'

Nu hebben ze dus toch ruzie.

'Vind je? Die begrafenis moet toch alles goedmaken? Ze halen in Frankrijk een lijk uit de grond en slepen het hiernaartoe. En wij maar kijken, janken en applaudisseren voor de hele santenkraam.'

'Rustig, Eves.' Hij zucht. 'Weet je wat? Schenk maar iets te drinken voor ons in.'

'Wat wil je dan?'

'Whisky lijkt me lekker.'

Ze staat op het punt te zeggen dat het nog een beetje aan de vroege kant is voor alcohol, maar aan zijn adem te ruiken doet dat er niet toe. Vannacht heeft ze trouwens geen oog dichtgedaan en een glas whisky is best een goed idee. Ze loopt naar het dressoir en schenkt twee royale glazen in. Het ene glas geeft ze aan Ed en het hare neemt ze mee naar het openstaande raam waar ze een sigaret opsteekt. Ze kijkt naar beneden en ziet dat in de straat naar het park een gestage stroom van mensen voorbijtrekt. Ze nipt van haar whisky. Boven de huizen aan de overkant heeft de zon de laatste wolken verjaagd. Plotseling baadt alles in fel licht. Ze ziet dat er een paar mensen blijven staan en omhoog kijken. Ze werpt een blik op haar horloge. Half negen. Ze neemt haastig een trekje van haar sigaret. 'Ik ben gisteren bij Rowan Hinde geweest. De man van wie jij bij hoog en bij laag volhield dat je hem niet kende.' Ze draait zich om. 'Hij woont in Poplar. Heb je enig idee waar dat is?'

Wanneer ze ziet dat de blik van haar broer afdwaalt naar de klok op het tafeltje naast hem, wordt ze nijdig. 'Je hebt nog tijd zat.'

'Ik heb om half tien met vader afgesproken.'

'Dan nog heb je tijd genoeg.'

'De drukte...' Ze ziet dat hij geërgerd zijn kaken op elkaar klemt. 'Vooruit maar,' zegt hij dan. 'Ga verder.'

'Ik ben dus gisteren bij Rowan Hinde thuis geweest.'

Ed knikt.

'Hij heeft me iets verteld wat hem blijkbaar al heel lang van het hart moest.'

'Waarover ging het?'

'Over een soldaat, Michael Hart.'

Haar broer knippert met zijn ogen.

'Hij is in 1917 gefusilleerd door een vuurpeloton.'

Hij neemt een slok whisky in zijn mond en er verschijnt een uitdrukking op zijn gezicht die ze niet kan duiden, maar het is al weer weg voordat ze er verder bij stil kan staan. Nu pas slikt hij de whisky door. 'Ja,' zegt hij. 'Dat klopt.'

'Wat bedoel je met "dat klopt"?'

'Ik bedoel dat ik daar bij was.' Hij doet er het zwijgen toe en blijft roerloos staan met zijn benen iets gespreid, het glas houdt hij voor zijn borst. Deze stramme militaire houding heeft ze lang niet van hem gezien.

'Is dat alles wat je te zeggen hebt?'

'Hoezo, Evelyn?' Hij zucht. 'Het is echt geen geheim. Het staat gewoon in de militaire dossiers en die zijn openbaar. Waarom vertel je me niet wat je echt op je lever hebt?'

Ze slikt even. 'Hij vertelde me dat je soldaat Hart opdracht had gegeven om lijken te begraven.'

'O ja?' Zijn kaak beweegt weer. 'Nou het spijt me, maar ik kan het me niet herinneren.'

'Rowan zei dat Michael Hart er verschrikkelijk aan toe was. Zijn compagnie was ongeveer gedecimeerd.'

'*Rowan*?' Hij kijkt ongelovig. 'Dus het is nu opeens Rowan?'

Ze frummelt met haar vingers.

'Zei soldaat Hinde dat?'

'Ja.'

'Zo zo.' Hij glimlacht krampachtig. 'Je heb blijkbaar met de hoogste autoriteit gesproken, Evelyn. Bravo. Je hebt je soldaatje in Poplar gevonden en je hebt er een verhaaltje van gemaakt en nu hebben je hersentjes al een oordeel gevormd. Ik heb wel wat beters te doen dan mijn kostbare tijd te verdoen om het verhaal een andere draai te geven. Dus als je me nu wilt excuseren.' Hij draait zich om, loopt de slaapkamer in en smijt de deur achter zich dicht.

Verbouwereerd kijkt ze hem na en geeft dan een schop tegen de tafel. Het doet zo'n pijn dat de tranen in haar ogen springen. Dan loopt ze naar de deur en klopt aan. Even later komt hij weer naar buiten. Aan zijn gezicht te zien heeft hij zichzelf nauwelijks in de hand.

'Ik wil liever dat je nu weggaat, Evelyn. Ik moet ervandoor anders kom ik te laat.'

'Waarom heb je zijn moeder niet geschreven?'

'Wat krijgen we nou?'

'Waarom heb je zijn moeder niet geschreven? De moeder van Michael Hart. Ze heet Ada, wist je dat? Waarom heeft niemand het haar verteld?'

'Waarschijnlijk heb ik zijn moeder geschreven dat hij aan zijn verwondingen is bezweken. Wat dus de waarheid is.' Hij loopt langs haar heen naar de drankkast.

'Hoe kun je daarmee leven?' vraagt ze ademloos.

'Pardon?' Hij praat zacht en pakt de karaf op.

'Hoe kun je daarmee leven?' herhaalt ze iets luider. 'Hoe kun je die medailles opspelden en als een of andere idioot paraderen terwijl jij en dat hele zootje bloed aan jullie handen hebben?'

'Stom klerewijf.' Hij gooit de karaf tegen de muur en duizenden scherfjes verspreiden zich over de vloer. Op de muur blijft een donkere vlek achter. Hij draait zich naar haar om, zijn handen zijn tot vuisten gebald. 'Ik ben godverdomme je pispaal niet, die je maar voor van alles en nog wat kan uitmaken.' Hij trilt. 'Weet je wat er met jou aan de hand is, Evelyn?'

'Nou wat dan?' Ze heeft het gevoel dat er ijswater over haar ruggengraat loopt.

'Je bent verbitterd,' zegt hij. 'En je bent eenzaam. In je hele leven heb je maar van één mens gehouden, en die is je afgepakt. Dat was natuurlijk verschrikkelijk, en ik vind het ook heel erg voor je. Dat heb ik altijd gevonden. Maar er zijn genoeg mensen die nog grotere verliezen hebben geleden en zich toch fatsoenlijk blijven gedragen. Misschien zijn ze wel betere mensen geworden. Maar jij hebt die ene dode gebruikt als excuus om de hele wereld te haten.'

'Niet waar.'

'O nee? Noem dan eens iets op wat je niet haat? Vertel het me maar, Evelyn.' Zijn gezicht is verwrongen.

'Ik heb jou nooit gehaat.'

Even lijkt hij van de wijs gebracht, maar dan schudt hij zijn hoofd. 'Jezus christus, Evelyn. Je bent één en al verbittering. Moet je jezelf nou eens zien. Je hebt jezelf vergiftigd in die gruwelijke fabriek en nu vergiftig je jezelf met die afschuwelijke baan. En ik kan met de beste wil van de wereld niet begrijpen waar je het lef vandaan haalt om je als een soort moreel geweten op te stellen terwijl je zelf nota bene granaten hebt gevuld.'

'Dat was iets anders.'

'O ja?' Hij trekt zijn mondhoeken omhoog. 'Ja hoor, natuurlijk was dat iets anders, Evelyn. Dank je de koekoek. Ga verder, waarom was dat dan iets anders?'

'Ik...' Ze doet haar mond weer dicht.

'Je bent op zoek naar het lelijke en verdorvene en dat vind je overal. En dat probeer je dan vervolgens door de strot van iemand anders te duwen. Zal ik je eens wat vertellen? Het is totaal egoïstisch. Het enige wat je interesseert is het in stand houden van je eigen verdriet. Evelyn, heb je er ooit wel eens bij stilgestaan dat de dood van Fraser hem is overkomen en niet jou?'

Even weet ze niet wat sterker is, haar woede of haar verdriet. De woede wint. 'Hoe durf je? Hoe haal je het in je kop om zo tegen me te praten?' Ze stuift de kamer door en haalt zo hard ze kan uit naar zijn gezicht. Hoewel ze hem niet vol heeft geraakt, doet haar hand toch pijn en dat geeft haar een merkwaardig prettig gevoel

'Kom op dan.' Hij pakt haar polsen beet. 'Wil je me slaan? Doe het dan ook goed. Kom maar op.'

Ze wordt razend en ze vliegen elkaar aan. Ze komen op de

vloer terecht en hij slaat haar terug. Ergens in haar achterhoofd beseft ze dat dit is wat ze wil. Dat dit ook goed voelt. Maar dan houdt hij plotseling op en kruipt naar een hoek van de kamer. Ze zit op haar handen en knieën en snakt naar adem.

Dan hoort ze een geluid dat haar door merg en been gaat.

Eds schouders schokken, en het dringt tot haar door dat hij huilt. Haar broer snikt onbeheersbaar.

'Ed,' zegt ze. 'Ed?'

Hij hoort haar niet. Hij is helemaal van de kaart.

'Eddie?'

Buiten klinkt kanongebulder. De ramen rammelen in hun sponningen. Instinctief laat Evelyn zich plat op de grond vallen.

Ze lopen nog een klein eindje naar voren. Ze hebben heel lang moeten wachten tot ze met de bus mee konden, want alle bussen die in Hackney stopten waren vol, en deze bus heeft hen aan het begin van Charing Cross Road afgezet. De conducteur, rood aangelopen en bezweet, riep het om in de propvolle onderste verdieping. 'We kunnen niet dichterbij komen. Trafalgar Square is afgezet.'

Ze vorderen langzaam in deze mensenmassa en ze voelen zich een beetje onwennig in hun zware kleren. Ada's hoed, opgesmukt met bloemen en porseleinen vruchtjes, is ook zwaar. Het is inmiddels al zo warm dat ze net even moesten stoppen om hun jas uit te doen. Die dragen ze nu met zich mee, en net als alle vrouwen om hen heen hebben ze ook bloemen bij zich, die ze voor zonsopgang in hun tuin hebben geplukt. Ivy heeft rozen en Ada herfstasters.

'Volgens mij zijn we er bijna,' zegt Ada. Dat hoopt ze tenminste, want ze heeft geen idee waar ze zijn. De straat waarin ze lopen komt uit op een groot plein, maar door alle drukte kunnen ze niet zien wat daarachter is.

'Kijk nou!' Ivy pakt Ada bij de arm en ze wijst naar een groot gebouw, met een toren waarop een metalen bol staat. 'Ik weet wat dat is,' zegt ze. 'Daar ben ik wel eens geweest.'

'Wat is het dan?'

'Het Coliseum. Jaren geleden, toen we nog jong waren, heeft Billy me daar mee naartoe genomen om een variété-voorstelling te zien. O, het is zo mooi vanbinnen.' Ivy krijgt een kleur van opwinding bij de herinnering. 'Ze hadden zeehonden die een kunstje deden en zwemmers in watertanks. O, het was echt heel wat, hoor. Je had het moeten zien, Ada, je geloofde je ogen gewoon niet!'

Ze leeft helemaal op bij de aanblik van het theater en lijkt ineens vol energie. 'Laten we daarnaartoe gaan.' Ze wijst naar de trap voor een grote kerk. 'Bovenaan zien we vast meer.'

Met moeite banen ze zich een weg door de menigte. Op de trap voor de kerk staan ook al veel mensen, maar achteraan is nog plaats en even later hebben ze een plekje bemachtigd. Vanaf hier hebben ze een geweldig uitzicht op het plein dat helemaal zwart ziet van de mensen. Bussen en automobielen staan midden op straat stil, gestrand in een zee van mensen die nauwelijks vooruit komt.

'Dat is Nelson,' zegt Ada, blij dat ze ook zelf iets herkent. De sokkel van de zuil is door alle drukte nauwelijks meer te zien.

'Het lijkt me niet dat de stoet hier langs zal komen. Alles staat vast,' zegt Ivy bezorgd.

Ook Ada voelt iets van paniek. 'Waar moeten we dan naartoe? We weten niet eens zeker waar de stoet langskomt, toch?'

Ze kijken in de richting van waaruit ze zijn gekomen. De mensen blijven maar toestromen. Aan die kant zal weldra ook alles vastzitten. In de verte klinkt een dof gerommel.

'Wat was dat?' Ivy grijpt Ada bij de arm.

'Ik weet het niet. Het klonk als schoten.'

'Denk je dat er iets aan de hand is?'

Mensen kijken onrustig om zich heen en vragen elkaar wat er gebeurt.

'Niks aan de hand.' Een rijzige, goedgeklede heer die naast Ada staat, zegt: 'Het zijn kanonschoten. Het begin van de processie. Ze zullen nu wel snel van Victoria Station vertrekken.'

'Waar komen ze dan langs?' vraagt Ada die blij is dat iemand haar iets kan vertellen.

'Kijk.' De man wijst recht vooruit. 'Daar is de Mall en aan het eind daarvan is Buckingham Palace. Ze komen onder die poort door en dan slaan ze af naar Whitehall.' Hij wijst naar een brede straat, iets dichter bij hen in de buurt. 'Dan gaan ze naar de Cenotaph en vanaf daar naar Westminster Abbey. Bij de Cenotaph kun je niet komen, want daar moet je een kaartje voor hebben. Maar als jullie snel zijn, kun je nog wel een plaatsje op de hoek vinden. Wij blijven hier want mijn moeder kan niet tegen al die drukte.'

Achter hem knikken een jonge en een oudere vrouw hen toe. Twee kinderen met ernstige grijze ogen kijken Ada aan.

'Dank u wel,' zegt Ada.

De man neemt zijn hoed af. 'Succes.'

Ze kijken naar de trage zwarte stroom van mensen.

'Denk je dat het ons lukt om daar te komen?' vraagt Ivy onzeker.

'We willen het toch zien?' zegt Ada.

Ivy knikt en vermant zich. 'Kom op. Laten we gaan.'

Acht soldaten van het Koninklijk Infanterieregiment gaan de treinwagon binnen en bedekken de kist met een versleten Britse vlag. Deze Union Jack heeft heel vaak dienst gedaan als altaarkleed tijdens geïmproviseerde kerkdiensten die vooraf gingen aan de veldslagen bij Vimy, Bois des Fourcaux, Ieper, Messines, Cambrai en Bethune. Op de vlag leggen de soldaten een stalen, gedeukte infanteriehelm en een legerriem.

De rouwstoet wordt gevormd: muziekkorpsen bestaande uit doedelzakspelers en trommelaars, de doedelzakspelers in kilt, dan het affuit en de kistendragers, gevolgd door veldmaarschalken, admiraals en generaals. Achter hen stellen een stuk of duizend ex-soldaten zich op in rijen van zes. In de reusachtige overwelfde ruimte van het station is alleen af en toe het getinkel van een gesp of het geruis van een kledingstuk te horen.

Dan vuurt vanaf Hyde Park een batterij van negentien kanonnen een saluut af. De soldaten gaan in de houding staan. De echo van de kanonschoten hangt nog in de lucht als de militaire kapel de Marche Funèbre van Chopin begint te spelen en de rouwstoet zich in beweging zet.

Vlak bij de ingang van het station staat een jonge man tussen de menigte en kijkt naar de passerende stoet.

Hij denkt aan zijn beste vriend, de jongen met wie hij opgroeide in de straten van Battersea. Zijn vriend was achttien en nog maagd toen hij stierf. Hij ziet hem voor zich op de bodem van de loopgraaf, terwijl in een poel van bloed het leven uit hem wegstroomt. Zijn witte geschrokken gezicht. Een gat op de plek van zijn kruis.

De jonge man sluit zijn ogen. Hij voelt zijn huid strak trekken door de onverwachte zonnestralen. Waarom is hij gespaard gebleven? Hij was niet eens de beste van hen. Bij lange na niet. Hij kan zo een hele reeks kerels opnoemen die beter waren dan hij. Hij kan niet eens werk vinden.

Maar hij heeft een vrouw, het meisje dat op hem heeft gewacht, en met wie hij vlak na de oorlog is getrouwd. En hij heeft ook een kind, een dochtertje. Soms bespiedt hij ze als ze het niet in de gaten hebben. Ze zijn allebei een wonder van volmaaktheid. Hij vindt het heerlijk om naar de zachte stem van zijn vrouw te luisteren als zij hun kind in slaap wiegt.

Hij denkt aan wat hij gaat doen als hij vanavond thuiskomt. Hij zal zijn vrouw kussen, hij zal God op zijn blote knieën voor haar danken, en dan zal hij haar in zijn armen nemen en zich in haar verliezen.

❖

Als het lawaai is weggestorven, kijkt Evelyn op.

Haar broer zit onderuitgezakt met zijn rug tegen de muur, zijn gezicht is gezwollen en nat van de tranen.

'Wat was dat?' vraagt ze.

'Dat hoorde vast bij de plechtigheid,' zegt Ed.

'Hebben ze dan nog niet genoeg van kanonnen?'

'Het lijkt er wel op.'

'Kunnen ze niks beters verzinnen om de doden te eren?'

Hij haalt zijn schouders op.

Ze wrijft met haar mouw over haar gezicht. Haar handen tintelen. 'Hoe is het gegaan?'

Ed zucht. Hij doet zijn hoofd achterover alsof het antwoord op die vraag daar ergens boven hem zweeft. Hij heeft een dikke rode striem op zijn linkerwang en Evelyn ziet nu ook de pijnlijk uitziende blauwe plek op zijn rechteroog.

'Het was echt een ellendig stuk linie,' zegt hij. 'We ploeterden al maanden door de modder. En als iemand er dan aan onderdoor gaat, volgen er meer. Dat dachten de generaals althans. Op het moment dat de boel aan hen werd overgedragen, was het een uitgemaakte zaak. Het was 1917. De Russen waren weg, de Fransen draaiden om. Ze waren doodsbenauwd voor muiterij. Toen ik terugkwam van dat veldhospitaal was alles al in handen van het tribunaal. Ik kon niks meer doen.'

Evelyn knikt, tot zover kan ze er nog wel begrip voor opbrengen. 'Maar waarom gaf je Rowan de opdracht om zijn vriend te fusilleren? Dat is toch ontzettend wreed?'

'Standaardprocedure. Dat was om de orde te bewaren.'

'En heeft het gewerkt?'

Hij kijkt weg. 'Waarschijnlijk wel.'

'En zijn moeder?'

'De moeder van Hart?'

'Ja.'

'We hadden opdracht niet te vermelden hoe het was gebeurd. Denk je nou echt dat die arme vrouw dit moest weten?'

'Daar had ze volgens mij recht op.'

'Recht op? Dat weet ik nog zo net niet.' Ed kijkt naar zijn handen. 'Hoe zit het eigenlijk met Hinde? Denk je dat hij ooit nog naar haar toe gaat om het te vertellen?'

'Als hij dat van plan was geweest, dan had hij dat allang gedaan.'

'Heeft hij je verteld waar ze woont?' Zijn stem klinkt gespannen.

Ze schudt haar hoofd. 'Het kwam wel bij me op om het hem te vragen. Maar eigenlijk gaat het me niet aan.'

'Waarom wilde hij mij dan spreken?'

Ze haalt even diep adem. 'Ik denk dat hij met zichzelf in het reine wilde komen, het begrijpen. Maar toen hij het hele verhaal had verteld, vroeg hij niet naar je adres. Dat had ik hem zeker gegeven, maar hij had ook geen andere vragen. Volgens mij was het voldoende dat hij zijn verhaal een keer bij iemand kwijt kon.'

Ed knikt.

Eindelijk is de lucht tussen hen geklaard.

Hij pakt twee sigaretten uit zijn koker en geeft haar er een. Ze buigt zich naar zijn aansteker voor een vuurtje. Een poosje zitten ze stilzwijgend te roken.

'Zal ik je eens wat zeggen, Eves,' zegt hij uiteindelijk.

'Wat dan?'

Hij gaat verzitten en leunt weer tegen de muur. 'Als ik deze sigaret opheb, ga ik de deur uit en doe mijn best zo dicht mogelijk bij de Cenotaph in de buurt te komen. Ik wil het gewoon meemaken. En wat jij er ook van mag vinden, ik vind het een goede zaak.'

Hij wrijft over het plekje tussen zijn ogen. Het is het gebaar van iemand die moe is en het doet haar aan Rowan Hinde denken.

'Het kan best zijn dat mensen zich hierdoor beter voelen, of eindelijk kunnen rouwen. Misschien heb ik er zelfs wat aan. Maar het zal geen einde aan de oorlogen maken. En wat de mensen ook mogen zeggen, Engeland heeft deze oorlog niet gewonnen. En Duitsland zou ook nooit hebben gewonnen.'

'Hoe bedoel je dat?'

'De oorlog is de grote winnaar,' zegt hij. 'En dat zal altijd zo blijven.'

Met zijn sigaret tekent hij een cirkel in de lucht, alsof hij al die duizenden en nog eens duizenden voorbije en toekomstige oorlogen wil samenvatten.

'De oorlog is de grote winnaar,' zegt hij bitter. 'En iedereen die daar anders over denkt, is een idioot.'

❖

Hettie zit op de rand van haar bed in haar kleine, zonnige kamertje. Ze is al op vanaf dat het licht werd, en ze heeft bijna niet geslapen. Haar neus is verstopt, haar ogen zijn dik en haar keel is helemaal rauw. Ze weet zeker dat haar broer haar door de muur heeft horen huilen.

Toen ze gisteravond van de metro naar huis liep, met haar jas stevig over Di's jurk geslagen, hoopte ze vurig dat haar moeder niet thuis zou zijn.

Maar ze had pech.

Zodra ze de deur opendeed, voelde ze al dat haar iets te wachten stond. En ja hoor, voordat ze kans had gezien naar haar kamer te glippen, kwam haar moeder al uit de keuken.

'Zeg op,' snauwde haar moeder. 'Wat voor leugens ga je me nu weer verkopen?'

'Sorry mam, ik...'

'Je bent al sinds gistermiddag de hort op. Waar heb je gezeten?'

'Bij Di.'

'Lieg niet tegen me!' Haar moeder kwam op haar af en bleef toen halverwege de gang staan met haar hand voor haar mond. 'Wat heb je gedaan?'

'Niks.' Ze deed een stapje naar achteren.

'Wel waar. Ik zie het toch. Zet je baret af. Wat heb je gedaan?'

Toen pas drong het tot Hettie door dat haar moeder het over haar kapsel had. Ze deed haar baret af en sloeg haar ogen neer.

Haar moeder trok wit weg. 'Wanneer heb je dat gedaan?'

'Gisteren.'

'Dat komt door die vriendin van je, hè? Die vieze slet.'

'Niet waar,' zei Hettie. 'Ik wilde het zelf. Het was mijn eigen idee.'

'Spreek me niet tegen.'

En toen gaf haar moeder haar een keiharde mep in haar gezicht.

Hettie voelt aan haar wang. Haar gezicht doet pijn. Alles doet pijn. Ze heeft het gevoel dat haar huid is afgestroopt en al het kwetsbare, zachte daaronder nu blootligt.

Ze haalt even diep adem. In de kamer naast de hare draait Fred zich om in zijn bed. Over niet al te lange tijd zal hij opstaan om zijn wandelingetje te gaan maken. Ze moet opschieten.

Ze loopt de kamer uit gaat op haar tenen naar beneden. Haar moeder zit in de keuken met een kop thee. Hettie blijft in de deuropening staan en kijkt naar de gebogen schouders en het gezicht waarop alleen maar teleurstelling en verlies zich aftekenen. Ze zou niet graag willen dat ze er later ook zo uit gaat zien.

'Is er nog thee?'

Haar moeder kijkt verbaasd op en knikt.

'Genoeg voor twee koppen?'

'Ik denk het wel.'

Hettie pakt een dienblad en twee kopjes waar ze thee met melk en suiker in doet.

'Wat ben jij nou van plan?' vraagt haar moeder.

'Ik ga Fred een kop thee brengen.'

Als ze met het dienblad de deur uitloopt, blijft haar moeder als met stomheid geslagen achter. Voor deur van haar broers kamer zet ze het blad op de grond en klopt aan.

'Fred?' zegt ze zachtjes. 'Ben je wakker?'

Aarzelende voetstappen en dan doet haar broer de deur open. Hij is nog in zijn pyjama en zijn blonde haar zit in de war.

'Alsjeblieft.' Ze bukt zich en geeft hem een kop thee. 'Voor jou.'

Ongelovig kijkt hij haar aan. Dan knippert hij met zijn ogen en pakte het kopje uit haar hand. 'Dank je.' In zijn lichte ogen verschijnt een vragende blik.

'Ik wil je om een gunst vragen, Fred,' zegt Hettie. 'Zeg alsjeblieft ja.'

❖

De zon is al warm en schijnt helder. In de aan het park grenzende straat waarin Evelyn staat, is het rustig, maar links van haar op Euston Road ziet ze drommen mensen lopen. Ze gaat de andere kant op, naar de ingang van Regent's Park, maar ook daar is geen ontkomen aan de drukte. Vanuit alle richtingen blijven mensen toestromen: gezinnen met picknickmanden, moeders met kinderen op hun arm en heel veel vrouwen; oude en vermoeide vrouwen, met hun haar in een knotje en ouderwetse hoeden op, maar ook jonge vrouwen met opgeschoren haar en korte zwarte rokken. En allemaal hebben ze dezelfde geconcentreerde uitdrukking op hun gezicht, alsof ze zich inhouden en vastbesloten zijn zich niet te laten gaan tot het moment daar is, het tijdstip dat de kranten en de politici hebben bepaald voor het moment van algemene rouw. Elf uur.

Evelyn kijkt nog even omhoog naar het raam van haar broer, en dan loopt ze tegen de stroom in, de heuvel op. Al deze mensen hebben nog een heel eind voor de boeg, een trage, lange tocht, voordat ze zich kunnen laten gaan.

De elfde november.

Twee jaar geleden eindigde de oorlog.

Maar toen die in het najaar van 1918 afgelopen was, kwam dat toch nog als een schok.

Evelyn zat in het kantoortje en was bezig met het opbergen van facturen, toen er opeens een jongen de trap af kwam rennen en de werkvloer van de fabriek op stormde. Hij schreeuwde en zwaaide als een gek met zijn armen. Vanaf de plek waar ze zat kon ze niet horen wat hij zei, maar ze zag wel de reactie van de mensen: als één man stonden ze op en keken elkaar vol verbijstering aan. Toen liep iedereen naar buiten terwijl de machines nog draaiden. Evelyn liet ook haar werk liggen, liep de trap af en hoorde toen het geschreeuw door het trappenhuis weerkaatsen.

'Het is voorbij. We hebben gewonnen! Het is voorbij, we hebben gewonnen!'

Het was een vochtige, mistige dag en buiten heerste verwarring. Iedereen liep door elkaar en niemand wist wat er moest gebeuren. Sommige vrouwen schreeuwden, riepen, huilden en omhelsden elkaar. Andere stonden daar maar en staarden voor zich uit.

Vanuit een taxi wenkte een vrouw die ze nog kende uit de tijd dat ze in de fabriekshal werkte. Er zaten al een stuk of zes meisjes in de taxi en er kon eigenlijk niemand meer bij, maar ze wurmde zich toch naar binnen en kwam op iemands schoot terecht terwijl ze met haar gezicht tegen de beslagen ruit werd gedrukt.

De vrouw liet de taxi om de haverklap stoppen omdat ze ergens champagne wilde kopen, maar alle winkels waren uitverkocht. Na een poosje gaven ze het maar op en kochten goedkope zure witte wijn die ze hangend uit de raampjes opdronken. Ze trokken zich nergens wat van aan, ook niet van de regen, en zongen pikante liedjes die ze in de fabriek hadden geleerd. Ze wilden naar Trafalgar Square, maar de taxi kwam niet verder dan Marylebone Road, waar ze allemaal moesten uitstappen. Het was inmiddels al vrijwel ondoenlijk om door de menigte te komen en Evelyn verloor de andere vrouwen vrijwel onmiddellijk uit het oog. Het voordeel was dat ze zich in haar eentje makkelijker kon verplaatsen. Het lukte haar door Oxford Street te komen, waar het verkeer muurvast stond, en vervolgens nog verder in de richting van Soho. De pubs in West End waren stampvol, ondanks de regen stonden de mensen op trottoirs en de rijweg. Overal zag ze dronken mannen en vrouwen. Ze liep langs een oudere vrouw met sliertig, loshangend haar die zich aan de jas van een jonge soldaat vastklampte. 'Dit hebben we aan jullie te danken,' zei de vrouw met dikke tong. 'Dat hebben jullie allemaal gedaan.' Ze viel op haar knieën en hield een fles bier naar hem op. Gegeneerd probeerde de jongen zich los te trekken.

Door de menigte baande Evelyn zich een weg naar Charing Cross Road, waar papiersnippers uit de kantoorramen naar beneden dwarrelden. Ze kwam op Trafalgar Square waar het een chaos was van schreeuwende en joelende mensen. Het verkeer stond muurvast, er werd gedanst en gehost op de trottoirs, op de daken van de auto's en mensen renden rond als op hol geslagen opwindautootjes.

Overal waar ze keek, zag ze jonge mensen elkaar ongegeneerd kussen. Ze zag een stelletje dat helemaal in elkaar was verstrengeld, het meisje zat op een muurtje met haar rok hoog opgetrokken over haar witte, dikke dijen. Ze kreeg het gevoel dat al die tijd dat ze in de fabriek had gewerkt, tussen machines en ordners, de wereld aan haar voorbij was gegaan. Twee jaar lang had ze aan een werkbank of een bureau gezeten en gekeken naar wat voor haar lag, en nu was ze gedwongen weer om zich heen te kijken.

Ze stak het plein over. Overal zag ze vlaggetjes en kooplui met tafeltjes. Een grote bezwete man die bezig was een partij op te kopen, gaf een vlaggetje aan haar.

'Alsjeblieft, moppie.'

Ze keek hem een beetje verdwaasd aan.

'Gaat het, moppie?'

Toen ze geen antwoord gaf, draaide hij zich om en gooide de vlaggetjes in het publiek. Evelyn keek naar het papieren vlaggetje, het was niet veel groter dan haar hand en het had een stokje met een scherpe punt aan het eind, als een tandenstoker. Ze drukte het stokje in haar duim. Het deed pijn, maar nog niet genoeg, lang niet genoeg. Haar hand bloedde toen ze het vlaggetje eruit trok. Ze veegde het bloed af aan haar mond.

'Doe nu wat we in 1914 hadden moeten doen!'

Even verderop zag ze een man die wc-papier verkocht. Op de velletjes was het portret van de Kaiser afgebeeld. Evelyn moest even met haar ogen knipperen omdat ze dacht dat ze het zich maar verbeeldde. *'Doe nu wat we in 1914 hadden moeten doen!'*

'Schatje.' Iemand raakte haar arm aan.

Voor haar stond een jonge man in uniform. Hij was lang en sprak met een Amerikaans of Canadees accent. 'Alles oké?'

Hij had een breed en glad gezicht, op zijn voorhoofd parelde zweetdruppeltjes. Was hij echt zo jong? Het was bijna niet te geloven dat iemand zo jong kon zijn.

'Mag ik je zoenen, schat?' vroeg hij. 'Om de overwinning te vieren?'

Zonder haar reactie af te wachten trok hij haar tegen zich aan. Hij opende zijn mond en ze voelde zijn tong, ze proefde bier, ze rook de muffe lucht van de vochtige kakistof van zijn uniform en de doordringende geur van zweet. Toen hij zijn hoofd terugtrok, zag ze dat hij bloed op zijn lip had en even dacht ze dat ze hem pijn had gedaan, maar opeens drong het tot haar door dat het haar eigen bloed was.

'Kom mee,' zei hij. Hij pakte haar bij de hand en ze staken de straat over, langs de stilstaande auto's. Een vrouw die zich had gehuld in Britse vlaggen fietste schreeuwend en stomdronken over het trottoir terwijl twee soldaten aan weerskanten met haar mee renden. Ze liepen naar de kerk op het plein, in de richting van St. Martin in the Fields. Op de trap wemelde het van de mensen die zittend en staand schuilden voor de regen. De jonge soldaat nam haar mee een hoek om en ze liepen een paar treden af naar een kille doorgang waar niemand was.

'Laten we het hier maar doen,' zei hij en hij drukte haar tegen een pilaar. Ze voelde de ruwe kille steen in haar rug. Zonder de knoopjes open te doen trok hij haar blouse uit haar rok liet zijn handen onder haar hemdje glijden om haar borsten vast te pakken. Met zijn gezicht in haar hals verborgen schortte ze haar rok op. Nadat hij haar onderbroek naar beneden had gesjord, stapte ze uit één pijp en liet de andere om haar enkel zitten. Toen hij bij haar binnendrong, stokte haar adem even.

Ze hoorde de trommels buiten, de ratels en het geschreeuw en gezang en het schuren van zijn uniform tegen haar blouse. Ze keek omhoog naar het gewelfde plafond. In vijf of zes stoten was het voorbij. Hij keerde zich van haar af om zijn gulp dicht te knopen en toen hij zich weer omdraaide, zag hij eruit als een kind dat iets stouts had gedaan. Een deel van haar wilde haar hand op zijn arm leggen en zeggen dat het in orde was. Een ander deel van haar wilde in lachen uitbarsten.

Ze liepen samen weer naar de straat en toen, alsof ze het zo hadden afgesproken, gingen ze zonder een woord te zeggen ieder huns weegs. Evelyn liep naar de rivier, langs Northumberland Avenue. Nog steeds kwamen de mensen haar tegemoet, vanuit het zuiden in dikke rijen over de bruggen, een dicht op elkaar gepakte, aangeschoten menigte. Naast haar begon iemand te zingen waarop mensen mee begonnen te deinen totdat het één golvende massa was.

Eindelijk kwam ze bij de kade. Langs de hele rivieroever lagen boten aangemeerd die hun scheepshoorn lieten schallen. Even verderop stonden allemaal mensen op een kluitje te kijken naar een jongetje dat in een lantaarnpaal was geklommen. Eerst was het niet duidelijk wat hij aan het doen was, maar toen zag ze dat hij de verduisteringsverf aan het wegschrapen was. De lamp werd aangestoken en er ging gejuich op. Toen werd de volgende lamp aangestoken en toen nog een, net zo lang tot langs de hele Embankment, langs de hele rivier de lantaarns weer brandden.

Ze drong zich door de menigte naar een laag muurtje en leunde ertegenaan om op adem te komen. Ze voelde de kille slijmerige kwak van de jongen in haar onderbroek. Haar maag draaide zich bijna om. Ze keek uit over het water dat oranje spiegelde in het licht van de lantaarns en dacht dat als ze nu op de muur zou klimmen en er vanaf zou springen, niemand het zou merken. Iedereen had het veel te druk met naar de toekomst kijken, en wat die voor hen in petto zou hebben. Heel even dacht ze dat ze dapper genoeg zou zijn om het te doen, maar dat moment was zo weer voorbij, en ze stond daar nog steeds, starend naar de rivier en de in oranje licht gevangen regen, alsof de tijd was gestopt en de regen eigenlijk niet viel maar stilstond.

Fred ziet er goed uit in zijn nette pak en hoed. Hettie voelt zich een tikkeltje onwennig als ze zo naast hem loopt. Een beetje zoals toen ze nog klein was en voor het eerst weer naar school ging nadat ze ziek was geweest. Dan zag alles er ook zo anders uit: het huis waarin ze woonde, de mensen die voorbij liepen. De straat.

Vandaag is de straat verlaten. De huizen maken een beetje een verloren indruk alsof ze niet zeker weten of de mensen ooit nog terug zullen komen.

Maar natuurlijk komen ze terug.

Vandaag wil ze niet dat er iets wordt opgeblazen, dat de huizen worden verwoest. Ze wil dat alle stenen op elkaar blijven en bescherming bieden. Ze zou willen dat er niets was veranderd. Ze zou willen dat haar vader niet weg was en de tuinen hun onschuld hadden behouden, dat heliotropen haar alleen maar aan de zomer deden denken en niet aan gezwollen huid en een snelle dood. Ze zou willen dat er in Frankrijk geen dochters waren die in het huis van hun vaders op hun rug hadden gelegen om mannen over zich heen te laten gaan. Of uitgeputte vrouwen, die wachtten tot er een eind kwam aan al die rijen mannen. Ze zou willen dat die droevige parade van mannen in de Palais verdwijnt of juist weer helemaal compleet wordt, zoals vroeger. Ze zou willen dat Ed niet in de vernieling ligt. En Fred. Ze wil dat haar broer weer de oude is.

Maar op deze warme, zonovergoten morgen weet ze dat al deze dingen niet mogelijk zijn. Ze weet dat Ed gelijk heeft en je dingen niet over kunt doen.

Maar nu loopt haar broer naast haar. Hij heeft gedaan wat ze van hem vroeg en is met haar meegekomen. En nu wandelen ze zij aan zij, in de pas, de ene voet voor de andere, door de straat.

Als ze aan het eind van de straat komen, hoort Hettie het geroezemoes van de menigte op Hammersmith Broadway. Aan beide kanten van de weg staan de mensen drie rijen dik.

Alle winkels zijn gesloten, de luifels omhoog, de luiken dicht. Auto's en bussen staan aan de kant geparkeerd. De klok op de kleine rotonde in de weg wijst kwart voor elf aan.

Fred en zij lopen achter de menigte langs, op zoek naar een plekje. Maar hoe verder ze komen, hoe drukker het wordt. Ze merkt dat Fred zich niet op zijn gemak voelt.

Ze trekt aan zijn mouw. 'Zullen we hier maar blijven? Ik heb geen zin om me nog verder tussen al die mensen door te wurmen.'

Hij kijkt haar dankbaar aan. 'Ja.' Hij knikt. 'Prima.'

Ze gaan naast elkaar staan. Om hen heen heerst al diepe stilte. Vanaf beide kanten van de lege straat kijken honderden gezichten elkaar aan.

❖

Ze lopen net zo lang verder tot ze op een gegeven moment alleen nog maar tegen zwarte ruggen aankijken en geen stap meer vooruit komen.

'Dit gaat niet zo,' fluistert Ivy. Ze staat zo dichtbij dat Ada haar beetje zurige adem kan ruiken, en ook de geur van mottenballen van haar jurk en de rozen die ze bij zich heeft. Heel even wordt de weeïge geur van al die mensen en verleppende bloemen Ada te veel en is ze bang dat ze zal flauwvallen. Maar dan roept ze zichzelf tot de orde en probeert om een lange man die voor haar staat heen te kijken. Ze ziet echter alleen maar ruggen, hoofden en hoeden. Tussen haar en de eerste rij staan zeker vijftien mensen. Het is zelfs zo druk dat ze niet eens de dranghekken kan zien. Er is niemand die het hardop durft te zeggen, maar er zijn genoeg mensen die daar binnensmonds over mopperen.

'Ik denk dat we hier maar genoegen mee moeten nemen,'

zegt ze opgewekt tegen Ivy. Ook al voelt ze zich helemaal niet zo. Ze hadden bij de kerk moeten blijven. In ieder geval konden ze daar normaal ademen en hadden ze tenminste uitzicht. Het was nota bene haar eigen idee geweest om van plek te veranderen.

Op dat moment ontstaat er verderop in de menigte commotie. Vooraan is er blijkbaar iets aan de hand. Een poosje is niet duidelijk wat er allemaal gebeurt, maar dan wordt geroepen: 'Maak ruimte! Ruimte maken!' Er ontstaat een smal paadje tussen de mensen en twee mannen dragen een jonge vrouw weg. Haar hoed valt van haar krachteloze hoofd en Ada raapt hem op. Omdat ze ook niet weet wat ze daar verder mee aan moet legt ze de hoed maar op de borst van de vrouw. Het is een moderne hoed, zo eentje die op een bel lijkt met om de rand een smalle strook van stoffen bloemetjes.

Ze trekt een van de mannen aan zijn arm. 'Komt het goed met haar?'

'Niks aan de hand. hoor. Ze werd een beetje onwel. Hè, Mary?'

De jonge vrouw beweegt zich. 'Rustig maar.' De man buigt zich over haar heen. 'We zorgen wel voor je, lieve Mary.'

De menigte sluit zich weer, maar dan lijkt het alsof achterin plotseling iedereen besluit om te gaan duwen. Heel even ziet het ernaar uit dat ze als dominostenen zullen omvallen totdat ze als op een golf met z'n allen naar voren bewegen. Ada en Ivy houden zich aan elkaar vast, terwijl ze steeds verder vooruit worden geduwd.

Als de menigte tot stilstand komt, zijn ze vlak bij de dranghekken en hebben ze goed zicht op de straat. Ze kijken naar de ruggen van de politieagenten die de menigte in bedwang moeten houden. Ze staan daar met hun benen iets gespreid en hun handen op hun rug, de bovenkant van hun helm glanst in de zon. Vanaf de overkant van de brede lege straat staren al die verwachtingsvolle gezichten terug.

Ada voelt Ivy's schouders schokken. 'Gaat het Ivy?' vraagt ze.

Maar als Ivy opkijkt, blijkt dat ze staat te lachen. Ze knikt en veegt de tranen uit haar ogen. 'Ik kon er niks aan doen,' fluistert ze. 'Moet je nagaan. We zijn helemaal vooraan terechtgekomen.'

'Dat was inderdaad heel vreemd.' Ada recht haar rug. Rechts van hen staat een jong stel met hun zoontje tussen hen in. De man attendeert zijn vrouw en kind op iets. 'Kijk eens naar die ramen en daken,' zegt hij.

Ada volgt zijn blik en is verbijsterd door wat ze ziet. Achter alle ramen zijn gezichten te zien en er zitten ook mensen op de daken. De meesten zijn jongens, maar er zitten ook vrouwen tussen die gevaarlijk op de vensterbanken en op de rand van kleine balkonnetjes balanceren. Ada tikt Ivy op de arm en wijst naar boven.

'Jemig!' Ivy rilt.

In de verte horen ze de langzame, omfloerste slagen van de trommels.

De rouwstoet passeert een jonge Ier. Hij heeft gisteren vanuit Cork de boot naar Southampton genomen, en vanaf daar is hij hiernaartoe gereisd. Thuis heeft hij niet verteld dat hij hierheen zou gaan, maar gezegd dat hij bij zijn zus in Wexford op bezoek ging. De dingen veranderen in Ierland. Hij moest wel liegen.

De jongeman nam in 1915 dienst in het leger en heeft voor Groot-Brittannië gevochten, maar toen hij na de Paasopstand met verlof naar huis kwam, werd hij op straat bespuugd. Klote Tommy werd er tegen hem gezegd. Smerige klote Tommy.

Hij staat nu achter Collin, hij staat nu achter Sinn Féin. Hij weet heel goed voor wie hij zal vechten. En hij weet zo zeker dat er gevochten gaat worden. De burgemeester van Cork is drie weken geleden overleden na een hongerstaking in de gevangenis van Brixton.

En toch wilde hij met alle geweld hiernaartoe. Ook al moest hij ervoor liegen. Hij doet het voor de kerels met wie hij heeft gevochten en die in zijn bijzijn zijn gestorven, soms zelfs in zijn armen. Die net als hij werden voorgelogen, maar toch als helden hebben gevochten. Wier levens werden verkwanseld voor een stukje land. Hij kan ze niet vergeten en hij wil ze niet vergeten.

Ik zal aan jullie blijven denken, gaat het door hem heen. En als de affuit met de kist en de helm langskomt, sluit hij zijn ogen.

Niets kan hen terugbrengen. Niet de woorden van zelfvoldane mannen, niet de woorden van politici of de platitudes van brooddichters.

'Bij zonsondergang zullen we hen gedenken.'

Nee.

Ik zal aan jullie denken wanneer ik mijn pijp stop.

Ik zal aan jullie denken wanneer ik mijn bierglas hef.

Ik zal aan jullie denken op blije en sombere dagen. In het zomerlicht zal ik aan jullie denken.

Hij opent zijn ogen en kijkt naar de hoge militairen die langs marcheren. Hij weet wie ze zijn, hij heeft hun namen in de kranten gelezen: veldmaarschalken, admiraals en generaals. Met een schok van herkenning ziet hij Haig, zo dichtbij dat hij de grijze haren in zijn snor kan zien. Hij zou het liefst op hem spugen.

Hij weet dat de koning hier ook ergens in de buurt is. Plotseling krijgt hij een beeld van een man met een bom om zijn middel die zich losmaakt uit de menigte. Een aanslag op het hart van het impe-

rium. Het zou heel eenvoudig zijn. Hij schudt zijn hoofd. Nog niet, denkt hij. Nog niet.

❖

Het geluid van de trommels komt naderbij en er gaat een fluistering door de menigte. *Hij komt eraan. Hij komt eraan.* Achter haar wordt geduwd en Ada houdt zich vast aan de dranghekken. Ze krijgt bijna geen lucht meer en het zweet loopt in straaltjes over haar rug. Had ze haar korset nou maar niet zo strak aangetrokken. Wie zal haar wegdragen als ze nu flauwvalt? Dan houdt het gedrang weer op.

'Zet uw voeten een beetje uit elkaar,' zegt een jongeman naast hen. 'Maakt u zich geen zorgen. Nu blijft iedereen wel stilstaan. U zult het zien.'

Er komen vier enorme kastanjebruine paarden hun kant op, het geluid van hun hoeven wordt gedempt door het stro dat op het wegdek is gelegd, en als de paarden langs stappen, nemen alle mannen tegelijk hun hoed af, alsof het is gerepeteerd. De jongeman naast Ada houdt zijn hoed tegen zijn borst geklemd.

Achter de paarden lopen de trommelaars met hun door zwart doek overspannen trommels die een omfloerst en hol geluid voortbrengen. Dan volgen de doedelzakspelers met hun schelle tonen die de lucht doorklieven. Daarna is er even een gat en dan verschijnen zes zwarte paarden met oogkleppen en glanzende vachten die een affuit voorttrekken. Daarop staat een kist die is bedekt met een vlag waarvan de kleuren vervaagd zijn, alsof hij te lang in de zon heeft gelegen. Daar bovenop ziet Ada een gedeukte soldatenhelm liggen. Michael had precies zo'n helm. Eén seconde denkt ze dat het de helm is die hij om zijn nek had hangen toen ze hem de laatste keer zag en hij in de lentezon het pad afslenterde. De helm bonkte tegen zijn rug en ze was bang dat hij daar blauwe plekken van zou krijgen. En in diezelfde seconde weet ze zeker dat het zijn lichaam is dat in de kist ligt. Opeens begint een vrouw onbeheerst en luid te snikken, het geluid weerkaatst tegen de huizen aan weerskanten van de straat. Dan begint nog iemand te snikken en in de menigte aan de overkant komen honderden zakdoeken tevoorschijn die spierwit afsteken tegen al dat zwart. Naast haar staat Ivy geluidloos te huilen.

En dan begrijpt ze het. Ze droegen allemaal zo'n helm. Al die mannen, broers en zoons van de vrouwen die hier zijn.

De rouwstoet trekt voorbij en gaat verder in de richting van de Cenotaph. Ada ziet dat de stoet halt houdt.

Er wordt nog wat gefluisterd voordat er een diepe stilte neerdaalt.

En dan beginnen de klokken te luiden.

Buiten adem komt Evelyn op de top van de heuvel aan. Tot haar voldoening ziet ze dat hier niemand is en haar bankje is onbezet. Net alsof iedereen aangetrokken is door de grote grauwe magneet van de stad die zich onder aan de heuvel uitspreidt. Het is zo bladstil dat de rook uit de schoorstenen loodrecht omhoog gaat. Wat een schitterende dag.

Ze hoort de klokken elf uur luiden. De klokken van Primrose Hill, van Camden Town en al die klokken verderop in de stad die door elkaar en met elkaar luiden. Als het gebeier stopt, lijkt het alsof ze de stilte als een golf op de heuvel, op het plekje waar ze zit, af ziet rollen.

En dan maakt die stilte plaats voor iets anders. Iets verbazingwekkends. Het is het geluid van een stad zonder mensen. Zonder voetstappen, zonder gesprekken, zonder het lawaai van bussen, auto's, fabrieken, kantoren en werven. Toch heerst er hier op de heuvel niet alleen maar stilte, juist niet. Ze kan de wind horen suizen door de laatste verdorde, halsstarrige blaadjes, het gekras van kraaien in de bomen. In de verte hoort ze uit de dierentuin het gekwetter van apen komen en het gedempte gebrul van een grote katachtige. Dit had ze nooit verwacht. Er verschijnt een glimlach op haar gezicht.

Hier boven hangen nog steeds mistflarden over het gras. Hierboven is nog nooit iets gebouwd.

En toch is dit ook de stad, denkt ze bij zichzelf.

En hier zit ze dan, op een bankje in de zon.

Het herinnert haar aan een zomerochtend. Het raam staat open en buiten is het warm. Ze ligt naast Fraser en luistert naar de geluiden van de stad beneden. De zon schijnt op haar benen. De dichtbije warme geur van de man van wie ze houdt. Dan staat ze op en rekt zich uit, ze voelt de koele tegels onder haar voeten. Ze draait zich naar hem om. *Zullen we naar buiten gaan?*

De trage glimlach op zijn gezicht.

Ik hield van je, denkt ze. *Fraser, ik hield van je.*

Over twee weken word ik dertig.

Ze ademt diep in en snuift de geur op van rulle aarde, ze voelt diezelfde zon, deze onverwachte zegening – op een dag in november – warm op haar huid.

Ik leef, denkt ze. *Ik leef.*

❖

Tijdens de stilte voelt Hettie dat Fred stram naast haar staat.

Ze wil hem vragen aan wie hij denkt. Welke mensen vertegenwoordigt deze stilte voor hem? Van wie roept hij 's nachts de naam?

Aan de overkant van de straat staan honderden mannen met hun hoed voor hun borst, en honderden vrouwen. Velen van hen, zowel mannen als vrouwen, zijn in tranen. Als er hier in Hammersmith al honderden staan, dan zullen er overal nog veel en veel meer zijn: in de stad, in het hele land, en daarbuiten, overzee, in Frankrijk.

Hoe zou het zijn met het meisje met het lange bruine haar? Waar is ze nu? Staat ze ook in een soortgelijke straat? Of is ze ergens in een dorp? Heeft ze nog steeds lang haar? Of heeft ze het ook afgeknipt? En die andere vrouwen, de oudere vrouwen die zichzelf verkochten, steeds maar weer. Wat is er van hen geworden?

Op de een of andere manier lijken ze nu heel dichtbij.

En Ed?

De gedachte aan hem bezorgt haar een steek in haar hart.

Staat hij nu ook op straat? Niet zo ver hiervandaan? Is hij met zijn familie? Of is hij nog steeds waar ze hem heeft achtergelaten, alleen en gekwetst?

Ze hoopt maar van niet.

Fred schuifelt met zijn voeten en Hettie kijkt op. Zijn gezicht is rustiger, zijn houding niet meer zo gespannen. Ze geeft hem een arm. Heel even schrikt hij, maar hij duwt haar arm niet weg, hij legt juist zijn hand over de hare. En zo blijven ze staan, arm in arm. Ze kijkt weer naar al die gezichten aan de overkant.

Al die mensen die hier getuige van willen zijn. Daarvoor zijn ze hier gekomen, om van deze gebeurtenis getuige te zijn.

❖

Naarmate de stilte aanhoudt, dring het tot haar door. Hij is niet hier. Haar zoon ligt niet in die kist. En toch is die niet leeg, hij is gevuld met het verdriet en de rouw van de levenden. Maar haar zoon is hier niet.

Een hoorn blaast de Last Post, het klinkt blikkerig en ijl vanaf de plek waar ze staan. Als de laatste noot wegsterft, durft iedereen weer adem te halen. Een poosje blijven de mensen zo staan alsof ze met tegenzin in beweging komen. En dan horen ze in de verte het verkeer weer op gang komen, het geroezemoes van het leven dat wordt hervat. Het is een alledaags geluid, maar toch klinkt het als een ontheiliging.

Waar zij staan, helemaal vooraan, is nog niemand in beweging gekomen. Maar even later beginnen als eerste de mensen achteraan zich te verspreiden en dan volgt de rest.

'Waar gaan ze allemaal naartoe?' vraagt Ada.

'Naar de Cenotaph,' zegt een jonge vrouw links van haar, die een bosje lelies in haar hand heeft. 'Om bloemen voor de doden neer te leggen.'

'Zullen we daar ook naartoe gaan?' stelt Ivy voor.

Ada draait zich om. De rij is nu al twintig mensen dik. Iedereen schuifelt stapje voor stapje voorwaarts. Het zal uren duren voordat ze aan het eind van de straat zijn.

'Wil jij?' vraagt ze aan Ivy.

'Ja.'

Ada aarzelt. 'Vind je het erg als ik niet meega? Ik wil nog ergens anders naartoe.'

Ze geeft geen verklaring en Ivy vraagt niet door, ze gebaart alleen naar de bloemen in Ada's hand. 'Zal ik die dan neerleggen?'

'Heel graag,' zegt Ada. 'Red je het wel?'

'Ja hoor.' Ivy knikt en pakt de asters aan.

'Zo te zien hebben ze dorst.'

'Nou ik ook. En ik wil ook wel iets anders dan water.' Ivy glimlacht. 'Dat is het eerste wat ik doe als ik thuis ben. Kom maar langs als je zin hebt.'

Ada glimlacht. 'Misschien doe ik dat wel.'

Ze omhelzen elkaar.

'Ga nou maar,' zegt Ivy.

Het eerste eindje valt het niet mee om tegen de stroom mensen in te gaan. Maar als Ada eenmaal aan de achterkant van de menigte is gekomen en weer een beetje ruimte heeft om te ademen, draait ze zich om en kijkt of ze Ivy nog ziet staan zodat ze even gedag kan zwaaien.

En dan ziet ze hem.

Hij staat nog geen twintig stappen van haar vandaan en is in gezelschap van zijn zwangere vrouw en zijn dochtertje. Het is een kleine man: opgetrokken schouders, ielig, bleekblauwe ogen, en een vlassig snorretje dat nauwelijks zijn bovenlip bedekt. Met een bos blauwe bloemetjes staat hij in de rij voor de Cenotaph. Hij heeft haar nog niet gezien.

Ze maakt aanstalten om naar hem toe te lopen en dan kijkt hij op en ziet haar. Zijn hand sluit zich stevig om de arm van zijn dochtertje. Het meisje geeft een gil en probeert zich uit zijn greep te bevrijden. Met een verwilderde blik kijkt hij Ada aan, en heel even is ze bang dat hij zijn gezin in de steek zal laten en weg zal rennen. Maar dat doet hij niet. Hij vermant zich, zijn gezicht ontspant en hij beantwoordt haar blik. Het lijkt alsof hij groter wordt terwijl hij zijn dochtertje tegen zich aandrukt en de arm van zijn zwangere vrouw vasthoudt.

Ze roept hem niet. Ze gaat niet naar hem toe. Ze knikt slechts, alsof hij een oude bekende is en dan draait ze zich om en loopt langzaam en beheerst de andere kant op.

❖

Als de begrafenis is afgelopen en de bijeenkomst is geëindigd, als de koning en de koningin en de minister-president, en ook de moeders die hun zonen hebben verloren, en alle vrouwen die zowel hun zonen als hun echtgenoot hebben verloren, zijn weggegaan; als het jonge meisje dat een speciale uitnodiging heeft gekregen omdat ze negen broers heeft verloren – gesneuveld of vermist – naar huis is gegaan; als de honderd blind geworden verpleegkundigen en de parlementsleden en de lords die een broer of een zoon hebben verloren, als die allemaal zijn vertrokken, wordt Westminster Abbey tijdelijk gesloten.

Binnen worden vier houten hekken geplaatst, en rond het graf worden vier kaarsen neergezet. Volgens de verwachting zal het heel druk worden.

Een koorknaap, die zijn plicht die dag heeft vervuld, verlaat stiekem de ruimte waarin de andere jongens van het koor zich omkleden. Hij heeft niemand verteld waar hij naartoe gaat. De deur naar het schip van de kerk staat op een kier en de jongen glipt naar binnen. Er is niemand in de enorme, weergalmende kerk. Er branden kaarsen. Boven hem rijst het gewelf van de kerk eindeloos hoog op. Met bonzend hart loopt hij naar de houten hekken. Tijdens de plechtigheid stond het koor op een plek van waaruit hij geen zicht had op de kist. En nu wil hij hem zien.

Hij bukt zich om onder het hek door te gaan en dan kruipt hij op zijn knieën naar de rand van het gat. Beneden ziet hij de kist staan. Het graf is zo diep dat het licht van de kaarsen nauwelijks het rood, wit en blauw van de vlag die over de kist ligt, bereikt.

De jongen denkt aan de laatste keer dat hij zijn broer zag. Hij droeg een uniform en hij leek zo groot en zo knap. Ook al was de jongen toen nog maar klein, hij herinnert het zich nog heel goed. En hij weet ook nog dat hij wilde dat hij oud genoeg was om met hem mee in de oorlog te gaan.

Oorlog. Hij moet een beetje huiveren van dat woord. Maar wel op een prettige manier. Als hij later groot is, krijgt hij misschien ook wel de kans om soldaat te worden.

Dan gaan de enorme deuren aan het eind van de Abbey weer open en valt het bleke novemberlicht over de vloer. De jongen staat op, kruipt onder het hek door en verdwijnt in het duister. Op het laatste nippertje ziet hij nog een grote stoet van mensen die twee aan twee Westminster Abbey binnenkomen.

❖

Evelyn staat voor de spiegel en houdt een jurk voor. Ze draait een beetje heen en weer en bekijkt zichzelf kritisch. De japon is dieprood en ze heeft hem al jaren niet gedragen, maar de snit is goed, dus moet ze het er maar mee doen.

Doreen verschijnt in de deuropening. Ze heeft een blos op haar wangen van de buitenlucht en ze slaat haar armen over elkaar. 'Ga je uit?'

'O jee. Ik weet het nog niet.' Evelyn gooit de jurk op het bed en gaat ernaast zitten. 'Ik was helemaal vergeten wat voor een gedoe dat allemaal met zich meebrengt.'

Met een geamuseerde blik in haar ogen komt Doreen bij haar zitten. 'Mag ik vragen waar je naartoe gaat?'

Evelyn pakt haar sigarettenkoker. 'Ik denk dansen, of zo.'

Doreen trekt haar wenkbrauwen op. 'Waar dan?'

'In Hammersmith.'

'De Palais?'

'Mmm.' Ze steek een sigaret op.

'En met wie?' Doreen glimlacht.

Evelyn neemt een trekje van haar sigaret. 'Met een man.'

Doreens glimlach wordt breder. 'Nou, dat is in ieder geval een goed begin.'

'Het is iemand van mijn werk.'

'Gossie, is me dat even een verrassing.'
'Het heeft niks te betekenen,' zegt Evelyn snel.
'Tuurlijk niet.' Doreen glimlacht nog steeds.
'Wat is er?' zegt Evelyn. 'Kijk niet zo naar me. Hou op!'
Maar Doreen houdt niet op. Dus loopt Evelyn weer naar de spiegel, houdt de jurk voor zich en vraagt: 'Wat vind je?'

Ada stapt een paar haltes voor haar huis uit de bus en loopt door de verlaten straten naar het kanaal. Het milde zonnetje staat nog steeds aan de hemel en als ze over de bemoste stenen van het jaagpad loopt, maakt haar hart een sprongetje. Ze heeft het hier altijd fijn gevonden, al sinds ze een klein meisje was en hier met haar vader kwam om de eendjes te voeren. Ze houdt van de geur van planten en water, het woekerende onkruid langs het pad. Ze slaat links af en voelt de zon op haar rug. Dan stapt ze van het pad af en gaat aan de kant staan want er komt een trekschuit onder de brug door. De schipper neemt zijn pet af en zegt: 'Goedemiddag.'

Zijn boot is in felle kleuren geschilderd: geel, rood en blauw. De pony die de schuit trekt heeft oogkleppen op en als hij langs haar loopt, ruikt Ada de prettige geur van het dier.

Ze loopt onder de brug door en kijkt naar de gashouders in de verte. Ze zijn halfvol en het ijzeren hekwerk tekent zich grijs af tegen de hemel. Als ze bij het tuintje in de buurt komt, ruikt ze de geur van brandend hout en op het pad achterlangs vliegen twee dikke houtduiven op. Ze loopt langs afgewaaide appels, verdroogde, bruine bramen en braakliggende, keurig onderhouden lapjes grond.

Even later ziet ze hem. Hij zit met zijn rug naar haar toe

geknield bij een groentebed en hij heeft een troffeltje in zijn hand. Ze blijft voor het hekje staan en ziet hem zich voorover-buigen en iets uit de grond trekken. Hij heeft zijn jasje uitgedaan en is in hemdsmouwen, onder zijn oksels zitten vochtplekken. Naast hem ligt een bergje groenten en rechts van hem brandt een vuurtje met tuinafval. Ze maakt het hekje open en doet een paar stappen in zijn richting. Hij reageert niet op het geluid, maar ze kan aan zijn houding zien dat hij haar heeft gehoord. Hij staat langzaam op, veegt zijn handen af en loopt naar een tafeltje waar hij zijn schepje op legt. Dan pas draait hij zich om.

'Hallo,' zegt ze als eerste.

'Hallo.' Hij wist met zijn mouw zijn voorhoofd af. 'Sta je hier al lang?'

'Nee hoor, ik ben er net.'

Hij knikt. 'Niks voor jou om helemaal hierheen te komen.'

'Nou ja.' Ze houdt haar armen voor haar borst, omdat ze zich in haar rouwkleding een beetje opgelaten voelt. Ze zet haar hoed af, fatsoeneert haar haar en kijkt om zich heen naar de andere tuintjes. 'Er zijn niet veel mensen.'

Hij schudt zijn hoofd. 'Ik heb de hele dag niemand gezien. Ik heb er maar gebruik van gemaakt en flink wat werk verzet. Alles is nu klaar voor de winter.'

Ada ziet dat de bedden net geschoffeld zijn en afgeschermd met netten die met pinnen in de grond zijn vastgemaakt. Er ligt een grote hoop bramentakken en bladeren klaar om op het vuur gegooid te worden. Over alles hangt een sfeer van rust en orde.

'Er is nog een pompoen opgekomen.' Jack wijst naar de grond. 'Ik dacht dat we de laatste al hadden gehad.'

De pompoen ligt te midden van wat zanderige bladeren. De kleur is fel oranje met gele en groene strepen, hij is nog dieper van kleur dan de pompoen die hij zondag voor haar had meegenomen.

Hij loopt naar het vuurtje om de boel nog wat op te porren.

Ze gaat bij hem staan. 'Waar was je?' vraagt ze. Ze heeft een droge keel. 'Was je vannacht soms hier?'

Hij kijkt op en knikt.

Ze is geweldig opgelucht. 'Waar heb je dan geslapen?'

'In het schuurtje.'

'Had je het niet koud dan?'

'Daar was ik veel te zat voor.'

Ze schiet in de lach. De spanning is uit de lucht. Ze gaat wat dichter bij het vuurtje staan en houdt haar handen op om ze te verwarmen. 'Mag ik er wat bladeren op gooien?'

Verbaasd kijkt hij op en hij gebaart dat ze haar gang kan gaan.

Ze pakt een armvol rode, gele en bruine bladeren van de hoop en gooit die op de brandstapel. De vlammen likken aan de bladeren tot ze prachtig fel oplichten en knetteren in de hitte. Grijze rook kringelt loodrecht omhoog. Ze ademt diep in.

'Ik heb er spijt van,' zegt hij.

Ze kijkt naar hem. Hij heeft een blos op zijn wangen en zijn ogen zijn een beetje dik alsof hij lang in de vlammen heeft zitten staren.

Ze schudt haar hoofd. 'Nee, dat hoor ik te zeggen.'

'Meen je dat?'

'Ik keek helemaal langs je heen,' zegt ze. 'Mijn aandacht was bij heel andere dingen, en ik zag jou gewoon niet meer.'

Hij laat het tot zich doordringen en dan knikt hij alsof hij haar gelijk geeft.

'Ben je naar de stad geweest?' vraagt hij.

'Ja.'

'In je eentje?'

'Nee, met Ivy.'

Hij gromt en gaat op zijn hurken zitten. 'En was het het waard?' vraagt hij een beetje uitdagend.

Was het het waard?

Ze geeft niet meteen antwoord. Ze denkt aan die enorme menigte. Het geduw, al die lichamen zo dicht op elkaar, de stank en de stilte die maar aanhield, de oorverdovende stilte van verdriet. Ze denkt aan de jongeman en zijn vrouw en zijn dochtertje en zijn blauwe bloemen. Dat ze zich omdraaide en het gevoel dat ze daarbij had, het gevoel alsof ze haar hand al die jaren tot een vuist had gebald en nu ze die eindelijk open had gedaan, ontdekte ze dat er niets in zat.

'Ja,' zegt ze. 'Het was het waard.'

Hij knikt en staat op om de resterende bladeren op te pakken. Hij gooit ze op het vuur dat even opflakkert, knettert en sist en dan is het weer stil. Hij pakt zijn jasje en trekt het aan. De zon gaat onder achter de gashouder achter hem en de avondhemel kleurt violet.

'Jack?'

Ze gaat naar hem toe en hij spreidt zijn armen om haar te omhelzen. Ze legt haar hoofd tegen zijn borst en hoort het regelmatige kloppen van zijn hart. Ze ademt zijn geur in. Hij ruikt naar hout en rook, naar een dag van lichamelijke arbeid, naar zichzelf.

Bij de uitgang van het station houdt Evelyn een jong stelletje aan. 'Neem me niet kwalijk, maar weten jullie misschien waar Hammersmith Palais is?'

Het meisje, bevallig gekleed in een wollen jas en met een

hoedje op haar hoofd, kijkt haar aan alsof Evelyn een klap van de molen heeft gekregen. 'Dat is hier,' zegt ze. 'Wij gaan er ook naartoe.'

Voor een gebouw dat eruitziet als een tramremise staat een rij van ongeveer vijftig mensen

'Bedankt,' zegt Evelyn. *Allemachtig.*

Ze heeft geen zin om in haar eentje naast de jongen en het meisje in de rij te gaan staan, want dan voelen die zich misschien wel geroepen om uit medelijden een praatje met haar te maken.

'Ik eh... moet nog even sigaretten kopen.'

Ze duikt een kleine kiosk pal naast het station in en koopt een pakje Gold Flakes. Dan loopt ze de hoek om en steekt er een op.

Wat doet ze hier in vredesnaam? Ze gluurt om de hoek. Het jonge stelletje is al uit het zicht verdwenen. Vanaf het station komen nog steeds mensen aan gelopen die ook in de rij gaan staan. De rij is inmiddels al een stuk langer en loopt nu bijna tot de hoek waar ze staat. Maar het gaat wel snel en er worden nog geen mensen weggestuurd. Ze gooit haar sigaret op de grond en trapt hem uit met haar hak. Met een gevoel dat ze dit eigenlijk niet echt aan het doen is, gaat Evelyn achter in de rij staan.

Bijna iedereen is jong, ontzettend jong.

Ze voelt aan haar kraag en denkt aan de rode jurk die ze aanheeft. Had ze die jurk maar niet aangetrokken. Ze is zo veel afgevallen dat hij om haar lijf slobbert. En de kleur is ook helemaal verkeerd: rood. Wie draagt er nou iets roods?

Ze wil naar huis.

Is ze te vroeg of te laat? Ze heeft geen idee. Zit Robin binnen op haar te wachten? In ieder geval is hij niet hier buiten. Zal hij haar meteen zien? Of moet ze maar ergens gaan staan en kijken of ze hem tussen al die mensen kan ontdekken? Hoe gaan dat soort dingen, verdomme. Ze hadden een vaste plek moeten afspreken. Opeens weet ze zelfs niet meer zeker hoe hij eruitziet. En dan is iedereen in deze rij ook nog zo jong. Dit is dus precies waarom ze niet uitgaat. Dit zijn gelegenheden voor jonge mensen die er nog achter moeten komen dat plezier hebben niet iets is waar je automatisch recht op hebt.

❖

Hettie hoort het geroezemoes van de mensen buiten als ze in de rij gaat staan voor de Box en haar plaats inneemt terwijl Grayson de rij inspecteert.

Er hangt vanavond iets eigenaardigs in de lucht. Iets sprankelends. Iedereen schijnt het te voelen: de jongens die tegenover hen zitten; Grayson met zijn spiedende blikken; de meisjes, die hun opwinding nauwelijks kunnen verbergen.

De Palais ziet eruit om door een ringetje te halen. De schoonmakers hebben de vloer zo ijverig gepoetst dat hij blinkt als een spiegel, de glazen panelen schitteren en de Chinese lampen zijn afgestoft. De deuren achter het podium gaan open en de band verschijnt. Er gaat een verwachtingsvol gemompel door de Box als de muzikanten hun instrumenten pakken en beginnen met inspelen. Hettie, Di en alle anderen zitten op het puntje van hun stoel.

De trompet blaast een toonladder en eindigt sensationeel. Vanavond straalt de band een en al zelfvertrouwen uit, branie. Toch heeft Hettie eigenlijk niet zo'n zin in jazz. Ze zou liever muziek horen die past bij de ietwat melancholieke stemming waarin ze al de hele dag verkeert. Die stemming gaf haar op weg hiernaartoe het gevoel dat ze een kostbare vloeistof bij zich droeg, een nieuw destillaat waar ze geen druppeltje van wilde morsen. Een stemming die ze weerspiegeld zag in de gezichten van de mensen die ze passeerde in de laatste stralen van de onverwachte novemberzon.

De deuren gaan open en het publiek stroomt binnen. Eigenlijk vindt Hettie het jammer dat het delicate gevoel nu wordt verstoord, ze had het graag nog even willen vasthouden.

Hoewel de deuren nog maar net open zijn, staat de dansvloer nu al propvol. De band is nog niet eens begonnen met spelen en toch zijn een paar mensen al aan het dansen, hier en daar zie je dat er al flink op los gewerveld wordt. Hetties blik valt op een lange, blonde man in avondkostuum die in zijn eentje staat. Hij maakt de indruk dat hij op zoek is naar iemand; ze ziet dat hij zijn blik over de menigte laat dwalen. Alsof hij voelt dat ze naar hem zit te kijken, draait hij plotseling zijn hoofd haar kant op en loopt naar de Box. Di geeft haar een por met haar elleboog. 'Daar ga je, Het,' zegt ze. 'Je bent al aan de beurt.'

De man komt recht op Hettie af. Zijn tred vertoont een lichte hapering, alsof zijn ene been langer is dan het andere.

Kunstbeen.

Hij blijft pal voor haar staan.

'Hallo,' zegt hij. Hij heeft een open gezicht en een vriendelijke glimlach. Hij duwt met zijn vinger tegen het ijzeren hek, alsof hij de sterkte wil testen. 'Wel een beetje barbaars, vind je niet?' Hij rammelt even aan het hek. 'Waarom moet je opgesloten zitten? Ben je gevaarlijk?'

Ze glimlacht flauwtjes. Dit soort grappen heeft ze al duizend keer gehoord.

'Mag je er wel eens uit?'

'Sixpence,' zegt ze en ze wijst naar de kassa. 'Daar.'

'Dus ik kan je voor sixpence bevrijden? Dat is een koopje.'

De man loopt weg, maar dan lijkt het alsof hem iets te binnen schiet. Hij draait zich om en kijkt haar vragend aan. 'Dat wil zeggen, als je het goed vindt.'

Houdt hij haar voor de gek? Ze kan het niet peilen. 'Natuurlijk vind ik dat goed,' zegt ze. 'Het is mijn werk.'

Als hij wegloopt ziet ze weer die kleine hapering. Hij weet dat been goed te verbergen, denkt ze. Als je niet goed kijkt, zou het je niet eens opvallen.

'Prima vent,' zegt Di. 'Hoe heb je die aan de haak geslagen?'

Hettie haalt haar schouders op. Ze merkt dat Di alleen maar aardig probeert te zijn. Ze doet al zo vanaf het moment dat Hettie binnenkwam en alleen maar haar hoofd schudde toen er werd gevraagd hoe het gisteravond was gegaan. Di had ook niet aangedrongen toen Hettie zei dat ze de jurk niet had meegenomen omdat ze naar de Broadway was gegaan voor de minuut stilte.

Di fronst haar wenkbrauwen en legt haar hand op Hetties arm. 'Gaat het een beetje? Je bent de hele avond al zo stilletjes.'

'Ja hoor, ik voel me prima.'

De blonde man is binnen een mum van tijd terug met zijn bonnetje. 'Alsjeblieft.' Hij reikt het haar aan. 'Er werd me gezegd dat ik dit aan jou moest geven.'

Hettie pakte het bonnetje aan, doet het in haar beursje en maakt het poortje open. Dan staan ze tegenover elkaar, hij met zijn handen in zijn zakken en zij met haar handen op haar rug. Hij maakt geen enkele aanstalten en ze blijven net zo lang zo staan tot ze er genoeg van heeft. 'Wil je soms niet dansen?' vraagt ze uiteindelijk een tikje geërgerd.

'Dansen?' Hij trekt zijn wenkbrauwen op. 'Dans je dan? Ik

zag je daar zitten en je zag er zo verloren uit dat ik vond dat ik je moest bevrijden.'

Ze kijkt hem nijdig aan.

'Sorry hoor.' Hij glimlacht. 'Ik maakte maar een grapje.' Hij haalt zijn handen uit zijn zakken. 'Wat is de eerste dans?'

'Een wals. De eerste en de laatste dans zijn altijd een wals.'

Ze kijkt naar het podium en ziet dat de musici klaar zijn met stemmen. De bandleden trekken hun stropdas recht, zetten hun bladmuziek klaar en gaan op het puntje van hun stoel zitten. Onder groot applaus en gejuich komt de dirigent uit de coulissen.

'De eerste en de laatste,' zegt de man met een hoofdknik, alsof hij dit zichzelf wil inprenten. 'En hoe lang ben jij vrij?'

'Eén dans.'

'En verander je dan in een pompoen? Of ik?'

'Dan ga ik weer terug naar daar.' Hettie wijst naar de Box waar Di inmiddels ook een klant heeft. Er zitten nu nog maar drie meisjes.

'Aha.' Hij trekt een grimas. 'Ik snap het.'

Overal nemen stelletjes hun plaats in op de dansvloer, het uitbundige rumoer verstomt een beetje en maakt plaats voor een verwachtingsvolle zindering.

'Kijk eens aan,' zegt de man en hij spreidt zijn armen. 'Ik kan maar beter zorgen dat ik mijn best doe.'

Hun handen raken elkaar en hij slaat zijn rechterarm om haar taille. 'Ik heb gehoord dat de band erg goed is,' zegt hij.

Ze vraagt zich af hoe hij het er vanaf zal brengen om te dansen met één been.

De dirigent heft zijn baton en de muziek begint. Het is een traag, stuwend ritme, geen gewone wals, langzamer dan normaal en het heeft iets treurigs, iets onbekends. Het geruis van kleding en de voetstappen op de houten vloer vult de zaal.

Gedurende een maat of twee blijft de man gewoon staan. En dan, net op het moment dat ze denkt dat hier geen verandering in zal komen, trekt hij haar iets naar zich toe en neemt haar zwierend mee over de vloer. Hij kan goed leiden. Hij houdt haar stevig vast en zijn lichaam en schouders zijn ontspannen als hij zich samen met haar aan dit eigenaardige ritme overgeeft.

De band blijft nog lang op dezelfde manier doorspelen, net zo lang totdat deze vreemde beat niet meer zo vreemd is en uiteindelijk heel natuurlijk aanvoelt. Bijna als een levend iets, een hartslag. Dan staat een trompettist op en speelt in een solo de sterren van de hemel.

Tot Evelyns verbazing is het binnen verrassend luxueus en heel Chinees. Er hangen glazen panelen met Chinese tekens en op de muren staan rondom pagodes en kraanvogels afgebeeld. Evelyn had iets ordinairs verwacht maar het is heel aangenaam. Een bordje verwijst naar de damestoiletten en ze stapt naar binnen, ook al hoeft ze niet naar de wc. Ze moet achter een ellendig lange rij aansluiten terwijl meisjes zich staan op te maken voor een lange spiegelwand. Wanneer er eindelijk een toilet vrijkomt, doet ze de deur op slot, pakt een borstel uit haar tas en brengt haar haar in model. Het liefst zou ze er meteen weer vandoor gaan. Dit is geen plek voor haar. Ze had gewoon niet moeten komen.

Als ze de wc uitkomt, bekijkt ze zichzelf met enige tegenzin in de spiegel. Ze trekt haar jurk in model. Waarom heeft ze die in hemelsnaam aangetrokken? Omdat ze niets anders had, natuurlijk. Maar hij is echt te ruim en als ze beweegt, als ze gaat dansen, dan heeft ze inkijk en staat ze voor schut. Ze had hier echt niet naartoe moeten gaan.

Ze geeft haar jas af bij de garderobe, stopt het bonnetje in haar tas en komt door een dubbele deur in een enorme hal, vol met zwierende danspaartjes. Aan het plafond hangen gekleurde lantaarns die roze, blauw en geel licht verspreidden. In het midden van de glanzende dansvloer staat een soort miniatuurfonteintje waaruit ook echt water komt en aan de andere kant van de ruimte ziet ze een soort Chinese tempel waar de band zit. Die bestaat uit een man of twintig, dertig in witte kostuums.

Dus zo ziet een danshal eruit.

Rond de dansvloer staan tafeltjes. Evelyn besluit langs de tafeltjes te lopen om te kijken of Robin ergens zit, en als ze de hele zaal door is geweest en hem nog niet heeft gezien, gaat ze naar huis.

Rechts van haar is een stalletje waar je iets te drinken kunt kopen. Ze gaat in de rij staan en als ze aan de beurt is bestelt ze een gin met jus d'orange bij het geüniformeerde meisje achter de bar.

Het meisje rolt met haar ogen. 'Geen alcohol.' Ze wijst naar een bordje beneden aan de bar.

IN OPDRACHT VAN DE BEDRIJFSLEIDING WORDT GEEN ALCOHOL GESCHONKEN.

'Alleen thee en bowl.'

'Maar in bowl zit toch ook alcohol?'

Het meisje kijkt haar aan.

'Doe de bowl maar.'

'Twee pence,' zegt het meisje en ze schept de bowl uit een grote kuip in een glas.

Evelyn neemt de vruchtenbowl mee naar een tafeltje en zet het glas even neer om een sigaret op te steken. Ze is vlak bij de band en ze ziet de dirigent het podium op komen. Zodra hij zijn baton heft en de band begint te spelen loopt ze langs de dansvloer en probeert zo onopvallend mogelijk om zich heen te kijken. Ze doet haar best geen tafeltje over te slaan, maar Robin is nergens te bekennen.

Wanneer ze tot halverwege de ruimte is gelopen, komt het opeens bij haar op dat hij misschien helemaal niet is gekomen. Het is al een paar dagen geleden dat ze deze afspraak hebben gemaakt. Misschien is hij het wel vergeten. Is het niet een beetje arrogant van haar om te denken dat hij hier op haar zit te wachten? Wil ze hem eigenlijk wel zien? Ze blijft staan, leunt tegen een hekje en kijkt naar de dansvloer. Er zijn minstens vier- à vijfhonderd mensen aan het dansen en ondanks het geschuifel van al die voeten hoort ze hoe een trompet in een solo de sterren van de hemel speelt terwijl de band een stuwend ritme aanhoudt.

❖

De man kan geweldig dansen. Terwijl Hettie op de tonen van deze melancholieke muziek in zijn armen zwiert, en hij haar met zijn hand op haar rug met zekere passen met zich meevoert, is het alsof alles in haar bruist en tintelt. Ze voelt zich anders, veranderd, herschikt.

Ze is niet meer dezelfde die ze was.

Het komt door Ed. Iets van zijn gekwetstheid is op haar overgegaan. Het komt ook door Fred en toen ze tijdens de één minuut stilte samen in de zon stonden. Het komt door de gedachte aan die vrouwen in Frankrijk. Het komt door de melancholie van deze wals.

Maar ondanks al die treurigheid is ze totaal niet terneergeslagen. En dat ligt aan deze man. Het komt door de manier waarop hij haar vasthoudt, met nog steeds een kleine afstand tussen hen. Een afstand waaraan hij niets wil veranderen. Het is zijn manier om haar duidelijk te maken dat hij alleen met haar wil dansen en verder niets.

De trompettist stopt, zijn laatste noot blijft in de lucht hangen, de muziek vertraagt en zal weldra ophouden.

'Dank je wel.' De man laat haar voorzichtig los. 'Dat was de sixpence dubbel en dwars waard.'

Ze wil hem vragen of ze weer met hem mag dansen, ze wil hem vragen hoe het komt dat hij zo goddelijk kan dansen terwijl hij toch een...

Maar hij kijkt over haar schouder. De uitdrukking op zijn gezicht is veranderd en hij krijgt een kleur. Met een grappig buiginkje zegt hij: 'Excuseer.'

Hij is volkomen geconcentreerd op iets achter haar. Ze hoeft zich echt niet om te draaien om te weten dat het een vrouw is. De vrouw met wie hij hier heeft afgesproken.

Natuurlijk heeft hij hier met iemand afgesproken.

Hettie verbijt haar teleurstelling en draait zich om.

Aan de overkant van de dansvloer staat een vrouw in een rode jurk. Ze leunt op het hekje, rookt een sigaret en staart voor zich uit. Ze heeft krullend bruin haar, tot net onder haar kaaklijn. Ze is niet te klein en niet te groot, ze is heel mooi. Maar niet mooi op de manier van vrouwen die de aandacht willen trekken. Deze vrouw kijkt alsof ze juist helemaal niet de aandacht wil trekken. Ze doet Hettie aan iemand denken. Maar ze kan niet zo gauw verzinnen aan wie.

De vrouw heeft nog niet gezien dat de man naar haar kijkt, dus kan hij zijn ogen ongestoord de kost geven. Misschien merkt ze wel dat er iemand naar haar staat te staren en draait ze zich om zodat ze de blik van de man ontmoet.

Hettie is benieuwd of deze vrouw hetzelfde voor deze man

voelt als hij voor haar. Zonder erover na te hoeven denken weet Hettie dat deze man van deze vrouw houdt. En ze weet ook dat dit een man is die deugt en het waard is om van te houden.

Hettie stapt opzij en gaat terug naar de Box want als de vrouw zich omdraait, wil ze niet zij haar uitzicht belemmert.

De vrouw draait zich om…

Nawoord van de auteur

Wat betreft de selectieprocedure voor het lichaam van de Onbekende Soldaat, bestaan er verschillende verslagen. Voor dit boek heb ik me laten leiden door het ooggetuigenverslag van brigadegeneraal Wyatt, dat uitvoerig wordt aangehaald in *The Story of the British Unknown Warrior* van Michael Gavaghan. Daarin staat dat er vier lichamen afkomstig waren uit elk van de vier voor de Britten belangrijkste slagvelden van het Westelijk Front – de Somme, Aisne, Arras en Ieper – en dat de lichamen van de slagvelden werden gehaald en niet van begraafplaatsen zoals soms wordt gesuggereerd. Het idee dat het lichaam afkomstig was van de akkers rond Arras, is van mij.

Dankwoord

Tijdens mijn onderzoek voor en het schrijven van *Wake voor een onbekende* heb ik heel veel naslagwerken gelezen, er zijn echter een paar boeken waar ik steeds weer op terugviel.

Wat betreft inzicht in de samenleving vlak na de Eerste Wereldoorlog: *The Great Silence, 1918-1920* van Juliet Nicholson. En het geweldige *The Long Weekend, A Social History of Britain,* 1918-1939 van Robert Graves.

Voor de invloed van de oorlog op vrouwen van Evelyns generatie: *Singled out* van Virginia Nicholson.

Voor verslagen van vrouwelijke tijdgenoten: *Women of the Aftermath* van Helen Zenna Smith, *The Virago Book of Women and the Great War, Testament of Youth* van Vera Brittain en Mary Bordens onthutsende *The Forbidden Zone,* dat weliswaar niet direct van invloed is geweest op de tekst, maar wel verplichte lectuur is voor iedereen die geïnteresseerd is in de ervaringen van vrouwen die de Eerste Wereldoorlog hebben meegemaakt.

Voor de omstandigheden van de soldaten aan het Westelijk Front: *The Great War and Modern memory* van Paul Russell en *Death's Men* van Denis Winter, een waanzinnig ontroerend verslag van de alledaagse realiteit van de soldaten van Kitchener.

Voor gedenktekens en herdenkingen putte ik uit: *Sites of Memory, Sites of Mourning* van Jay Winter en het briljante *The Missing of the Somme* van Geoff Dyer.

Dope Girls van Marek Kohn is een geweldig boek en zou meer bekendheid moeten genieten. Het was een bron van informatie over de danspartners en zo kwam ik aan de achtergrond en inspiratie voor de personages van Hettie en Di.

Zowel *The Story of the British Unknown Warrior* van Michael Gavanagh en *The Unknown Soldier* van Neil Harison, waren voor mij van onschatbare waarde.

Verder gaat mijn dank uit naar de volgende personen:

Mijn geweldige agent Caroline Wood en alle anderen bij Felicity Bryan Associates.

Jane Lawson, een fantastische redacteur en mijn ideale lezer.

Susan Kamil, voor haar inzicht en opmerkingen over de tekst.

Kate Samano, Allison Barrow en de teams van Transworld en Random House US.

Thea Bennett, Martha Close, Pippa Griffin, Keith Jarrett, Olya Knezevic, Philip Makatrewicz, Josh Raymond, David Savill, Matthew Weait, Ginevra White en Cynthia Wilson, oftewel The Unwritables, een fenomenaal stelletje schrijvers, voor hun inspiratie, vriendschap en steun.

Philip Makatrewicz en Toby Dantzic, die zo vriendelijk waren dit manuscript te lezen en van onschatbare hulp waren tijdens een kritisch stadium in het wordingsproces.

Christine Bacon omdat ze me tot rust liet komen toen ik er helemaal aan toe was.

Allan Mallinson en Christopher Wood voor hun uitleg op het gebied van militaire zaken.

Cherry Buckwell, Jennie Grant, Hazel Sainsbury, Beth Weightman, Lou Rhodes en Emma Darwall-Smith.

Sandy Chapman.

Mijn heerlijke, geschifte familie: Dan, Emily en Sophie en hun aanhang.

Ik heb nog een boek nodig om de dingen op te sommen waarvoor ik mijn ouders dankbaar ben, maar voorlopig doe ik het op deze manier en dank ik:

Tony Hope voor al zijn liefde en generositeit en dat hij mij de liefde voor boeken heeft bijgebracht.

Pamela Hope, die mij voorlas toen ik zelf nog niet kon lezen en die onvermoeibaar en enthousiast de verschillende versies van dit boek heeft gelezen.

En uiteindelijk dank ik Dave – voor je onvoorwaardelijke steun, je liefde, en dat je de schuur hebt gebouwd en steeds tegen me zei dat ik door moest gaan. Jij bent geweldig.

Dit boek was er nooit gekomen zonder hulp van jullie allemaal.

Bedankt.